Bush en guerra

ATALAYA

120

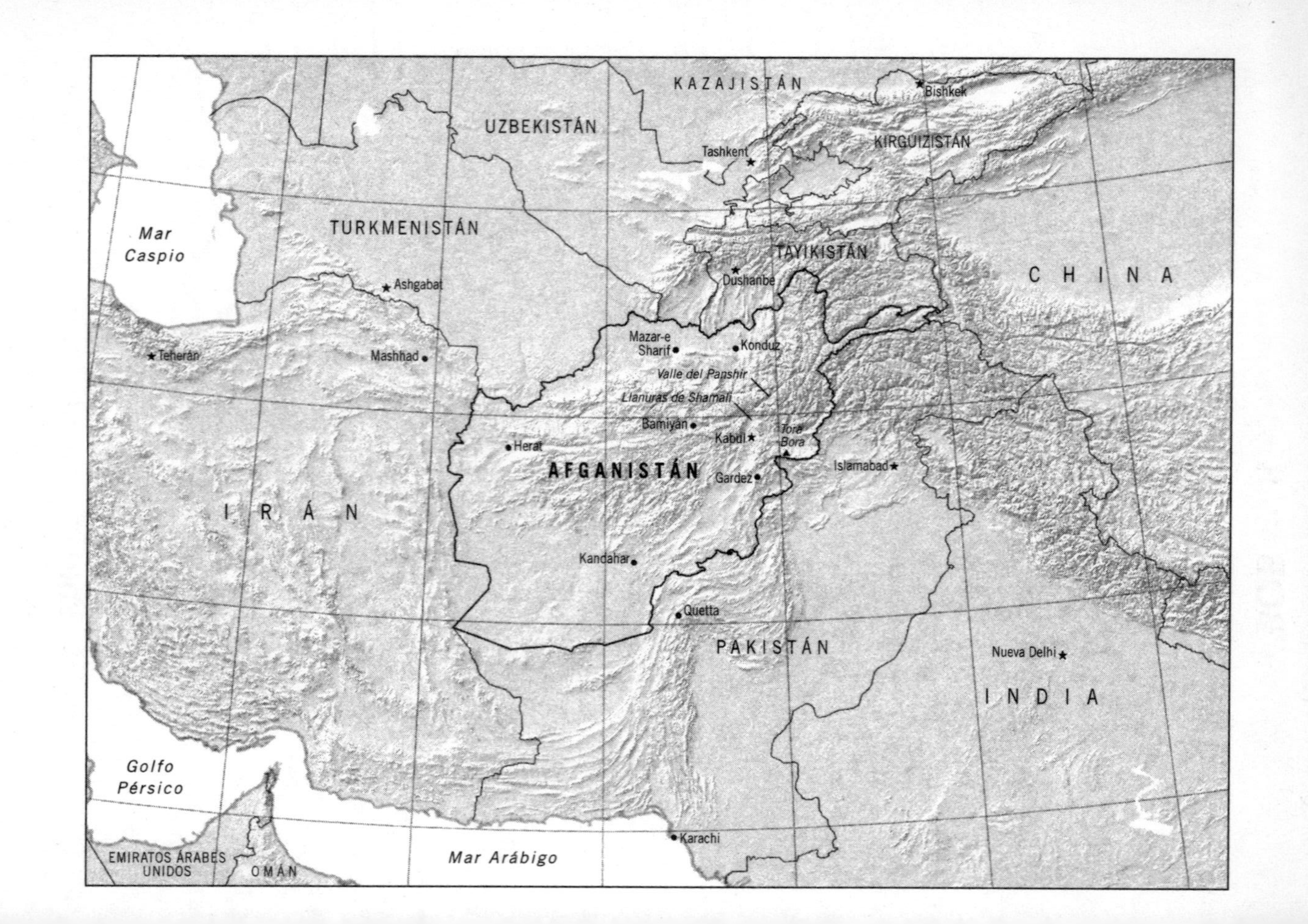
KAZAJISTÁN
Bishkek
UZBEKISTÁN
Tashkent
KIRGUIZISTÁN
TURKMENISTÁN
Mar Caspio
TAYIKISTÁN
Dushanbe
CHINA
Ashgabat
Mazar-e Sharif
Konduz
Teherán
Mashhad
Valle del Panshir
Llanuras de Shamali
Bamiyán
Kabul
Tora Bora
Herat
Islamabad
AFGANISTÁN
Gardez
IRÁN
Kandahar
Quetta
PAKISTÁN
Nueva Delhi
INDIA
Golfo Pérsico
Karachi
EMIRATOS ÁRABES UNIDOS
OMÁN
Mar Arábigo

BOB WOODWARD

Bush en guerra

TRADUCCIÓN DE INÉS BELAUSTEGUI,
CONCHA CARDEÑOSO E ISABEL MURILLO

EDICIONES PENÍNSULA

BARCELONA

Título original inglés:
Bush at War.

Primera edición: enero de 2003.

Peu de la Creu 4, 08001-Barcelona.
correu@grup62.com

Fotocompuesto en V. Igual s. l., Córcega 237, bajos, 08036-Barcelona.
Impreso en Limpergraf s.l., Mogoda 29-31,
polígono Can Salvatella, 08210-Barberà del Vallès.
DEPÓSITO LEGAL: B. 108-2003.
ISBN: 84-8307-554-7.

CONTENIDO

Dedicado a Donald E. Graham,
quien tan admirablemente perpetúa el legado de su madre,
Katharine Graham:
no entrometerse, sí reflexionar. indagar a fondo,
sin trabas ni condicionantes, y estar siempre dispuesto a escuchar.

NOTA DEL AUTOR

Mark Malseed, arquitecto graduado en 1997 por la Universidad de Lehigh y miembro de la sociedad de antiguos alumnos Phi Beta Kappa, fue mi colaborador a tiempo completo en las tareas de búsqueda de información, redacción, edición, investigación (y reflexión) necesarias para la elaboración de este libro. Es uno de los jóvenes más brillantes, ecuánimes y singulares que haya conocido o con el que haya tenido la ocasión de trabajar en mi vida. Empezó como ayudante mío en mayo de 2002 y en solo seis meses ha llegado a dominar todo lo relacionado con Bush, su gabinete de guerra y sus debates y estrategias. Instruido y meticuloso, Mark ha aportado en todo momento magníficas ideas para mejorar la estructura, sustancia y estilo de esta obra. Posee un sentido natural del orden y ha demostrado capacidad para compaginar media docena de actividades y trabajar a fondo durante jornadas de doce horas, manteniendo siempre el tipo. Es escrupulosamente imparcial, nada dado a sentimentalismos. Tuve el convencimiento de que podía confiar en él sin ningún género de dudas. Trabajar a diario con Mark ha sido un placer, y aprecio enormemente su amistad. Este libro es fruto de dicha colaboración, y es tan suyo como mío.

NOTA A LOS LECTORES

El presente libro da cuenta de la actuación del presidente George W. Bush en momentos de guerra, durante los primeros cien días transcurridos desde los atentados terroristas del 11 de septiembre de 2001.

Entre la documentación obtenida para elaborar esta obra se cuentan las notas que tomé en directo durante más de cincuenta reuniones del Consejo de Seguridad Nacional y de otros órganos, durante las cuales se debatió sobre las cuestiones de mayor envergadura y se tomaron las decisiones más importantes. De dichas notas proceden muchas de las citas literales del presidente y de los miembros del gabinete de guerra. Asimismo, muchas citas literales y otras partes de esta historia se basan en toda una serie de notas personales, memorándums, calendarios, cronologías internas, transcripciones y documentos de otra índole.

A ello se añade la información obtenida durante mis entrevistas a más de cien personas involucradas en el proceso de toma de decisiones y de ejecución de la guerra, entre otros el propio presidente Bush, miembros clave del gabinete de guerra, personal de la Casa Blanca y funcionarios que en esos momentos ocupaban cargos de diferente responsabilidad en los departamentos de Defensa y de Estado, así como de la CIA. La mayoría fueron entrevistados en repetidas ocasiones, muchos de ellos hasta media docena de veces o más. La mayoría de las entrevistas fueron bajo cuerda, es decir, podría plasmar en el libro la información que me suministraran, pero no identificar por su nombre a los informantes. Prácticamente todos accedieron a que grabara sus declaraciones en cinta magnetofónica, por lo que he podido narrar los acontecimientos de una manera más completa y empleando las palabras exactas que utilizaron.

He atribuido a los participantes pensamientos, conclusiones y opiniones que o bien fueron expresados por el interesado mismo, o bien me los transmitió algún colega suyo con conocimientos de primera mano, o bien constan en los registros escritos (tanto confidenciales como no).

El presidente Bush fue entrevistado públicamente en dos ocasiones: por mí mismo durante noventa minutos, y por Dan Balz, compañero periodista del *Washington Post*, en una extensa serie de entrevistas dividida en ocho sesiones, titulada «Ten Days in September» y publicada en el periódico a principios de 2002. He recurrido a mi entrevista y a la serie de Balz para confeccionar una parte del presente libro. El 20 de agosto de 2002 entrevisté por segunda vez al presidente Bush en su rancho de Crawford, Tejas, durante dos horas y veinticinco minutos. Tal como muestra la transcripción, intervine trescientas veces a lo largo del encuentro, para plantearle mis preguntas o hacer algún comentario breve. El presidente respondió con respuestas concretas, a menudo muy detalladas, sobre sus reacciones y razonamientos en relación con las decisiones principales y los puntos de inflexión de la guerra.

Planear y llevar a cabo una guerra implica manejar información secreta, y he utilizado mucha, siempre con la intención de ofrecer detalles específicos novedosos pero que no perjudicaran operaciones delicadas o relaciones sensibles con gobiernos de otros países. No es esta una versión aséptica. A buen seguro, si tuviéramos censores en Estados Unidos (gracias a Dios no los hay), marcarían los límites en un lugar más restrictivo que el que yo he elegido.

El presente libro contiene una cantidad enorme de informaciones nuevas y documentadas que pude recabar en el momento en que más frescos estaban los recuerdos y mejor podían descifrarse las notas. Es una crónica desde dentro, pues en gran medida narra los acontecimientos tal como los vieron, oyeron y vivieron quienes participaron en la historia desde el otro lado de los bastidores. Se trata de una versión reciente, dado que cubre hechos y deliberaciones secretas que solo comenzaron hace un año. Aun así, he podido comprobar la exactitud de mis datos y su situación en el contexto preciso con fuentes dignas de toda mi confianza a las que conozco desde hace años o incluso, en algunos casos, desde hace décadas. Es posible que en los próximos meses y años la crítica, el juicio de la historia y otras informaciones modifiquen nuestra comprensión histórica de esta época. Este es el fruto de mi esfuerzo por conseguir la mejor versión posible de la verdad hoy por hoy.

En 1991 publiqué un libro titulado *The Commanders*, sobre la invasión de Panamá en 1989 y el período previo a la Guerra del Golfo durante la presidencia del padre de Bush, George H. W. Bush. Comienza con estas palabras: «La decisión de ir a la guerra define a toda nación, tanto de cara al mundo, como de cara a sí misma, lo cual tal vez sea más importante. Ninguna otra cuestión resulta más seria para un Gobierno nacional, ni hay una medida más exacta del liderazgo nacional».

Hoy quizá sea más cierto que nunca.

BOB WOODWARD.

Washington, D.C., 11 de octubre de 2002.

REPARTO

El presidente de Estados Unidos
GEORGE W. BUSH

PROTAGONISTAS PRINCIPALES

Vicepresidente de Estados Unidos
DICK CHENEY

Secretario de Estado
COLIN L. POWELL

Secretario de Defensa
DONALD H. RUMSFELD

Consejera del Presidente para Asuntos de Seguridad Nacional
CONDOLEEZZA RICE

Director de la Agencia Central de Inteligencia (CIA)
GEORGE J. TENET

Jefe del Estado Mayor Conjunto
GENERAL RICHARD B. MYERS, FUERZAS AÉREAS DE ESTADOS UNIDOS

Jefe de Gabinete de la Casa Blanca
ANDREW H. CARD, HIJO

SUPLENTES

Jefe de Gabinete de la Vicepresidencia
LEWIS «SCOOTER» LIBBY

Subsecretario de Estado
RICHARD L. ARMITAGE

Subsecretario de Defensa
PAUL D. WOLFOWITZ

Consejero Adjunto del Presidente para Asuntos de Seguridad Nacional
STEPHEN J. HADLEY

Subdirector de la CIA
JOHN E. MCLAUGHLIN

Jefe Segundo del Estado Mayor Conjunto
GENERAL PETER PACE, INFANTERÍA DE MARINA DE ESTADOS UNIDOS

OTROS CONSEJEROS CRUCIALES

Comandante en Jefe, Mando Central de Estados Unidos
GENERAL TOMMY FRANKS, EJÉRCITO DE ESTADOS UNIDOS

Fiscal General de Estados Unidos
JOHN D. ASHCROFT (MINISTRO DE JUSTICIA)

Director del Buró Federal de Investigación (FBI)
ROBERT S. MUELLER III

Consejera de la Presidencia para Comunicación
KAREN P. HUGHES

Consejero especial de la Presidencia
KARL ROVE

Secretario de Prensa de la Casa Blanca
ARI FLEISCHER

LA CIA

Subdirector de Operaciones
JAMES L. PAVITT

Director del Centro de Contraterrorismo
COFER BLACK

Jefe de Operaciones Especiales de Contraterrorismo
HANK

Jefe del Equipo Rompemandíbulas
GARY

LA ALIANZA DEL NORTE

Comandante Primero
MOHAMED FAHIM

Comandante de las Fuerzas en Afganistán septentrional
ABDURRASHID DOSTUM

Comandante de las Fuerzas en Afganistán septentrional
ATTAH MOHAMAD

Comandante de las Fuerzas en Afganistán central
KARIM KHALILI

Comandante de las Fuerzas en Afganistán occidental
ISMAÍL KHAN

Ministro de Asuntos Exteriores
ABDULÁ ABDULÁ

Jefe de Seguridad
INGENIERO MOHAMED ARIF SAWARI

PRESIDENTE INTERINO DE AFGANISTÁN

HAMID KARZAI

BUSH EN GUERRA

I

El martes 11 de septiembre de 2001 amaneció como el típico día de la costa este de Estados Unidos en los albores del otoño, una mañana soleada con temperaturas en torno a los 21°, vientos suaves y cielo de un intenso azul claro. El presidente George W. Bush viajaba a Florida esa mañana para promocionar su política educativa, por lo que su jefe de Inteligencia, el director de la CIA George J. Tenet, no tuvo que cumplir con el ritual de todas las mañanas a las ocho en punto, consistente en presentarse ante el presidente en la Casa Blanca para ponerle al día personalmente sobre las últimas informaciones de máximo secreto y de mayor importancia que hubieran caído en manos del gigantesco imperio norteamericano de espionaje.

En lugar de eso, Tenet (de cuarenta y ocho años, corpulento, extrovertido e hijo de inmigrantes griegos) desayunaba sin prisas en el Hotel St. Regis, tres manzanas al norte de la Casa Blanca, con la persona que más había tenido que ver en su ascenso dentro del mundo de la información secreta, el ex senador demócrata por Oklahoma David L. Boren. Entre ellos se había fraguado una inusitadamente estrecha relación de amistad, iniciada trece años atrás en la época en que Tenet desempeñaba un cargo de nivel medio en la Comisión de Inteligencia del Senado, cuyo presidente era Boren. Tenet había demostrado ser un magnífico informador y Boren le había nombrado director de personal, por delante de otros miembros con más antigüedad en ese terreno. Desde este puesto Tenet tenía garantizado el acceso a prácticamente todos los secretos de espionaje de la nación.

En 1992, Boren lo recomendó al presidente electo Bill Clinton, instándole a que lo nombrara jefe del equipo dedicado a asuntos de espionaje en el gabinete de transición. Al año siguiente, Tenet era nombrado director de Espionaje del Consejo de Seguridad Nacional, pasando así a ser el responsable de la coordinación de todos los asuntos relativos a espionaje para la Casa Blanca, incluidas las acciones encubiertas. En 1995 Clinton lo nombró subdirector de la CIA y, dos años después, lo eligió para el cargo de director de Inteligencia Central (DCI en sus siglas en inglés), con la misión de dirigir la CIA y la gigantesca comunidad de espionaje estadounidense.

Hombre de carácter nervioso y un adicto al trabajo, Tenet sufrió un ataque de corazón en su etapa como director de la plantilla de espionaje del Consejo de Seguridad Nacional. Y algunas veces podía ser voluble. Durante el segundo mandato de Clinton, siendo ya director de la CIA, abandonó soltando improperios cierta reunión de una comisión de máximos responsables entre los que se encontraban los secretarios de Estado y Defensa (no así el presidente). En su opinión, la reunión se estaba alargando innecesariamente, impidiéndole además asistir a la representación navideña del colegio de su hijo. «¡Que os den, yo me marcho!» fueron sus palabras de despedida. De todos modos, desde entonces Tenet ha sabido controlar su temperamento.

A principios de 2001 Boren telefoneó al presidente electo Bush para hablarle maravillas de Tenet como hombre imparcial y para instarle a mantenerle en el cargo de director de la CIA. Le sugirió que preguntara a su padre. Cuando el joven Bush así lo hizo, el ex presidente George H. W. Bush contestó: «Por lo que me han dicho, es un buen tipo» (uno de los mejores elogios que se gasta la familia Bush). Tenet, con buen olfato para cultivar alianzas políticas, había ayudado a Bush padre a salir airoso del polémico nombramiento de Robert Gates como director de la CIA en 1991, y posteriormente encabezó las gestiones de nombramiento de cargos en la oficina central de la CIA para Bush, él, antiguo director de la Agencia.

El ex presidente también le dijo a su hijo: «Tu tarea más importante como presidente será ponerte al corriente a diario sobre las novedades del personal dedicado a tareas de información».

Desde sus inicios como director de personal de la Comisión de Inteligencia del Senado, Tenet había ido comprendiendo cada vez mejor la importancia de la información obtenida por los agentes directamente (la «human intelligence», HUMINT en la jerga del espionaje). En la era de los alucinantes avances en materia de obtención de información transmitida mediante señales (la «signals intelligence», o SIGINT), como la intercepción de conversaciones telefónicas, teletipos y otras comunicaciones, o el desciframiento de códigos en clave (así como la fotografía por satélite y las imágenes de los radares), la CIA había restado valor a la función de la HUMINT. Sin embargo, Tenet destinó más dinero al espionaje con personas y al entrenamiento de oficiales responsables de casos, los empleados de los servicios secretos que trabajan de forma clandestina reclutando y pagando a espías y agentes en gobiernos de otros países, a su vez denominados «fuentes» o «activos».

Tenet sabía que sin oficiales de casos no habría fuentes de carne y hueso que proporcionaran informaciones secretas ni acceso a gobiernos, grupos de oposición u otras organizaciones en el extranjero, habría poca información interna y pocas oportunidades para llevar a cabo acciones encubiertas. Y la acción encubierta para conseguir cambios en otros países formaba parte de los estatutos de la Agencia, por muy polémica, desacertada o chapucera que pudiera haber sido en el transcurso de los años.

Los oficiales de casos eran el primer paso importante. En los años noventa solo se estaba entrenando a doce. Su formación consistía en un curso intensivo de un año, que la CIA llevaba a cabo en unas instalaciones llamadas La Granja, en la campiña del estado de Virginia. En 2001, Tenet tenía un número diez veces superior de oficiales preparándose, un salto increíble. Se decidió aumentar la HUMINT y hacer posible, si así lo autorizaba el presidente, que se llevaran a cabo acciones encubiertas. Todo esto se había hecho durante la presidencia de Clinton.

—¿Qué te preocupa estos días?—le preguntó Boren a Tenet aquella mañana.

—Bin Laden—respondió Tenet, refiriéndose al líder terrorista Osama Bin Laden, un saudí exiliado y residente en Afganistán que había creado la red internacional denominada Al Qaeda, 'la Base' en árabe. Estaba convencido de que Bin Laden iba a hacer algo gordo, añadió.

—¡Venga, George!—replicó Boren. Llevaba dos años oyendo las preocupaciones de su amigo en relación con Bin Laden—. ¿Cómo es posible que una sola persona, sin los recursos de un Gobierno, represente semejante amenaza?—le insistió.

—No entiendes la capacidad y el alcance de lo que están organizando—dijo Tenet.

Boren temió que su amigo tuviera una insana obsesión con Bin Laden. Casi dos años antes, justo antes de las celebraciones del segundo milenio, Tenet había dado un paso en extremo insólito y arriesgado al avisar personalmente a Boren de que no viajara ni apareciera en grandes eventos públicos durante la Nochevieja o el día de Año Nuevo, porque preveía atentados de gran magnitud.

Más recientemente, Tenet había temido que se produjeran atentados durante la fiesta del 4 de julio de 2001. Si bien no lo reveló a Boren, había interceptado treinta y cuatro comunicaciones entre diversos colaboradores de Bin Laden que aquel verano pronunciaron frases como «Mañana es la hora cero» o «Se avecina algo espectacular». El sistema de espionaje había realizado tantas interceptaciones de este tipo (denominadas muchas veces «charlas») y había habido tantos informes sobre amenazas, que Tenet estaba en alerta máxima. Parecía que iban a producirse de manera inminente atentados contra embajadas de Estados Unidos en diferentes países o en lugares donde había una gran concentración de turistas estadounidenses, pero los servicios de información nunca dieron con el sitio o la fecha, ni con el método que podría emplearse.

Al final no había pasado nada, pero Tenet comentó que ese era el asunto que le quitaba el sueño.

De repente se acercaron a la mesa varios de sus guardias de seguridad, y no precisamente con parsimonia, sino a toda velocidad.

Vaya, pensó Boren.

—Señor director—dijo uno de ellos—, un problema grave.

—¿Qué ocurre?—preguntó Tenet, dándoles a entender que no había nada que ocultar al otro comensal.

—Han atentado contra una torre del World Trade.

Uno de ellos le pasó a Tenet un móvil, y este llamó a las oficinas centrales.

—¿Que han estrellado el avión contra el edificio?—preguntó Tenet sin poder dar crédito.

Ordenó a su gente de confianza que acudiera a su sala de reuniones en la central de la CIA. Él llegaría en quince o veinte minutos.

—Tiene toda la pinta de que Bin Laden está detrás de esto—le dijo a Boren—. Debo irme.—Además, tuvo una reacción que hizo pensar que realmente ni la CIA ni el FBI habían hecho todo lo posible por evitar el atentado terrorista—: Me pregunto—añadió Tenet—si guarda alguna relación con el tipo aquel del curso de pilotos.—Se refería a Zacarias Moussaoui, un ciudadano francés de ascendencia marroquí al que el FBI había detenido en Minnesota el mes anterior ante su sospechoso comportamiento en una escuela de formación de pilotos.

El caso Moussaoui le tenía preocupado. En agosto el FBI había pedido a la CIA y a la Agencia de Seguridad Nacional que llevaran a cabo un seguimiento de las llamadas telefónicas de Moussaoui al extranjero. En esas fechas el FBI tenía ya un grueso expediente dedicado solo a él. Mientras Tenet se dirigía, hecho un manojo de nervios, a la inmensa sede central de la CIA (un complejo que ocupa 104 hectáreas) en Langley, Virginia, el pasado, presente y futuro de su lucha contra el terrorismo giraban en su cabeza como un torbellino.

La CIA llevaba más de cinco años tras la pista de Bin Laden, sobre todo a partir de los devastadores atentados con bomba de 1998 contra las embajadas de Estados Unidos en Kenia y Tanzania, patrocinados por él, que dejaron un saldo de doscientos muertos. Aquella vez el presidente Clinton ordenó al Ejército estadounidense el lanzamiento de sesenta y seis misiles de crucero en dirección a los campos de entrenamiento de terroristas en Afganistán, donde Bin Laden, supuestamente, se hallaba reunido con sus máximos responsables. Pero parece ser que se marchó del lugar pocas horas antes de que los misiles alcanzaran su objetivo.

En 1999, la CIA inició una operación encubierta consistente en formar a sesenta comandos de la Agencia paquistaní de Información que habrían de introducirse en Afganistán para capturar a Bin Laden. Sin embargo, la operación fue abortada a raíz del golpe militar ocurrido en Pakistán. Otras opciones, más ambiciosas y arriesgadas, se habían estado sopesando en reuniones al parecer interminables con los responsables de la Seguridad Nacional de la Administración Clinton.

Una de las opciones que se había barajado era una operación nocturna y clandestina con helicópteros contra Bin Laden, en la que participaría una reducida unidad de elite de las Fuerzas Especiales del Ejército estadounidense formada por apenas cuarenta hombres. Iba a ser necesario que los helicópteros repostaran combustible en algún momento, ya que deberían recorrer unos mil quinientos kilómetros. Pero rondaba el espectro de la operación Desierto Uno, ordenada por el presidente Carter en 1980 para rescatar a los rehenes estadounidenses en Irán. En aquella ocasión, varias aeronaves se estrellaron en el desierto. También recordaban el derribo de dos helicópteros Blackhawk en Somalia durante una misión en 1993, que se cobró la vida de dieciocho norteamericanos.

Los jefes militares alegaron que la operación nocturna contra Bin Laden podría fracasar y provocar un número considerable de bajas entre los soldados estadounidenses. Por otra parte, los informes de espionaje demostraban que, siguiendo órdenes de Bin Laden, sus principales lugartenientes mantenían a sus familias en el entorno, y Clinton se negaba a realizar operaciones que pudieran acabar con la vida de mujeres y niños.

Finalmente, se decidió poner en situación de alerta a una unidad de las Fuerzas Especiales de Estados Unidos y varios submarinos capaces de disparar misiles de crucero, pero era imprescindible avisarles con una antelación de entre seis y diez horas acerca de la ubicación de Laden.

Uno de los secretos mejor guardados de la CIA era la existencia de treinta agentes afganos reclutados, un grupo denominado con el nombre en clave GE/SENIORS, a los que se había pagado para que siguieran los movimientos de Bin Laden en Afganistán en los últimos tres años. Estos hombres, que recibían diez mil dólares al mes, podían trasladarse en grupo o bien dividirse en equipos de rastreo formados por cinco integrantes.

La CIA mantenía comunicaciones secretas a diario con los *Seniors*, como los llamaban, y les había comprado vehículos y motos. Pero seguirle la pista a Bin Laden era una tarea cada vez más ardua. Cambiaba de ubicación a intervalos irregulares, muchas veces abandonando un lugar de forma repentina en mitad de la noche.

Increíblemente, los *Seniors* parecían tenerlo localizado la mayor parte del tiempo, pero nunca lograron aportar informaciones «practicables», es decir, comunicar con cierta seguridad que se quedaría en un determinado lugar durante el tiempo necesario para disparar los misiles de crucero contra dicho objetivo. Además, la CIA no consiguió reclutar a ningún espía fiable de dentro del círculo de Bin Laden que pudiera informarles sobre sus planes.

En la Casa Blanca de Clinton y en el aparato de Seguridad Nacional había algunos escépticos respecto de los *Seniors*, pues a veces llegaba información secreta contradictoria sobre la ubicación de Bin Laden. Por otra parte, en Afganistán era habitual comprar a la gente, sobre todo a los «activos» del espionaje.

Ni Clinton, ni Bush hasta ahora, han otorgado a la CIA autoridad para mandar a los *Seniors* o a otros activos a sueldo a matar o asesinar a Bin Laden. La prohibición presidencial del asesinato, firmada por primera vez por el presidente Gerald Ford, tenía fuerza de ley.

Durante un tiempo el cabecilla de los *Seniors* afganos se reunió varias veces con el jefe de la base de la CIA en Islamabad, Pakistán, encargado de controlarles y pagarlos. El cabecilla de los *Seniors* afirmaba que en dos ocasiones habían disparado contra el convoy de Bin Laden, en defensa propia, lo cual era lícito. Pero ahora quería atacar el convoy en una operación concertada, para lo cual proponía tenderle una emboscada (disparar contra todo bicho viviente, matarlos a todos y darse a la fuga).

El jefe de la base de la CIA le dijo una y otra vez: «No. No se puede. No podéis hacer eso». Semejante acción violaría las leyes estadounidenses.

A juzgar por el dinero disponible, por los recursos para operaciones encubiertas y por el ambiente general, Tenet supuso que la CIA había hecho todo lo que estaba en su mano. Pero en ningún momento había solicitado un cambio de las reglas, es decir, nunca le pidió a Clinton que emitiera una orden a los Servicios de Espionaje en virtud de la cual los *Seniors* habrían tenido autorización para tender una emboscada a Bin Laden.

Tenet pensaba que los abogados del Departamento de Justicia o de la Casa Blanca se habrían negado, que el plan habría violado la prohibición del asesinato. Se sentía limitado por la actitud pacifista de Clinton y de sus asesores. Todo quedaba «ajustado a la ley», diría. Pero él mismo había contribuido también a crear ese ambiente durante sus cinco años y medio como director y subdirector de información central para Clinton.

Lo que sí permitían las normas era que la CIA capturara a Bin Laden para someterlo a los órganos de seguridad del Estado, operación conocida en la jerga legal como una *entrega*. Así pues, se diseñó una gran operación encubierta con este fin. Tenet estaba seguro de que Bin Laden no se dejaría atrapar vivo, de modo que tal operación, si tenía éxito, tendría por resultado su muerte.

Pero todos los expertos de la CIA dentro de la Dirección de Operaciones opinaban que no daría resultado, que provocaría muchas muertes (y no necesariamente la de Bin Laden). Y Tenet estaba de acuerdo. El plan no prosperó. También se rechazó, por arriesgada y con escasas probabilidades de éxito, la propuesta de los saudíes de que la CIA colocara un dispositivo casero en el equipaje de la madre de Bin Laden, que iba a viajar desde Arabia Saudí a Afganistán para visitar a su hijo.

A las 9:50 Tenet se encontraba en su despacho de la planta séptima. A esas horas ya se habían estrellado dos aviones de pasajeros contra las torres del World Trade Center y un tercero había caído sobre el Pentágono. Un cuarto avión secuestrado sobrevolaba Pensilvania, al parecer con rumbo a la zona de Washington.

El sistema estaba desbordado, no paraban de recibirse informes sobre nuevos objetivos, como la Casa Blanca, el Capitolio y el Departamento de Estado. Otro posible objetivo era la sede central de la CIA, una referencia muy visible y reconocible, cerca del río Potomac. Los investigadores sabían que Ramzi Yusef, el terrorista de Al Qaeda responsable del primer atentado contra el World Trade Center en 1993, había planeado dirigir un avión cargado de explosivos hacia el complejo de la CIA.

«Tenemos que salvar a nuestra gente—dijo Tenet a sus colaboradores de mayor rango—. Hay que evacuar el edificio». Ordenó que saliera todo el mundo, incluso la numerosa plantilla de cientos de empleados del Centro de Contraterrorismo (CTC), sito en los sótanos sin ventanas del edificio.

Cofer Black, director del CTC, recibió la orden con escepticismo, medio meneando la cabeza. A sus cincuenta y dos años, Black era un veterano de las operaciones encubiertas y una de las leyendas de la Agencia. En 1994, había trabajado en la captura de Carlos el Chacal, tal vez el terrorista internacional más famoso antes de la aparición de Bin Laden. Sus cabellos empezaban a clarear, llevaba gafas prominentes y tenía un sorprendente parecido con Karl Rove, el principal estratega político del presidente Bush. Era la imagen viviente de la era en que la Agencia estaba repleta de personajes curiosos y excéntricos. Fiel al protocolo de la vieja escuela, Black llamaba a Tenet «señor director» o «señor» a secas, mientras que todo el mundo en la CIA le llamaba por su nombre de pila.

—Señor—dijo Black—, vamos a tener que excluir al CTC, necesitamos a nuestra gente en los ordenadores.

—Pues—replicó Tenet—el Centro de Respuesta Global...—Se refería a las ocho personas de guardia en la sexta planta, casi en lo alto del edificio, pendientes de cualquier información secreta que pudiera recabarse sobre terrorismo en cualquier rincón del mundo—. Estarán en peligro.

—Es un factor... Vamos a necesitarlos en sus puestos.

—Pero hay que sacarlos de aquí—insistió Tenet.

—No, señor, hay que dejarlos en su sitio porque desempeñan una función clave en una crisis como esta. Precisamente para eso tenemos el Centro de Respuesta Global.

—Pero podrían morir.

—Señor, entonces sencillamente tendrán que morir.

Tenet guardó silencio.

El director de la CIA era algo así como el padre protector de las miles de personas que trabajan en sus instalaciones. En la cultura popular y para mucha gente de Washington, la CIA era una institución caduca, innecesaria incluso. Los más positivos la veían solo como una especie en extinción, valga la expresión. Protegida por un director.

—Tienes toda la razón—le dijo finalmente a Black. Aquella mañana habían cambiado las reglas, quizás absolutamente todas.

Miles de personas habían muerto ya en la ciudad de Nueva York y en el Pentágono.

Black percibió una transformación importante. Ante su mirada, la gente, incluido el director, estaba madurando a toda velocidad, pasando de la mentalidad burocrática a la aceptación del riesgo y de la muerte. El atentado no había pillado por sorpresa a Black, pero hasta él mismo estaba conmocionado ante la magnitud de la matanza.

Durante sus tres años como jefe de Contraterrorismo había aprendido que si el director del CTC no era más agresivo que sus superiores, entonces es que no era la persona adecuada para el puesto. Siendo jefe de la base de la CIA en Jartum, Sudán, ya había trabajado contra Al Qaeda y, en 1994, había sido objeto de una emboscada fallida y de un intento de asesinato. Había propuesto varias acciones encubiertas, agresivas y letales para capturar a Bin Laden, pero ninguna había sido aceptada. Supuso que, dado el ambiente, era probablemente inevitable.

Ahora todo eso había cambiado.

Tenet ordenó la evacuación del edificio, dejando solo a los miembros del Centro de Respuesta Global.

Mientras, en Lima, Perú, el secretario de Estado Colin L. Powell acababa de sentarse a desayunar con el nuevo presidente, Alejandro Toledo. Powell debía asistir a la asamblea de la Organización de Estados Americanos. Tenía previsto participar en una serie de agradables eventos junto con los ministros o jefes de Estado de 34 de los 35 países de la región (Cuba no había sido invitada).

Toledo hablaba sin parar de las cuotas del textil estadounidense. Quería una exención para el algodón de alta calidad, que según él no plantearía competencia alguna con el algodón de baja calidad producido en ciertos estados del sur de Estados Unidos que, por descontado, insistían en mantener las cuotas.

De repente se abrió la puerta e irrumpió en la sala Craig Kelly, ayudante ejecutivo de Powell. Llevaba en la mano un trozo de papel arrancado de un cuaderno de espiral, con algo escrito: dos aviones habían chocado contra el World Trade Center.

«Si han sido dos no puede ser un accidente», pensó Powell. En una segunda nota se decía que eran dos avionetas. «Debo regresar», pensó. Fuera lo que fuese, era demasiado grave como para quedarse en la conferencia de los ministros de Asuntos Exteriores en Perú. «El avión, prepare el avión», le dijo a Kelly. «Vaya a decirles que nos marchamos».

Como era necesaria más o menos una hora para preparar el avión, Powell pasó antes por la sede de la asamblea. Representantes de otros países le transmitieron sus condolencias. Powell les dirigió unas palabras de agradecimiento a los miembros de la asamblea por sus muestras de pesar y les prometió que Estados Unidos respondería y, en última instancia, tomaría represalias. «Una tragedia terrible, espantosa, se ha abatido sobre mi nación—afirmó—, pero... pueden estar seguros de que Estados Unidos se ocupará de esta tragedia de tal manera que los responsables sean llevados ante la justicia. Tengan la certeza de que, por terrible que sea este día para nosotros, lo superaremos, porque somos una nación fuerte, una nación que cree en sí misma».

Los presentes se pusieron en pie y aplaudieron. Powell salió entonces a toda prisa hacia el aeropuerto para emprender un viaje de siete horas. En cuanto el avión despegó, Powell se encontró con que no podía hablar con nadie porque sus comunicaciones estaban conectadas con el sistema en Estados Unidos, que se había colapsado. Sin poder llamar ni usar el correo electrónico, era como un hombre sin país.

Al cabo de unos minutos se acercó a la cabina para llamar por radio, lo que obligaba a finalizar cada frase con el consabido «¡cambio!» e implicaba una ausencia total de seguridad en la comunicación. Logró dar con Richard L. Armitage, subsecretario de Estado y su mejor amigo. Hablaron varias veces, pero era imposible mantener una conversación coherente. Armitage, graduado por la Academia Naval en 1967, había vivido cuatro períodos de servicio en Vietnam y posteriormente ejerció como subsecretario de Defensa de la Administración Reagan. Era un hombre franco, físicamente musculoso y de pecho fuerte y grueso, que detestaba la cháchara diplomática fina y formal. Ya antes de ocupar los puestos de máxima responsabilidad del Departamento de Estado, Powell y Armitage conversaban a menudo todos los días. De él dijo Powell: «Pondría en sus manos mi vida, mis hijos, mi reputación, todo lo que tengo».

De las cosas que menos podían gustarle a Powell, la que más aborrecía era quedarse al margen de la acción. Una parte fundamental de la elaboración de las políticas en el ámbito de la seguridad nacional era la gestión de las crisis. Por mucho que un presidente, una Casa Blanca o un equipo de Seguridad Nacional se empeñasen en dotar de cierto orden y estructura al proceso de elaboración de políticas, ciertos momentos críticos poseían siempre un componente de azar. Toda crisis conlleva la existencia de un peligro extremo, pero al mismo tiempo ofrece una oportunidad única.

A sus sesenta y cuatro años, Powell había ocupado ya tres cargos en la Sala de Situación de la Casa Blanca: el de consejero del presidente Reagan para temas de Seguridad Nacional durante un año, el de jefe del Estado Mayor Conjunto para el primer presidente Bush durante la Guerra del Golfo, y por aquel entonces, desde hacía nueve meses, el de secretario de Estado para el segundo presidente Bush.

Acababa de recibirse un informe sobre otro avión de pasajeros que se había estrellado contra el Pentágono, y de todas partes llegaban informes y rumores imprecisos sobre toda clase de aviones en diversos puntos del país.

Powell empezó a tomar notas a toda prisa. Fiel a su espíritu de soldado, escribió lo siguiente: «¿Cuál debe ser la responsabilidad de mi gente? ¿Cómo va a responder el mundo, cómo va a responder Estados Unidos? ¿Y Naciones Unidas? ¿Y la OTAN? ¿Cómo empiezo a organizar a la gente?».

Aquellas siete horas de incomunicación fueron una eternidad para el hombre que podría haber sido comandante en jefe.

En 1995, Powell, jubilado del Ejército desde hacía dos años, se había planteado presentarse a la presidencia. Escribió su autobiografía, *My American Journey*, que se convirtió en número uno de ventas del país. Había logrado situarse en el epicentro de la política estadounidense, los sondeos le ponían por las nubes, la nominación por el Partido Republicano estaba al alcance de su mano si la quería, y de ahí a la presidencia solo habría un paso.

Armitage se había opuesto a su proyecto con vehemencia: «No merece la pena. No lo hagas—le había aconsejado, para finalmente decirle a su amigo—: No creo que estés preparado para eso». Le insistió en que la campaña electoral implicaba todo lo que Powell deploraba, «todo lo malo que te puedas imaginar». A Powell le gustaban los planes bien organizados, el orden, la predictibilidad, un grado de certidumbre intrínsecamente imposible de encontrar en la tumultuosa escena política estadounidense.

De todos era sabido que Alma, su esposa, se oponía a que se presentara a las elecciones. Lo que nadie sabía era que Alma le había dicho sin tapujos que le dejaría si lo hacía. «Si te presentas a la presidencia, me marcho», le avisó. Tenía miedo de que pudieran atentar contra él, que le mataran de un tiro. Unas elecciones a la presidencia, ver a su marido convertido en presidente o verse a sí misma en el papel de primera dama no eran cosas que encajaran precisamente en su proyecto de vida. «Vas a tener que hacerlo tú solo», le dijo.

Cuando Bush ganó la nominación presidencial del Partido Republicano en el año 2000, Powell entró a formar parte de su equipo de ayudantes, pero Karl Rove se encontró con que habría que mover cielo y tierra para conseguir que apareciera junto a Bush en algún acto público. Casi todos los demás políticos republicanos destacados participaban sin rechistar, pero no así Powell. Su equipo de colaboradores siempre quería saber quién más estaría en el acto, qué se iba a decir, ante qué público y cuál era el objetivo político. Era como si quisieran calcular las consecuencias políticas, para Powell (no para Bush). Rove detectaba una sutil tendencia subversiva, como si Powell estuviera protegiendo sus credenciales de moderado y su propio futuro político a expensas de Bush.

De todos modos, su presencia le ofrecía a Bush una vía hacia posiciones moderadas y de centro, lo que le convertía en el candidato idóneo para ocupar la Secretaría de Estado si Bush era elegido presidente. Powell dio a entender que aceptaría ese cargo. Sus más allegados tenían la sensación de que los votantes no solo iban a elegir un presidente, sino a un equipo de Gobierno: no ya solo a Bush y a su candidato a la vicepresidencia, el ex secretario de Defensa Dick Cheney, sino también a Powell.

Cuando el Tribunal Supremo dictaminó que Bush había ganado por 537 votos tras la odisea de Florida, los asesores de Powell llegaron al convencimiento de que este en realidad había aportado un número de votos infinitamente mayor para la victoria final.

En el curso de sus primeros meses como secretario de Estado, Powell no estrechó lazos con Bush ni estableció con él una relación distendida, esa cercanía natural y cómoda que ambos mantenían con otras personas. Entre estos dos hombres afables había una distancia, un cierto recelo, como si se acecharan mutuamente desde lejos y no quisieran sentarse a solventarlo tranquilamente (fuera lo que fuese). Tanto Bush como Powell gastaban un humor cuartelero con otras personas, pero rara vez entre sí.

Rove estaba muy preocupado y tenía la sensación de que Powell escapaba a todo control político. Actuaba como si el cargo le correspondiera por derecho propio. «Siempre está con que si "Yo estoy al mando, todo esto no es más que política y yo voy a ganar esta lucha intestina"», comentó Rove en privado.

Cada vez que Powell destacaba demasiado respecto de algún tema y se convertía en la voz cantante de la Administración, el aparato político y de comunicaciones de la Casa Blanca le cortaba las riendas y lo apartaba del centro de atención. Rove y Karen P. Hughes, directora de comunicaciones de Bush desde hacía mucho tiempo y a la sazón consejera de la Casa Blanca, decidieron qué personas de la Administración aparecerían en las entrevistas televisadas de los domingos, en los principales telediarios de la noche y en los programas matutinos. Powell conocía las reglas: si la Casa Blanca no le llamaba para sugerirle que podía aceptar las numerosas invitaciones, habría que rechazarlas. Así lo hizo.

En abril de 2001, cuando un EP-3E estadounidense, un avión espía del Ejército, fue interceptado cerca de la costa de China, obligado a aterrizar y retenido junto con los veinticuatro miembros de su tripulación por el Gobierno chino, la Casa Blanca decidió mantener alejado del tema a Bush, para que el presidente no diera la impresión de estar implicado emocionalmente o que tuviera que ejercer la función de negociador. Era importante comportarse como si no se tratara de otra crisis de rehenes, habida cuenta que la crisis de los rehenes de Irán había paralizado al presidente Carter y que la situación de los rehenes de Líbano había llegado a suponer una obsesión para el presidente Reagan a mediados de los años ochenta.

El asunto pasó a manos de Powell, quien logró con éxito su liberación once días después. Fue todo un triunfo, pero, incluso en un caso así, la Casa Blanca evitó que saliera en televisión para atribuirse el logro.

Powell y Armitage solían bromear con que al primero lo habían metido en el «congelador» o la «nevera», es decir, que lo tenían ahí para usarlo solo cuando hiciera falta.

La semana que precedió al 11 de septiembre la revista *Time* había lanzado como tema de portada un artículo sobre Powell titulado «Where Have You Gone, Colin Powell?» ('¿Dónde te has metido, Colin Powell?'). El artículo venía a decir que estaba dejando «una huella superficial» en la política y que estaba cediendo terreno a los defensores de la línea dura de la Administración. Fue un golpe de lo más efectivo por parte de la Casa Blanca, algunos de cuyos funcionarios habían cooperado con los redactores para demostrar que, en muchas de sus decisiones, Powell se quedaba solo, a veces incluso defendiéndolas a la desesperada, como un marginado dentro de la nueva Administración.

Rove, por su parte, iba diciendo en privado que le daba la impresión de que Powell había dado un paso atrás y que le llamaba la atención que se mostrara tan incómodo delante del presidente.

Powell y algunas personas de su círculo habían pasado horas con los reporteros del *Time* tratando, en vano, de convencerles de que las ideas del artículo eran erróneas. Pero Powell y Armitage eran conscientes del tremendo peso de las apariencias en Washington, donde hablar de la ascensión y caída de alguien es más que un mero pasatiempo. El problema radicaba en que el argumento del artículo, escrito con vívidas descripciones, iba a parecer verdad por mucho que no lo fuera. Y lo peor de todo era que en parte sí era verdad. Ciertamente, Powell no estaba formulando una política internacional. Se limitaba a recibir cometidos y a responder, una tras otra, a diferentes crisis menores. Pero, como dijo en privado en cierta ocasión, «la supervivencia en las altas esferas es una cuestión de pragmatismo».

En su época de jefe del Estado Mayor Conjunto había copiado en un papel sus dichos favoritos y los había metido debajo del cristal de su mesa, en su despacho del Pentágono. Uno de ellos era: «Que nunca te vean sudar».

2

El presidente Bush estaba dando una charla ante los escolares de primaria del colegio Emma E. Booker de Sarasota, Florida, cuando Rove le comunicó que un avión se había estrellado contra la Torre Norte del World Trade Center. En un principio parecía tratarse de un accidente, que el piloto había cometido algún error o que quizá, como pensó Bush, había sufrido un ataque al corazón.

Estaba sentado en un banco del aula. Ese día llevaba traje oscuro, camisa azul y una corbata rojo brillante. Detrás de él podía verse una pizarra no muy grande con el siguiente lema: «¡La lectura engrandece un país!».

Al poco rato Andrew H. Card hijo, de cincuenta y cinco años, jefe de gabinete de Bush y ex ayudante de Reagan y de Bush padre en la Casa Blanca, interrumpió de nuevo al presidente y le susurró directamente al oído:

—Un segundo avión ha chocado contra la otra torre. Estados Unidos está siendo atacado.

Una fotografía ha inmortalizado el instante para la posteridad. En ella se ve al presidente con las manos entrelazadas sobre las piernas, en actitud formal, girando la cabeza para escuchar lo que le dice Card, con una expresión distante y seria, casi pétrea, rayana en la perplejidad. Bush recuerda exactamente lo que estaba pensando: «Nos habían declarado la guerra y decidí en ese mismo momento que íbamos a ir a la guerra».

Bush consideró que debía decirle algo al público. A las 9:30 se puso delante de las cámaras de televisión del centro de comunicaciones del colegio Booker para pronunciar un breve discurso de cuatro párrafos. Con cautela, describió lo sucedido como un «aparente atentado terrorista». Parecía conmocionado, usó un lenguaje informal que nadie se esperaba y prometió que se emplearían todos los recursos disponibles del Gobierno federal para investigar y encontrar «a los tipos que han cometido este acto».

«El terrorismo contra nuestra nación no se puede tolerar», añadió, parafraseando la famosa expresión «Esto no se puede tolerar» que había usado su padre once años antes para referirse a la invasión iraquí de Kuwait en agosto de 1990, que había supuesto el mayor reto de su carrera.

Para Bush hijo, aquella rotunda declaración en los jardines de la Casa Blanca pocos días después de la invasión iraquí fue uno de los momentos más acertados de su padre como presidente. «Por qué dije precisamente esas palabras... tal vez fuera el eco del pasado—comentó tiempo después—. No sé por qué [...]. Le diré una cosa: no nos pusimos a deliberar sobre las palabras. Salí allí y hablé, simplemente.

»Lo que vieron ustedes fue una reacción que me salió de las entrañas».

La comitiva motorizada del presidente se dirigió como un rayo al aeropuerto internacional de Sarasota Bradenton. Bush subió a toda prisa la escalerilla del Air Force One y entró en la cabina delantera, que hace las veces de despacho privado.

—Asegúrense de proteger a la primera dama y a mis hijas—fue su primera orden a los agentes del Servicio Secreto.

—Señor presidente—dijo uno de los agentes en tono nervioso—, necesitamos que se siente usted enseguida.

Bush se abrochó el cinturón y el avión empezó a acelerar por la pista, casi vertical en el aire mientras iniciaba el fulgurante despegue.

La primera dama, Laura Bush, se encontraba en esos momentos en la Sala Caucus del edificio Russell del Senado, en Washington, a punto de pronunciar un discurso sobre la escolarización infantil temprana ante la comisión del senador Edward M. Kennedy. Llevaba un traje rojo brillante y un collar de perlas de dos vueltas. De pronto llegó la noticia de que se había producido un «accidente» y la señora Bush, acompañada por el senador Kennedy y otras personas, salió de la sala por una puerta lateral. Al oír más detalles de lo ocurrido, la señora Bush tuvo que hacer esfuerzos por controlarse.

Se puso pálida, los ojos se le llenaron de lágrimas y le temblaron los labios.

Fue entonces cuando chocó otro avión contra el Pentágono. Miembros del Servicio Secreto y de la Policía formaron una piña alrededor de la primera dama y le explicaron que tenían que llevarla a un sitio seguro. El grupo salió a toda prisa, caminando con ansiedad. A las 9:50 la señora Bush aguardaba la llegada de los escoltas. Debido al intenso tráfico, se tardó cuarenta y cinco minutos en trasladarla desde el Capitolio hasta la sede central de los Servicios Secretos. La bajaron al sótano del edificio, a la Sala de Madera donde se celebran las reuniones.

Hasta las 10:51 no lograron los Servicios Secretos llevar a Turquoise ('Turquesa', nombre en clave de Barbara Bush, de diecinueve años, estudiante de primer curso en Yale) a la sede de New Haven. Seis minutos después Twinkle ('Parpadeo', nombre en clave de Jenna Bush, la otra gemela, estudiante de primer curso en la Universidad de Tejas, en Austin) fue alojada en el Hotel Driskill.

Eran las 9:39 cuando el vuelo 77 de American Airlines, un Boeing 757, se estrelló contra el Pentágono.

Cinco minutos después Bush localizaba a su vicepresidente, Dick Cheney, a quien los Servicios Secretos habían acompañado a toda velocidad desde su despacho del ala oeste de la Casa Blanca hasta el Centro Presidencial de Operaciones de Emergencia (el PEOC en sus siglas en inglés), un búnker subterráneo de la Casa Blanca para situaciones de emergencia.

«Estamos en guerra», anunció Bush a Cheney, y a continuación le pidió que informara a los máximos responsables del Congreso. Cuando el presidente colgó el teléfono, se giró hacia algunos miembros del personal que iban con él en el Air Force One y que habían escuchado su comentario. «Nos pagan para esto, muchachos. Vamos a ocuparnos de la situación. Cuando descubramos quién lo ha hecho, voy a convertirme en un presidente de lo más antipático para ellos. Alguien lo va a pagar».

Poco después Cheney volvía a hablar con el presidente para instarle a que autorizara a los aviones del Ejército estadounidense a derribar cualquier otro avión de pasajeros que estuviera en manos de secuestradores. Un vuelo comercial secuestrado era un arma. Iba a ser una decisión trascendental, pero Cheney, por lo general un hombre cauteloso, insistió en que la única respuesta posible era dar autorización a los pilotos de los cazas estadounidenses para abrir fuego contra los aviones de pasajeros, aunque estuvieran llenos de civiles.

«Cómo no», respondió Bush. Y dio su autorización.

Alrededor de las diez y media de la mañana, Cheney volvía a ponerse en contacto con Bush, todavía a bordo del Air Force One rumbo a Washington. La Casa Blanca había recibido un mensaje de amenaza: «El siguiente será Angel». Dado que «Angel» era el nombre en clave del Air Force One, podía significar que los terroristas contaban con informaciones internas.

«Descubriremos quién lo ha hecho—dijo Bush a Cheney—y les vamos a dar una patada en el culo».

Card le informó entonces de que la primera dama, Laura Bush, se encontraba en un lugar seguro protegida por el Servicio Secreto y que también se había llevado a sus hijas a lugares más seguros.

Unos minutos después, Cheney hablaba de nuevo con el presidente para decirle que no regresara a Washington. «Seguimos bajo amenaza», le dijo.

No dejaban de recibirse informaciones secretas del tipo SIGINT, así como toda clase de informes. En vista de lo sucedido (cuatro aviones secuestrados), no era prudente regresar. Cheney sugirió que tal vez los terroristas pretendían decapitar el Gobierno, matar a sus jefes máximos. Le dijo también que ellos tenían la responsabilidad de proteger la integridad del Gobierno, impedir que se interrumpiera su capacidad de liderazgo. Tal como recordó Bush tiempo después: «Él fue la persona que me dijo por teléfono: "No vengas a Washington"».

El presidente accedió a cambiar el rumbo y dirigirse a la base de las Fuerzas Aéreas de Barksdale, en Luisiana. Todos los pasajeros pudieron percibir inmediatamente el viraje repentino del avión hacia la izquierda para tomar rumbo al oeste.

A las 10:52 Bush habló por fin con su esposa.

Fueron momentos de caos y confusión, como se refleja también en los documentos oficiales del día, algunos de ellos públicos y otros confidenciales. La hora de llegada de Bush a Luisiana no coincide en todos los documentos: 11:48, 11:57, 12:05 y 12:16 (en total, veintiocho minutos de diferencia). En cualquier caso, el Air Force One aterrizó en Barksdale más o menos al mediodía, rodeado de fuertes medidas de seguridad. A las 12:36 (esta hora sí es exacta) Bush ofrecía una segunda declaración ante las cámaras de televisión.

Habían pasado más de tres horas desde las últimas declaraciones públicas del presidente o de alguno de los altos cargos de la Administración. El presidente entró con los ojos enrojecidos. Su intervención no resultó muy tranquilizadora. No levantó la mirada de sus notas, habló con titubeos y cometió bastantes errores de pronunciación. Hacia el final de su lectura (el texto constaba de 219 palabras) pareció recuperar los ánimos y concluyó la intervención prometiendo una respuesta decidida:

—Pero que nadie se equivoque—aseguró—, demostraremos al mundo que vamos a superar esta prueba.

Entonces le dijo a Card:

—Quiero volver a casa lo antes posible. No voy a permitir que quien haya hecho esto me impida regresar a Washington.

Pero los Servicios Secretos comunicaron que en Washington la situación era demasiado peligrosa aún, y Cheney le confirmó también que todavía no era un lugar seguro.

—Lo mejor es esperar a que se aclare esta polvareda—opinó Card.

Bush consintió a regañadientes y volvió a subir al Air Force One, que poco después de las 13:30 se perdía de vista en el cielo en dirección oeste, esta vez con rumbo a la base de las Fuerzas Aéreas de Offutt, en Nebraska. Offutt es la sede del Mando Estratégico, que controla el armamento nuclear de Estados Unidos. Su base cuenta con unas instalaciones diseñadas para proteger al presidente. Allí, además, podría reunirse con su Consejo de Seguridad Nacional a través de un sistema de videoconferencia a prueba de escuchas.

Desde el avión Bush se puso en contacto con su secretario de Defensa, Donald H. Rumsfeld.

—¡Vaya! El avión que ha caído sobre el Pentágono era un avión de pasajeros estadounidense—dijo el presidente casi como si no pudiera creérselo—. Hoy es un día trágico para toda la nación. Vamos a arreglar todo este follón y después la pelota estará en tu cancha y en la de Dick Myers.

Se había previsto que tres semanas después el general de las Fuerzas Aéreas Richard B. Myers, el alto y caballeroso vicepresidente del Estado Mayor Conjunto, fuese nombrado jefe de dicho Estado Mayor, es decir, el máximo cargo militar de Estados Unidos.

Rumsfeld, ex piloto de cazas de la Armada, de complexión menuda, casi juvenil (no aparentaba los sesenta y nueve años que tenía), había estado esperando con expectación, incluso contando los minutos, la orden del presidente de pasarle la pelota directamente a su cancha.

Este mismo año, durante las deliberaciones sobre su nombramiento como secretario de Defensa de la Administración Bush, Rumsfeld había mantenido una conversación con el presidente electo, algo así como un examen previo. En ella le explicó que, durante los ocho años del mandato de Clinton, la pauta que se había seguido en situaciones de peligro o cuando se producían atentados era la de una «retirada reflexiva»: cautela, medidas de seguridad, una actitud remilgada incluso. El arma favorita de Clinton era el disuasorio misil de crucero. Pero Rumsfeld le dejó claro a Bush que, si Estados Unidos recibía alguna amenaza (cosa más que probable), él mismo como secretario de Defensa secundaría al presidente en la decisión de un contraataque militar. El presidente podría esperar de él una ofensiva, no una retirada.

Bush le había respondido (sin ambigüedades, en opinión de Rumsfeld) que eso era precisamente lo que quería. Rumsfeld pensó que compartían una misma y clara visión de las cosas.

En los años sesenta y setenta Rumsfeld había sido una de las estrellas más rutilantes del Partido Republicano, algo así como un John F. Kennedy en republicano: un hombre apuesto, vehemente, con buena formación académica y aptitudes intelectuales, ingenioso y con una sonrisa contagiosa. Muchos miembros del partido, incluido el propio Rumsfeld, pensaban que su destino muy bien podría ser ocupar la Presidencia. Pero no tenía tirón ante el electorado como figura de la política nacional, en parte debido a sus modales algo bruscos con los demás, en especial hacia sus subordinados. A ello se añadía su posición de enemigo político de una de las estrellas en alza del partido, George H. W. Bush, quien sí llegó a la Presidencia.

La ascensión de Rumsfeld hasta la reducida esfera del poder es una historia de intrigas, empuje y buena suerte. En 1962, a la edad de treinta años, Rumsfeld fue elegido representante del distrito de la exclusiva zona de North Shore, en Chicago, donde había vivido durante su infancia y juventud. Sería la primera de sus cuatro legislaturas en el Congreso. En 1969, dimitió del cargo para convertirse en director de la Oficina de Oportunidades Económicas, un organismo de la Administración Nixon dedicado a la lucha contra la pobreza. Se trataba de un puesto con categoría de consejero personal del presidente, pero sin llegar a ser un cargo llamativo ni muy visible.

Entre 1973 y 1974, estuvo en Bruselas como embajador de Estados Unidos ante la OTAN, esquivando las balas del Watergate. Según las memorias de Nixon, en julio de 1974, «Don Rumsfeld telefoneó desde Bruselas para presentar la dimisión como embajador ante la OTAN y ofrecerse a colaborar con sus antiguos compañeros en los esfuerzos contra el proceso de destitución del presidente». Al mes siguiente Nixon dimitió y se pidió a Rumsfeld que presidiera el equipo de transición de Gerald Ford, ex compañero suyo en la Cámara de los Representantes.

Ford le pidió también que aceptara el cargo de jefe de gabinete de la Casa Blanca, pero Rumsfeld prefería seguir con sus funciones ante la OTAN. En cualquier caso, acabó aceptando la oferta cuando Ford le prometió racionalizar el personal y otorgarle plenos poderes.

Al cabo de un año en la Casa Blanca, Ford le comunicó que tenía pensado cambiar de puesto al secretario de Defensa, James Schlesinger. Rumsfeld pasaría entonces a Defensa. El director de la CIA, William Colby, iba a ser sustituido por George Bush padre, a la sazón embajador de Estados Unidos en China. En privado Rumsfeld describió el destino de Bush en China como «una birria de puesto, un destino irrelevante». Pero no le parecía bien ni su propio traslado ni el de Bush, y le dijo a Ford que les dejaría a ambos al margen de la inminente campaña presidencial. Ellos dos eran, según dijo, los únicos que podían pronunciar discursos políticos efectivos durante el año electoral, esto es, 1976. Pero al final aceptó la cartera de Defensa sin rechistar.

Bush padre estaba convencido de que Rumsfeld se alegraba en secreto de su traslado a la CIA porque, en el fondo, quería poner fin a su carrera política. En aquella época parecía inconcebible que el jefe del espionaje y de los juegos sucios en el exterior pudiera llegar a convertirse un día en presidente.

El presidente Ford ascendió entonces al segundo de Rumsfeld, Dick Cheney, al cargo de jefe de gabinete de la Casa Blanca. El Senado se oponía a dar el visto bueno al nombramiento de Bush padre como director de la CIA por temor a politizar la organización, a no ser que Ford se comprometiera a no elegirlo como su candidato a la vicepresidencia en las elecciones. Rumsfeld les dijo a Ford y a Cheney que el presidente no debía ceder ante el Senado. Cuando finalmente Ford y Bush dieron su palabra ante el Senado, Rumsfeld culpó en parte a Cheney. «La has jodido en tu primera actuación», le dijo, hablando en plata.

En el transcurso del año siguiente, 1976, surgió una sutil rivalidad entre el secretario de Defensa, Rumsfeld, y el director de la CIA, Bush. Durante sus años de servicio en la Cámara de Representantes, Rumsfeld se había formado una imagen de Bush como peso ligero al que le interesaban más las amistades, las relaciones públicas y las encuestas de opinión que elaborar políticas con fundamento. Desde su punto de vista, a Bush padre no le gustaba crear polémicas ni sudar en otro sitio que no fuera el gimnasio del Congreso, y llegó al punto de comentar con otras personas que Bush adolecía de lo que él llamaba el «síndrome Rockefeller»: era un tipo accesible, dispuesto a servir, pero sin objetivos claros. En el mundo de Rumsfeld, no tener metas más elevadas casi equivalía a un delito grave.

Consideraba a Bush como un director de la CIA débil que menospreciaba gravemente los avances militares de la Unión Soviética y que estaba a merced del secretario de Estado, Henry Kissinger.

Rumsfeld llegó a ocupar cargos gubernamentales en la Administración Reagan como enviado especial a Oriente Próximo y en la Administración Clinton como jefe de una comisión que evaluó la amenaza de los misiles balísticos contra Estados Unidos. Pero ninguno en la Administración de Bush padre.

Ahora, en lugar de hallarse en el camino idóneo para poder presentar su candidatura a la presidencia, Rumsfeld se encontraba ejerciendo de secretario de Defensa por segunda vez, y al servicio, en este caso, del vástago de su eterno rival. En algunos aspectos, Rumsfeld era el vivo retrato de lo que el novelista Wallace Stegner denomina «la resistencia a la decepción», la persistencia del empuje, el trabajo duro e incluso la tozudez cuando no se ha cumplido del todo una ambición.

Durante los ocho primeros meses tras su regreso al Pentágono se centró en exclusiva en dos temas fundamentales. En primer lugar, el Ejército, aferrado a rígidas tradiciones y anticuado (seguía equipándose, entrenándose y organizándose para combatir contra antiguos enemigos, sobre todo la Unión Soviética). Rumsfeld emprendió su «transformación», como él mismo la llamaba, con el objetivo de reconstruir las fuerzas y, como comentó—un tanto proféticamente—durante los actos de su confirmación en el cargo, para «desarrollar nuestra capacidad defensiva frente a los misiles, frente al terrorismo y frente a cualquier amenaza nueva contra nuestros proyectos espaciales y nuestros sistemas de información».

El segundo tema fue el factor sorpresa. Se dedicó a repartir o recomendar un libro titulado *Pearl Harbor: Warning and Decision*, de Roberta Wohlstetter. En especial recomendaba leer el prefacio, escrito por Thomas Schelling, quien sostenía que el ataque a Pearl Harbor fue una metedura de pata más, el típico error especialidad del Gobierno. «Hay en nuestros planes una tendencia a confundir lo desconocido con lo improbable [...]. El peligro radica en la escasez de expectativas, en la obsesión sistemática con unos cuantos peligros que pueden resultar más familiares que probables».

Los planes de transformación de Rumsfeld fueron acogidos con poco menos que una resistencia organizada rayana en la insubordinación por parte de un sector significativo de los altos mandos del Ejército. Un general de cuatro estrellas que trabajó con él dijo que Rumsfeld era «un egocéntrico ingeniosamente camuflado [...], un tipo que hablaba sin ton ni son pero dando la impresión contraria». Otro comentó que era arriesgado mostrarse en desacuerdo con él, pues a cambio podría «ponerte a parir a tus espaldas». Este oficial explicó: «Subía [al despacho de Rumsfeld en la tercera planta] y, si no estaba de acuerdo con él, se lo decía. A veces se lo tomaba bien, pero otras no era nada agradable».

Algunas veces echaba de su despacho con cajas destempladas a los generales de alto rango. A uno le espetó: «Venga a informarme cuando sepa de lo que está hablando». Y pobre del que solo le presentara una propuesta de solución. «Un momento, empecemos por el principio», solía decir Rumsfeld. «Soy capaz de leer la respuesta por mí mismo. Lo que quiero saber es cómo ha llegado hasta ella: la premisa, el punto de partida, el razonamiento completo».

Esta actitud desconcertaba a los mandos del Ejército. Era humillante y también, a veces, desalentadora. Rumsfeld les planteaba preguntas complicadas que parecían excesivas. ¿Qué sabe usted de este tema? ¿Qué cosas desconoce? ¿Cuál es su opinión al respecto? ¿Qué opina usted que debería preguntarle yo sobre esta cuestión? «Es la única manera que hay de que me entere de algo—se explicaba, para añadir a continuación—: ¡Y desde luego que es la única manera que hay de que se enteren ustedes de algo!».

Se comportaba como si confiara demasiado en sí mismo y demasiado poco en sus subordinados del Ejército. Su equipo de trabajo, la mayoría civiles, era una piña a su alrededor, y para la mayor parte de los empleados del edificio, Rumsfeld era todo un misterio, sobre todo para los miembros del Estado Mayor Conjunto, esto es, los jefes militares del Ejército de Tierra, la Armada, las Fuerzas Aéreas y la Infantería de Marina.

A Rumsfeld no le gustaba la sensación de ir tirando de cualquier manera. No le gustaba la imprecisión. Enmendaba la mayoría de los memorándums o añadía sugerencias. No soportaba los descuidos en el lenguaje. En un memorándum encontró una errata evidente («ton», 'tonelada', en lugar de «not», 'no'), y preguntó: «¿Qué quiere decir esto de *ton*? ¿Por qué aparece *ton* en esta frase? ¿Qué quiere decir?».

Cuando Rumsfeld quería información o acción, solía exclamar: «¡Cambone!». Steve Cambone era un analista que había trabajado en las comisiones de Defensa Espacial y Defensa con Misiles que había presidido Rumsfeld. Con su metro noventa de estatura, representaba su lado oscuro, sombrío y pesimista. Siempre tenía malos presentimientos. Ocupaba el cargo de ayudante civil especial del secretario, y establecía en gran medida el tono de las relaciones entre Rumsfeld y el resto del Pentágono. Cambone era el instrumento a través del cual Rumsfeld había extendido, al menos en los momentos iniciales, su férreo control sobre los peces gordos del Ejército.

Había veces en que el general del Ejército Henry B. «Hugh» Shelton, jefe del Estado Mayor Conjunto desde octubre de 1997, se sentía abatido bajo el nuevo mando civil y hablaba a sus colegas de una ruptura real con Rumsfeld. En un momento determinado Rumsfeld propuso que Shelton ejerciera su labor de asesoramiento militar al presidente a través de él. Shelton tuvo que recordarle que, por ley, era él el «principal consejero militar» del presidente y, por lo tanto, consideraba que debía comunicarse con él sin intermediarios.

No obstante, a pesar de que Rumsfeld tratara con rudeza a los jefes y mandos superiores, muchos le respetaban por su inteligencia. Cierto general dijo de él: «Le tengo mucha admiración, aunque no me agrade necesariamente como persona [...]. Su punto débil es querer controlarlo todo. ¿Entendido?».

Informado ya sobre los atentados contra el World Trade Center, Rumsfeld se encontraba en su despacho atendiendo los informes diarios de los responsables de Espionaje cuando un tercer avión secuestrado colisionó contra el lado oeste del Pentágono. Notó el temblor del edificio y se acercó a la ventana a toda velocidad, pero desde donde estaba situado no podía ver claramente lo que había ocurrido. Salió y fue en dirección a la nube de humo que se elevaba sobre el lugar del impacto. Una vez allí, estuvo ayudando en las tareas de rescate hasta que un agente de seguridad le instó a alejarse de la zona.

—Voy adentro—dijo, y se fue a toda prisa al Centro del Mando Militar Nacional, la inmensa Sala de Guerra del Pentágono donde trabajaba una nutrida plantilla. Al encontrarla llena de humo, él y su equipo subieron a una sala apartada dedicada a redes de comunicación, la Cables, donde podía respirarse mejor.

El general Myers insistió en que Rumsfeld debía marcharse.

—El humo es cada vez peor—le dijo—. Contamos ya con mucha gente de apoyo. En realidad, es peor para ellos que para nosotros, aquí donde nos encontramos.—Los demás no querían marcharse mientras Rumsfeld siguiera allí—. Deberíamos pensar en irnos.

—De acuerdo—accedió Rumsfeld, pero siguió trabajando.

El Ejército, que parecía tener planes de contingencia para las situaciones más estrambóticas, no había previsto nada en relación con Afganistán, el santuario de Bin Laden y de su organización. No había ni un documento del que pudieran extraer siquiera una visión de conjunto, lo cual no sorprendió en lo más mínimo al secretario de Defensa. Se volvió hacia Myers para lanzarle este mensaje:

—Las veces en que he pedido ver algún plan no me he sentido nada contento con lo que me encontraba. No son imaginativos ni creativos. Es evidente que los planes están anticuados y llevan demasiado tiempo en los estantes. Sencillamente, no me ponían nada contento. Tenemos un largo camino por recorrer. Debe usted entenderlo.

—Lo entiendo, señor—replicó Myers.

Por fin Rumsfeld salió de la Sala de Guerra. Acudió a su despacho y se puso a trabajar en la cuestión.

—Este es el momento determinante—les dijo a sus principales ayudantes (Cambone, su asistente militar, su consejero general y su portavoz)—. El presidente va a regresar a la ciudad—prosiguió—y tengo que estar preparado para hablar con él en cuanto llegue. ¿Cuáles son las cosas en las que debe pensar el presidente?—preguntó—. ¿Qué cuestiones debe abordar el presidente?

Empezó a poner las ideas por escrito. Quería escuchar qué pensaban los demás, que le dieran ideas concisas, formulaciones de los problemas. «Consiga tal archivo, tal informe, tal memorándum—les ordenaba—. Diga lo que piensa». Quería saber a qué se estaban enfrentando exactamente.

Para Cambone aquello fue un destilar y resumir información sin cesar.

Victoria A. «Torie» Clarke, subsecretaria de Defensa para Actividades Públicas, tuvo la sensación de que Rumsfeld era algo así como un jugador de Las Vegas en una partida de veintiuna, allí sentado, en su inmenso despacho, clasificando papeles casi instintivamente, formando tres pilas de memorándums, informes y notas:

1. Aquí lo que sabemos. 2. Aquí lo que estamos tratando ahora mismo. 3. Aquí lo que tendremos que tratar a continuación (mañana y en el futuro a largo plazo).

Rumsfeld preguntó: «¿Cómo le sintetizamos el problema al presidente?». Consideraba que parte de su responsabilidad era pensar en nombre del presidente. «Tenemos que dar con los pensamientos adecuados, con pensamientos completos. Porque—dijo—el primer pleno del Consejo de Seguridad Nacional tendrá una importancia crucial a la hora de establecer las líneas de actuación inmediata.

No paraba de cambiar los papeles de un montón a otro, que poco a poco fueron reduciéndose. Rumsfeld tiraba algunas de esas notas y papeles a la «basura combustible» dedicada a documentos confidenciales inservibles, y Clarke tenía que rescatar algunos para ponerlos de nuevo en circulación.

Varias horas después Rumsfeld lo tenía todo anotado en una única hoja de papel (limpia, bien presentada, sin erratas ni descuidos léxicos) que llevaría consigo aquella noche a su reunión con el presidente en la Casa Blanca.

Antes de terminar tenía que hacerle una última pregunta al general Myers: «¿Dónde están esos planes?».

En la base de las Fuerzas Aéreas de Offutt, en Nebraska, el presidente Bush fijó a las 15:30 la primera reunión del Consejo de Seguridad Nacional para analizar la crisis terrorista.

Tenet le informó de que, casi con toda certeza, Bin Laden estaba detrás de los atentados. Las listas de pasajeros mostraban que había tres activistas de Al Qaeda en el vuelo 77 de American Airlines que se había estrellado contra el Pentágono. El año anterior la CIA se había fijado en uno de ellos, Khalid Al-Midhar. Un espía a sueldo le había localizado en una reunión de Al Qaeda en Malaisia. La CIA había informado al FBI, que lo incluyó en una lista de personas vigiladas, pero ese verano Al-Midhar había entrado en Estados Unidos sin que el buró detectara su presencia.

Al Qaeda era la única organización terrorista capaz de cometer unos atentados tan espectaculares y bien coordinados, según Tenet. El Control de Comunicaciones había captado una serie de conversaciones entre varios activistas conocidos de la red de Bin Laden, en las que se felicitaban tras los atentados. Las informaciones recogidas unos días antes (pero no traducidas hasta esos momentos) indicaban que, desde diferentes lugares del mundo, varios activistas identificados preveían que se produjera un gran acontecimiento. Ninguno especificaba la fecha, la hora, el lugar o el método del atentado.

Era bastante evidente que se habían producido ciertos fallos, y al presidente le dio la impresión de que no había comunicación entre el FBI y la CIA. «George, abre bien las orejas», le dijo a Tenet, es decir, que estuviera al tanto de todo.

Tenet le comentó que, dado que los atentados se habían producido antes de las diez de la mañana, era probable que no hubiera más ese día, pero que era imposible saberlo con seguridad.

El director del FBI, Robert S. Mueller III, quien solo llevaba una semana en el cargo, dijo que no sabían cómo se habían hecho los secuestradores con el control de los aviones. Como medida de precaución, se había paralizado todo el tráfico aéreo sobre Estados Unidos.

El presidente les comunicó su deseo de que se reanudaran los vuelos comerciales.

—Antes de que despeguen más aviones, debemos conocer el grado de infiltración en la seguridad de los aeropuertos—aconsejó Tenet. Su sugerencia era de lo más razonable, pero parecía trasladar el problema a la seguridad aeroportuaria, alejándolo de los fallos de información que habrían posibilitado que los secuestradores entraran en Estados Unidos y vivieran en el país durante meses antes de llevar a cabo su misión.

—Anunciaré más medidas de seguridad—contestó el presidente—, pero no vamos a ser sus rehenes.—Y añadió impulsivamente—: Mañana a mediodía habrá vuelos.

Iban a pasar tres días antes de que los vuelos de las aerolíneas comerciales pudieran reanudar su actividad, y en horarios reducidos.

—Los terroristas pueden atacar otra vez en cualquier momento—afirmó Rumsfeld en tono desafiante—. El Pentágono volverá al trabajo mañana mismo.

Brian L. Stafford, director del Servicio Secreto, se dirigió entonces al presidente:

—Nuestra sugerencia es que no se mueva usted de donde está. Continúa en peligro.

Stafford pensaba que estaba diciendo algo obvio. Bush sabía que los Servicios Secretos no podían garantizarle una seguridad absoluta, al cien por cien, pero que si seguía sus recomendaciones al menos podían ofrecerle la mejor protección posible. Si hacía caso omiso de sus consejos, tenía las de perder.

—Voy a volver—replicó Bush.

Stafford se llevó una sorpresa.

Alrededor de las cuatro y media de la tarde el presidente llamaba por teléfono a su mujer.

—Vuelvo a casa—le dijo—. Nos vemos en la Casa Blanca. Te quiero, vamos a casa.

3

En la sede central de la CIA, James L. Pavitt, subdirector de Operaciones (DDO en sus siglas en inglés), que dirigía el servicio clandestino de la Agencia y su sección de operaciones encubiertas, quiso enviar un mensaje personal a sus hombres. Pavitt, de cincuenta y cinco años, espía de carrera, de natural sociable y físicamente rechoncho, no daba precisamente la imagen que uno podría tener del jefe del entramado mundial más secreto y subterráneo de oficiales camuflados bajo tapaderas, agentes a sueldo y birladores de secretos.

El mensaje de Pavitt estaba clasificado como DOSB (mensaje secreto para todas las delegaciones y bases de la Dirección de Operaciones).

«Estados Unidos ha sido atacado de nuevo por enemigos firmemente entregados a su acción, que están dispuestos a aceptar la autodestrucción con el fin de cumplir su misión de sembrar el terror.

»Espero que cada delegación y cada oficial redoble sus esfuerzos por recabar datos e informaciones sobre esta tragedia. El Centro de Contraterrorismo es el punto de convergencia de toda información sobre este asunto. Contamos con que en las próximas cuarenta y ocho horas se reciba una buena parte de la información más valiosa sobre los atentados y sobre quienes los han perpetrado». Añadió que debían obtener datos antes de que el rastro se difuminara. Dijo también que debían tener cuidado y proteger a sus familias. «Además, os pido a todos que os unáis a mí en una plegaria en silencio por las miles de personas que han muerto hoy y por sus seres queridos, que tan terriblemente solos deben de sentirse en estos momentos».

Bush quería pronunciar un discurso a la nación esa noche, a través de la televisión. El jefe de su equipo de redactores de discursos, Michael Gerson, tenía ya listo un borrador que, entre otras, contenía estas frases: «Esto no solo es un acto de terrorismo. Esto es un acto de guerra». Reflejaban lo que Bush venía diciendo durante todo el día al Consejo de Seguridad Nacional y a su gabinete.

«Suprímalas», le ordenó Bush a Karen Hughes. «Nuestra misión es tranquilizar a la gente». Su intención era serenar los nervios, ya bastante de punta.

«No quería acrecentar más la angustia del pueblo estadounidense», declaró tiempo después. Quería aparecer en televisión y mostrarse firme, demostrar una actitud ciertamente decidida pero hallando a la vez un punto de equilibrio. En definitiva, tranquilizar a la gente, demostrarle que el Gobierno seguía funcionando y hacerle ver a la nación que su presidente se encontraba sano y salvo. Había habido dudas al respecto, pues se había pasado casi todo el día volando entre una base aérea y otra.

Alrededor de las seis y media de la tarde el presidente se encontraba por fin de regreso en la Casa Blanca, trabajando ya en el borrador del discurso, en el pequeño gabinete que hay junto al Despacho Oval. En el borrador de un discurso de la campaña presidencial de 1999 que Bush debía leer en la academia militar The Citadel, Gerson había escrito que, como respuesta al terrorismo, Estados Unidos no haría distinciones entre aquellos que planificaran los atentados y aquellos que toleraran o animaran a los terroristas.

«Demasiado impreciso», se quejó Bush, y entonces propuso la palabra «cobijar». En su versión final, lo que después sería denominado «la Doctrina Bush» decía lo siguiente: «No haremos distinciones entre quienes planifiquen estos atentados y quienes les den cobijo». A diferencia de una simple propuesta de represalias militares con objetivos definidos, perseguir a los terroristas y a quienes les patrocinaran y protegieran era un compromiso increíblemente ambicioso. Esta decisión no se consultó ni con Cheney ni con Powell ni con Rumsfeld.

Pero el presidente sí lo consultó con su consejera de Seguridad Nacional, Condoleezza Rice. Ella no tenía tan claro que semejante declaración de políticas de largo alcance tuviera cabida en un discurso cuyo objetivo era dar consuelo a una nación conmocionada.

—Puede decirlo ahora o en otra oportunidad que tenga más adelante—le aconsejó Rice. Comprometerse no era su estilo, a no ser que el presidente insistiera. Al final, sin embargo, abogó por incluir la frase en el discurso de aquella noche porque, pensó, lo primero que se dice importa más que casi todo lo demás.

—Tenemos que decirlo hoy—dijo Bush. Era una política hacia la que había estado avanzando paulatinamente. Ahora muy bien podría expresarla en voz alta.

En el ala oeste de la Casa Blanca estaba discutiéndose si era necesario que el presidente realizara una firme declaración de algo obvio (que esto era la guerra). El director de comunicaciones, Dan Bartlett, de treinta años, fue el elegido para sugerirle la idea al presidente.

—¿Cómo dice?—vociferó Bush—. Ni un cambio más.

Bartlett le propuso decir que estaban en guerra pero con otras palabras.

—He dicho que no—replicó el presidente.

Bartlett volvió al ala oeste y les dijo a sus colegas:

—La próxima vez podéis transmitirle vosotros mismos el mensaje, gracias.

El presidente Bush habló a la nación durante siete minutos desde el Despacho Oval. Y comunicó cuál era su política: perseguir a los terroristas y a todo el que les diera cobijo.

«Ninguno de nosotros olvidará este día—dijo—. Pero vamos a seguir defendiendo la libertad y todo lo bueno y justo que hay en el mundo».

Tras el discurso, Bush presidió una larga reunión del Consejo de Seguridad Nacional que resultó difícil de manejar. A las 21:30 convocó a sus principales consejeros especiales en materia de Seguridad Nacional en el búnker de la Casa Blanca. Era el final de uno de los días más largos y caóticos de sus vidas.

«Ha llegado el momento de actuar en defensa propia», afirmó el presidente incidiendo sobre un aspecto más bien evidente. Flotaba en el ambiente la sensación de que el peligro no había cesado, y si se reunían en el búnker no era porque fuese un lugar cómodo, que no lo era, sino porque la situación seguía siendo insegura. Todavía no tenían claro qué había pasado, ni qué podría ocurrir a continuación, ni cuál debía ser la respuesta. «Hemos tomado la decisión de castigar a quien dé cobijo a los terroristas, no ya solo a quienes hayan cometido los atentados», les explicó.

El presidente, junto con Rice, Hughes y el equipo de redactores de discursos, había tomado una de las decisiones de política exterior más significativas de los últimos tiempos, pero no se había consultado con el secretario de Estado. Powell acababa de regresar de Perú. «Tenemos que dejarles claro a Pakistán y Afganistán que el espectáculo va a comenzar», dijo Powell entonces.

El régimen talibán, una milicia de fundamentalistas islámicos radicales que se había hecho con el poder en Afganistán en 1996, daba protección a los terroristas de Al Qaeda a cambio de la suculenta financiación aportada por Bin Laden. El ISI, el potente Servicio de Inteligencia del vecino Pakistán, había desempeñado un papel fundamental en la creación de las milicias talibanes y en su mantenimiento en el poder. Este régimen extremista, cuya interpretación estricta de la ley islámica y cuyo gobierno draconiano condujeron a la opresión de las mujeres, a una hambruna generalizada y a la huida de casi un millón de refugiados, se granjeó la condena internacional por la destrucción de las gigantescas estatuas centenarias de Buda en Bamiyán.

«Es una oportunidad magnífica», dijo Bush. Era una oportunidad para mejorar sobre todo las relaciones con dos grandes potencias como Rusia y China. «Tenemos que verlo como una oportunidad».

Los miembros del gabinete de guerra tenían infinidad de preguntas que hacer, y Rumsfeld más que nadie. Anotadas en un solo folio, llevaba las preguntas que pensó que el presidente y el resto de los congregados tendrían que analizar y, en última instancia, contestar: ¿Quién es nuestro objetivo? ¿Cuántas pruebas necesitamos antes de ir a por Al Qaeda? ¿Cuándo entramos en acción?

Cuanto antes entraran en acción, dijo Rumsfeld, más apoyo recibirían de la opinión pública si se producían daños colaterales. Estaba siendo cauteloso. Dado que el Ejército no contaba con ningún plan ni con recursos en la zona inmediata, no quería crear grandes expectativas. Pero dejó caer un bombazo: les dijo que sería necesario esperar sesenta días hasta estar en condiciones de poder realizar ataques importantes.

La idea de tener que esperar sesenta días (tal vez hasta el 11 de noviembre) para emprender acciones importantes quedó flotando en la sala.

Rumsfeld tenía más preguntas. Para Powell, eran un disfraz ingenioso, una manera de debatir retóricamente y evitar una toma de postura. Rumsfeld quería que los otros respondieran a sus interrogantes. «Una técnica admirable», pensó Powell. De todos modos, sus preguntas eran buenas, y Rumsfeld prosiguió. «¿Hay objetivos que queden fuera de los límites? ¿Incluimos en los ataques militares a los aliados de Estados Unidos? En última instancia—dijo el secretario de Defensa—, tenemos que seguir una política de transparencia, anunciar al mundo lo que vamos a hacer».

Cheney apuntó que Afganistán iba a representar un verdadero reto. Se trataba de un país atrasado, a más de once mil kilómetros de distancia, con una población de veintiséis millones de personas, un país con un territorio equivalente al estado natal de Bush, Tejas, pero con carreteras escasas y pocas infraestructuras. Iba a resultar difícil localizar objetivos de ataque.

El presidente volvió entonces al problema de los terroristas de Al Qaeda y a su santuario en Afganistán. Desde que en mayo de 1996 Bin Laden se trasladara a vivir allí (hasta entonces residía en Sudán), los talibanes habían permitido que Al Qaeda estableciera su cuartel general y sus campos de entrenamiento en su territorio.

«Hay que impedir que Al Qaeda siga teniendo santurarios—dijo Tenet—. Hay que decirles a los talibanes que hemos terminado con ellos». Los talibanes y Al Qaeda eran ciertamente la misma cosa.

Rumsfeld añadió que debían emplear absolutamente todos los instrumentos de poder del país, no solo el Ejército, sino el aparato legal, financiero, diplomático y la CIA.

Tenet comentó que Al Qaeda operaba en todo el mundo, en todos los continentes, por mucho que su base central estuviera en Afganistán.

—Nos enfrentamos a un problema que está en sesenta países—dijo.

—Pues vayamos uno por uno—propuso el presidente.

Rumsfeld, dispuesto a que nadie le ganara a la hora de señalar dificultades, dijo que el problema no era solo Bin Laden y Al Qaeda, sino los otros países que secundaban acciones terroristas.

—Hay que obligar a esos países a elegir—dijo Bush.

Se decidió continuar con la reunión más adelante. El presidente, todavía sin experiencia ni preparación en materia de seguridad nacional, estaba a punto de emprender el complicado y largo camino hacia la guerra sin siquiera llevar consigo un mapa.

Tras la reunión Condoleezza Rice acudió a su despacho de consejera de Seguridad Nacional, sito en el extremo del ala oeste. Ex catedrática de ciencias políticas en la Universidad de Stanford, Rice había formado parte del Consejo de Seguridad Nacional como experta en temas rusos durante la presidencia de Bush padre. A sus cuarenta y seis años, era tal vez la persona que más sola estaba de todo el equipo de altos cargos de Seguridad Nacional. Su madre ya no vivía, y su padre había fallecido apenas hacía un año. Tras los atentados de aquella mañana telefoneó a los únicos familiares que le quedaban, sus tíos, residentes en Birmingham, Alabama, para decirles que estaba bien. Acto seguido volvió a sus quehaceres.

Desde la campaña presidencial, en la que había desempeñado el cargo de consejera principal de Bush en temas de política exterior, Rice había entablado con él una relación muy estrecha. Alta, con una postura corporal casi perfecta, andares elegantes y una sonrisa luminosa, se había convertido en un elemento siempre presente del círculo más próximo al presidente. En cierto sentido, él y la primera dama eran su familia.

Aquella noche tuvo que reconocer que se encontraba en medio de la niebla. Hizo esfuerzos por centrarse en lo que habría que hacer al día siguiente.

Si realmente se trataba de Bin Laden y Al Qaeda (y así era, casi seguro), entonces había una complicación añadida. Tarde o temprano surgirían preguntas sobre lo que la Administración Bush sabía acerca de la amenaza que planteaba Bin Laden, desde cuándo se sabía y qué se había hecho al respecto.

Más o menos una semana antes de la investidura de Bush, Rice acudió a una reunión en la Blair House, justo enfrente de la Casa Blanca, con el presidente electo y el vicepresidente electo, Cheney, para que Tenet y Pavitt les pusieran al corriente sobre los secretos de Estado.

Durante dos horas y media Tenet y Pavitt habían expuesto todo lo bueno, lo malo y lo feo de la CIA ante un presidente electo fascinado. Le explicaron que Bin Laden y su red constituían una «amenaza tremenda» e «inmediata». Sin duda Bin Laden iba a por Estados Unidos otra vez, dijeron, pero no estaba claro cuándo, dónde ni cómo. Bin Laden y su red terrorista eran un objetivo difícil y escurridizo. El presidente Clinton había aprobado cinco órdenes secretas diferentes, llamadas en general Memorándums de Notificación (MON en sus siglas en inglés), en las que autorizaba acciones encubiertas para tratar de destruir a Bin Laden y a su organización, para interrumpir y anticiparse a sus operaciones terroristas. Pero no se había dado autorización directa para matar o asesinar a Bin Laden.

Tenet y Pavitt presentaron a Bin Laden como una de las tres amenazas máximas a las que se enfrentaba Estados Unidos. Las otras dos eran la disponibilidad creciente de armas de destrucción masiva (de armas químicas, biológicas y nucleares, y en general la preocupante proliferación armamentística) y el aumento del poder de China, no solo militar.

En abril la Comisión de Subdelegados del Consejo de Seguridad Nacional, constituida por los subsecretarios de los departamentos y agencias gubernamentales más importantes, recomendaron al presidente Bush la adopción de una política que incluyera un serio esfuerzo por armar a la Alianza del Norte, la heterogénea confederación formada por una serie de señores de la guerra y tribus de Afganistán que se oponía al régimen talibán que protegía a Bin Laden.

La CIA calculó que las fuerzas de la Alianza del Norte eran superadas por su enemigo en una proporción de dos a uno: unos veinte mil soldados frente a los aproximadamente cuarenta y cinco mil milicianos y soldados profesionales de los talibanes.

Estaba funcionando ya un programa secreto de la CIA consistente en suministrar varios millones de dólares al año a las fuerzas rebeldes. Pero había muchos aspectos preocupantes acerca de la Alianza del Norte. En primer lugar, no era exactamente una alianza, pues los talibanes podían comprar con cierta facilidad a varios de esos señores de la guerra. Eran personajes que abundaban en una cultura de supervivencia como aquella y estaban dispuestos a hacer lo que fuera menester. Muchos no eran sino matones, individuos dedicados a violar masivamente los derechos humanos, y narcotraficantes. Además, los rusos y los iraníes (que apoyaban a la Alianza con grandes sumas de dinero) ejercían una fuerte influencia sobre algunos de esos señores de la guerra.

En la Administración Clinton, el Departamento de Estado se había negado en redondo a armar a la Alianza debido, precisamente, a esas preocupaciones reales. Pero finalmente, durante la primavera de 2001 Richard Armitage, mano derecha de Powell, había accedido a retirar las objeciones del departamento. Armitage lo había consultado con Powell, el cual se había mostrado de acuerdo con que Bin Laden representaba una amenaza suficiente como para justificar que sé armara a la Alianza del Norte a gran escala.

Durante el mes de julio la Comisión de Subdelegados recomendó un plan más amplio: no ya solo hacer retroceder a Al Qaeda, sino eliminarla. El plan consistía en pasar a la ofensiva y desestabilizar el régimen talibán. En agosto muchos de los cargos titulares de los departamentos estaban de vacaciones. Hubo que esperar hasta el 4 de septiembre para que dieran su aprobación y recomendaran un plan que otorgaría a la CIA entre ciento veinticinco y doscientos millones de dólares al año para armar a la Alianza.

El 10 de septiembre, Rice tenía preparada una Directiva Presidencial de Seguridad Nacional (una NSPD) para presentársela al presidente. La puerta se había abierto y estaban a punto de cruzarla. Aquella NSPD era la número nueve, lo que quería decir que anteriormente se habían evaluado, vetado, acordado y transformado en políticas firmadas por el presidente otros ocho asuntos antes del correspondiente a Al Qaeda.

Pero quedaría en el aire la pregunta de si habían actuado con la suficiente celeridad respecto de una amenaza que la CIA había considerado como una de las tres máximas a las que se enfrentaba el país, es decir, si los hechos del 11 de septiembre se debieron no solo a un error de los Servicios de Inteligencia, sino también a un error político.

A las 23:08 del 11 de septiembre el Servicio Secreto despertó al matrimonio Bush y lo escoltó a toda prisa hasta el búnker. Parecía ser que un avión no identificado se dirigía a la Casa Blanca. El presidente llevaba puestos los pantalones cortos de deporte y una camiseta, y la señora Bush estaba en camisón y sin las lentillas. Sus perros, Spot y Barney, salieron corriendo junto a ellos. En mitad del largo pasillo que conducía al búnker se encontraron con Card, Rice y Stephen J. Hadley, consejero adjunto de Seguridad Nacional, quienes también se dirigían hacia allí a la carrera.

No tardó en identificarse el avión, pero el Servicio Secreto prefería que el presidente pasara la noche dentro del búnker. Bush miró la cama, de reducidas dimensiones, y les anunció que iba a volver a la residencia.

Rice tenía asignado un destacamento del Servicio Secreto. Un agente le comunicó que no querían que regresara esa noche a su apartamento del Watergate.

—Tal vez debería quedarse aquí—dijo el agente. De modo que Rice accedió a pernoctar en el búnker.

—No—intervino el presidente—, sube con nosotros a la residencia.

Igual que hiciera su padre durante su etapa en la Casa Blanca, el presidente tenía la costumbre de anotar a diario algunos pensamientos y observaciones. Aquella noche dictó lo siguiente: «El Pearl Harbor del siglo XXI ha tenido lugar hoy».

Bush rememoró después estos otros dos pensamientos suyos de aquellos momentos: «Era una guerra en la que iba a tener que morir gente. Y, en segundo lugar, yo no era ningún experto en táctica militar. Lo reconozco. Iba a tener que confiar en el asesoramiento y en los consejos de Rumsfeld, Shelton, Myers y Tenet». Ahora era un presidente en tiempos de guerra. Los soldados, los ciudadanos, el mundo entero iba a analizar enseguida su grado de compromiso, energía y convicción. Habría que desmentir la tan extendida opinión de que era un peso ligero, que no se preocupaba por los detalles, que era distante y posiblemente incluso un ignorante. Tenía mucho trabajo por hacer.

El vicepresidente Dick Cheney, que durante los primeros nueve meses de la Administración había sido la roca firme y eficiente detrás o al lado del presidente Bush, se veía ya desempeñando un papel fundamental en la crisis. Cheney, de sesenta y un años, conservador de la línea dura, físicamente fornido, con calvicie incipiente, una característica tendencia a ladear la cabeza y sonrisa de complicidad, llevaba toda la vida preparándose para una guerra como esa. Sus credenciales eran impecables: a los treinta y cuatro años, jefe de gabinete de la Casa Blanca con el presidente Ford; congresista por Wyoming durante diez años hasta llegar a ser el número dos del grupo republicano en la Cámara de Representantes; y secretario de Defensa con el primer presidente Bush durante la Guerra del Golfo Pérsico.

En 1996, se había planteado la idea de presentarse como candidato a la presidencia, pero desistió tras ver el panorama (demasiadas campañas de recaudación de fondos y demasiados escrutinios de los medios de comunicación). En el verano de 2000, Bush le había pedido que fuera su candidato a la vicepresidencia, con estas palabras: «Si todo va bien, voy a necesitar tu asesoramiento, pero más aún si las cosas van mal. La gestión de las crisis es una parte esencial del puesto».

En la mañana del miércoles 12 de septiembre, Cheney y Bush pudieron hablar un momento a solas.

—¿Quieres que alguien presida por ti una especie de gabinete de guerra con la plana mayor del Gobierno? Diseñaríamos alternativas y te informaríamos directamente. Podría hacer más fluido el proceso de toma de decisiones.

—No—dijo Bush—, lo haré yo, yo presidiré las reuniones.

Era una función propia del comandante en jefe, imposible delegarla. También quería que se supiera que él era quien llevaba la voz cantante, que tenía a todo el equipo trabajando unido como una piña. Presidiría las sesiones plenarias del Consejo de Seguridad Nacional, y Rice seguiría presidiendo las diversas reuniones de la plana mayor en las que él no estuviera presente. Por su parte, Cheney actuaría como principal consejero suyo. Experimentado, voraz lector de los documentos informativos de los Servicios de Espionaje, sería el más indicado para plantear las preguntas verdaderamente importantes y mantenerlos a todos bien encarrilados, como había demostrado en ocasiones anteriores.

Sin un departamento o una agencia como Estado, Defensa o la CIA, Cheney era el ministro sin cartera, una función menor que la que tal vez él había esperado. Pero, como todos los demás, conocía las responsabilidades del servicio al presidente: cumplir órdenes sin rechistar.

El presidente Bush y muchos miembros de su equipo de Seguridad Nacional consideraban que la respuesta de la Administración Clinton a Osama Bin Laden y al terrorismo internacional, en especial desde los atentados con bomba en las embajadas en 1998, había sido tan débil que llegaba al grado de provocación, algo así como una invitación a volver a atacar intereses estadounidenses.

«La aséptica idea de lanzar un misil de crucero contra, ya sabe, la tienda de campaña de un tipo es un chiste, de verdad—dijo Bush tiempo después durante una entrevista—. O sea, la gente veía aquello como una Norteamérica impotente [...], un país débil, ya me entiende, como tecnológicamente competente pero no muy duro, dispuesto a lanzar un misil de crucero desde un submarino, y listo.

»Creo que desde fuera se tiene la imagen de que Estados Unidos es muy materialista, que somos casi unos hedonistas, que no tenemos valores y que, cuando nos atacan, no peleamos».

Saltaba a la vista que Bin Laden se había envalentonado y que para él Estados Unidos no representaba ninguna amenaza.

Sin embargo, hasta el 11 de septiembre Bush nunca había puesto en práctica esos pensamientos ni había insistido mucho en la cuestión Bin Laden. Aunque Rice y los demás estuvieran diseñando un plan para eliminar a Al Qaeda, nunca le habían presentado formalmente ninguna recomendación al respecto.

«Sé que se estaba elaborando un plan [...]. Lo que no sé es si estaba maduro o no», recordó Bush. Dijo también que el día 10 de septiembre era tal vez «una fecha idónea» para la posibilidad de tener un plan sobre su mesa. «Habría sido muy raro que saliera justo el día 10 de septiembre, porque ese día yo estaba en Florida y no creo que me hubieran puesto al corriente en Florida sobre nuevos datos de espionaje».

Reconoció asimismo que Bin Laden no era el centro de su atención ni de la de su equipo de Seguridad Nacional. «A partir del 11 de septiembre hubo un cambio significativo en mi actitud. No lo sabía a ciencia cierta, pero sí sabía que era una amenaza, que era un problema. Sabía, o al menos tenía la sensación de que él era el responsable de los atentados [previos] con bomba que habían matado a estadounidenses. Estaba preparado para estudiar un plan meditado para llevarlo ante la justicia, y habría dado la orden de hacerlo. No tengo dudas sobre mi intención de ir a por él. Pero antes no sentía esa misma urgencia, ni me hervía la sangre como ahora».

A las ocho de la mañana del 12 de septiembre, Tenet se presentó en el Despacho Oval para el informe diario al presidente, el resumen de los asuntos clasificados como ALTO SECRETO y PALABRAS EN CLAVE, los temas más importantes y sensibles relativos al espionaje. Entre otros asuntos tratados durante la sesión informativa, mencionó los datos obtenidos por los Servicios de Inteligencia que relacionaban los ataques con Bin Laden y con sus colaboradores principales de Al Qaeda. Un informe sobre Kandahar, la sede espiritual de los talibanes en Afganistán, demostraba que los atentados eran «el resultado de dos años de planificación». Otro informe decía que los atentados eran «el comienzo de la ira» (una apreciación inquietante). Varios informes identificaban específicamente el Capitolio y la Casa Blanca como objetivos para el 11 de septiembre. Uno afirmaba que un colaborador de Bin Laden «daba las gracias por la explosión en el edificio del Congreso» (información incorrecta).

Un tal Wafa, figura clave del aparato financiero de Bin Laden, sostuvo en un primer momento que «la Casa Blanca ha sido destruida», y a continuación se corrigió a sí mismo. Otro informe ponía de manifiesto que varios miembros de Al Qaeda en Afganistán habían dicho a las 9:53 del 11 de septiembre, poco después del ataque contra el Pentágono, que los atacantes estaban siguiendo el «programa del doctor». Ayman Zawahiri, apodado muchas veces como el Doctor, era un médico egipcio y el número dos de la organización de Bin Laden.

Una prueba crucial involucraba en los hechos a Abu Zubayda, identificado anteriormente como el responsable directo del atentado de octubre de 2000 contra el destructor Cole de la Armada que acabó con la vida de diecisiete marineros en el puerto yemení de Adén. Considerado uno de los individuos más despiadados del círculo próximo a Bin Laden, Zubayda se había referido al día de los atentados como «la hora cero», según un informe fiable recibido después del 11 de septiembre.

A todo ello se añade que la CIA y el FBI disponían de datos que relacionaban al menos a tres de los diecinueve secuestradores con Bin Laden y sus campos de entrenamiento en Afganistán. Esos datos encajaban con los informes de espionaje recibidos a lo largo de aquel verano, en los que se demostraba que Bin Laden había estado planeando «atentados espectaculares» contra objetivos estadounidenses.

Para Tenet, las pruebas que incriminaban a Bin Laden no dejaban lugar a dudas. Juego, set y partido. A partir de ahí se centró en la capacidad de actuación de la CIA sobre el terreno, en Afganistán.

Como sabía el presidente, la CIA había mantenido relaciones encubiertas en Afganistán, autorizadas por primera vez en 1998 por Clinton y después confirmadas por él mismo. La Agencia estaba entregando varios millones de dólares al año como ayuda a la Alianza del Norte. Además, había contactado con los cabecillas de las tribus del sur de Afganistán. Por otra parte, la Agencia contaba con equipos secretos paramilitares que habían estado entrando y saliendo de Afganistán desde hacía años sin que nadie los detectara. Estos equipos se reunían con las figuras de la oposición.

Aunque hacía meses que se venía diseñando un plan de acción encubierta de mayor alcance, Tenet le dijo a Bush que pronto le presentaría un plan aún más extenso para que lo aprobara. Sería también un plan más caro, muy caro. Tenet no le habló de cifras, pero el nuevo programa iba a costar cerca de mil millones de dólares.

«Lo que cueste», dijo el presidente.

Una vez terminada la sesión informativa sobre espionaje, Bush se reunió con Hughes y le dijo que quería mantener una reunión todos los días para formular el mensaje de la Administración a los ciudadanos estadounidenses sobre la lucha contra el terrorismo. Hughes estaba en esos momentos trabajando en los detalles de la jornada, y le sugirió que ofreciera una declaración pública inicial, además de recordarle que iba a necesitar algunos comentarios para la visita al Pentágono, programada para aquella tarde.

«A ver, ¿cuál es el panorama general?—la interrumpió Bush—. Un enemigo sin rostro le ha declarado la guerra a Estados Unidos de América. Así que estamos en guerra».

Necesitaban un plan, una estrategia, una imagen siquiera—dijo— para educar al pueblo estadounidense y poder así prepararlo para otros atentados. Los norteamericanos tenían que saber que combatir el terrorismo iba a ser el principal tema de interés de la Administración (y del Gobierno) a partir de ese momento.

Hughes volvió a su despacho, en el extremo de la segunda planta del ala oeste, para empezar a elaborar el borrador de una declaración. Pero antes de poder siquiera abrir un archivo nuevo en el ordenador, Bush volvió a llamarla.

«Permítame decirle cómo debe hacer su trabajo de hoy», le dijo en cuanto Hughes entró otra vez en el Despacho Oval. Acto seguido, le entregó dos hojas de cuaderno con el membrete de la Casa Blanca en las que había anotado a mano tres ideas:

«Es un enemigo que echa a correr y se esconde, pero no podrá esconderse toda la vida».

«Un enemigo que cree que sus refugios son seguros, pero no lo serán toda la vida».

«Una clase de enemigo al que no estamos acostumbrados, pero al que Estados Unidos se adaptará».

Hughes volvió a su despacho a seguir trabajando.

4

Bush convocó a su Consejo de Seguridad Nacional en la Sala del Gabinete y le comunicó que había terminado la fase de calmar a la nación. Dijo confiar en que si la Administración diseñaba un plan lógico y coherente, el resto del mundo «se unirá a nosotros». Al mismo tiempo estaba decidido a no permitir que la amenaza del terrorismo alterase el estilo de vida de los norteamericanos. «Tenemos que preparar a la sociedad sin crear alarma social».

El director del FBI, Mueller, empezó a describir la investigación encaminada a identificar a los secuestradores de los aviones, y les dijo que era fundamental no manipular las pruebas, para poder condenar a los cómplices que fueran arrestados.

En ese momento le interrumpió el fiscal general John D. Ashcroft. «Vamos a parar aquí el debate», dijo. Y añadió: «El objetivo principal de los órganos de seguridad nacional es impedir que se produzca otro atentado y capturar a cualquier cómplice o terrorista antes de que puedan atacar de nuevo. Y si no les podemos llevar a juicio, pues así sea».

En una conversación anterior el presidente le había dejado claro a Ashcroft que quería asegurarse de que no se volvían a producir atentados similares a los del Pentágono y el World Trade Center. No se podía pensar de una manera convencional, eso era crucial. Lo que Ashcroft vino a decir en la reunión era que el FBI y el Departamento de Justicia tenían que cambiar de perspectiva, pasar de centrarse en las acciones judiciales a centrarse en las medidas preventivas, lo cual implicaba un cambio radical de sus prioridades.

Después de la sesión del Consejo de Seguridad Nacional, Bush se reunió con la media docena de titulares de departamentos y agencias que integraba el gabinete de guerra, en la que no participó la mayoría de sus respectivos subsecretarios y asistentes.

Powell dijo que el Departamento de Estado estaba listo para transmitir a Pakistán y a los talibanes el mensaje del presidente («O estáis con nosotros o contra nosotros»).

Bush respondió que quería plantear al régimen talibán una lista de exigencias.

—No basta con que entreguen a Bin Laden—le dijo a Powell. Quería la entrega o eliminación de la organización Al Qaeda al completo.

A continuación intervino Rumsfeld.

—Cómo definamos los objetivos desde un primer momento es un aspecto de vital importancia, porque a eso se comprometerá la coalición—explicó. Habría países que querrían definiciones exactas—. ¿Nos centramos en Bin Laden y Al Qaeda, o en el terrorismo en un sentido amplio?—preguntó.

—El objetivo es el terrorismo en su sentido más amplio—dijo entonces Cheney—, que incluya a quienes apoyan el terrorismo, y de ahí pasaremos a los Estados, que además son más fáciles de ver que Bin Laden.

Empiecen por Bin Laden—interpuso Bush—, que es lo que esperan los norteamericanos. Y después, si lo conseguimos, habremos dado un golpe impresionante y podremos avanzar un paso más.—Tildó la amenaza de «cáncer» y añadió—: No interesa definir[lo] en un sentido demasiado amplio, para que lo entienda el ciudadano de a pie.

Bush le preguntó entonces a Rumsfeld qué podía hacer el Ejército de manera inmediata.

—Con eficacia, muy poco—contestó el secretario.

Si bien Rumsfeld no controlaba todos los detalles, lo cierto es que le estaba costando mucho conseguir planes militares. El general Tommy Franks, comandante en jefe del CENTCOM (Mando Central) del Ejército de Estados Unidos, responsable de las acciones en el sureste asiático y en Oriente Próximo, le había informado de que se tardaría meses en desplazar fuerzas hasta la zona y diseñar planes para un asalto militar de envergadura en Afganistán.

«Pues no dispone usted de meses», le había contestado Rumsfeld. Quería que Franks pensara en términos de días o semanas, pero Franks le pedía bases, y esto y lo otro y lo de más allá. Que si Afganistán estaba en las antípodas. Que si Al Qaeda era una organización de guerrilleros que vivían en cuevas, se trasladaban en mulas y conducían grandes todoterrenos. Que si sus campos de entrenamiento estaban prácticamente vacíos, por temor a un posible ataque del Ejército estadounidense. Rumsfeld le dijo que quería ideas creativas, cualquier cosa entre lanzamientos de misiles de crucero y la guerra total. «Inténtelo de nuevo», insistía machaconamente.

Bush explicó a sus consejeros lo que le había dicho aquella mañana al primer ministro británico, Tony Blair, durante una conversación telefónica a prueba de escuchas: que sobre todo quería una acción militar que hiciera daño a los terroristas, no solo que hiciera sentir mejor a los norteamericanos. También les dijo que comprendía la necesidad de diseñar planes y hacer preparativos, pero que su paciencia tenía un límite. «Quiero pasar a la acción», concluyó.

Bush consideraba que había que presionar al Pentágono. «Era la primera vez que se planteaban combatir a una guerrilla con medios convencionales—recordó después—. Estaban saliendo de la época de los ataques a larga distancia... ya sabe, todo con misiles de crucero».

Era consciente de que sus primeras decisiones sobre el cambio climático mundial y sobre la defensa nacional con misiles habían hecho estragos entre los aliados europeos de Estados Unidos. Los países amigos temían que la Administración estuviera dominada por una nueva tendencia a la unilateralidad, por una actitud de avance en solitario, de mirada hacia dentro en lugar de hacia el mundo, como podría esperarse de la única superpotencia existente.

En una entrevista posterior Bush describió cómo pensaba él que le veía el resto del mundo durante los meses previos a los atentados del 11 de septiembre. «Mire usted—dijo—, soy el insoportable tejano, ¿no? En la mente de estas personas yo soy el nuevo. No saben quién soy. Debe de haber una iconografía sobre mí sencillamente increíble».

Antes de las once de la mañana se condujo a los periodistas a la Sala del Gabinete. Bush, con traje azul oscuro, camisa azul claro y corbata de listas azules, estaba sentado en su silla, inclinado ligeramente hacia delante. Su intención era intensificar su retórica pública de la noche anterior. «Los ataques deliberados y mortales que se produjeron ayer contra nuestro país fueron algo más que meros actos terroristas—declaró—. Eran actos de guerra».

Entonces describió al enemigo como uno al que Estados Unidos nunca se había enfrentado hasta entonces, un enemigo que actuaba en la sombra, que se cebaba con personas inocentes, que atacaba y luego echaba a correr hacia su escondrijo. «Es este un enemigo que trata de esconderse, pero no será capaz de esconderse toda la vida». El país emplearía todos los recursos para encontrar a los responsables. «El mundo entero se pondrá de nuestro lado. Tendremos paciencia, nos centraremos en los objetivos y actuaremos con firmeza y determinación.

»Esta va a ser una lucha titánica entre el bien y el mal. Pero prevalecerá el bien».

Gran parte del esfuerzo por crear una coalición internacional quedó en manos de Powell, pero Bush se encargó de telefonear personalmente al presidente ruso Vladimir Putin y habló también con los dirigentes de Francia, Alemania, Canadá y China.

«En todo ese tiempo mi actitud era que si teníamos que hacerlo solos, pues lo haríamos solos, pero prefería que no fuese así», recordaba Bush.

A las 11:30 el presidente se reunió con los líderes del Congreso y les dijo: «El sueño del enemigo era que no pudiéramos reunirnos en este edificio, que la Casa Blanca estuviera ahora reducida a escombros». A continuación, les avisó sobre la posibilidad de que se produjeran más atentados. «No ha sido un incidente aislado», dijo. Era posible que amainara la tensión en la opinión pública, que en un mes los ciudadanos estadounidenses probablemente volverían a estar entretenidos con sus partidos de fútbol y las series de televisión. Pero el Gobierno tendría que proseguir con la guerra indefinidamente.

El enemigo no era solo un grupo concreto, dijo, sino también «una mentalidad» que alienta el odio. «Odian la cristiandad. Odian el judaísmo. Odian todo lo que no sea ellos mismos». Cada país, añadió, tendría que escoger.

El jefe de la mayoría en el Senado, Thomas A. Daschle (el senador demócrata por Dakota del Sur), le aconsejó al presidente que fuera comedido en su retórica. «La palabra *guerra* es muy fuerte», dijo. Daschle le prometió el apoyo de los dos partidos, pero le pidió que la Administración incluyera al Congreso en todas las consultas. Durante la primera entrevista que ambos habían mantenido cuando Bush fue declarado vencedor de las elecciones, el presidente electo le había dicho lo siguiente a Daschle, para sorpresa de este:

—Espero que no me mienta usted nunca.

A lo que el senador había contestado:

—Bueno, yo también espero que no me mienta usted a mí.

Poco antes de que finalizara la reunión, el senador Robert C. Byrd, de ochenta y tres años y representante demócrata de Virginia Occidental ante el Senado, además de presidente *pro tempore* de la Cámara, tomó la palabra y describió su experiencia con los diez presidentes anteriores. Apuntó también que Bush mismo había dicho que no quería que el Congreso le emitiera una declaración de guerra, sino que prefería una resolución de respaldo del uso de la fuerza. Byrd dijo que Bush no podía esperar en esta situación el cheque en blanco que el Congreso le había dado a Lyndon Johnson durante la Guerra de Vietnam, en referencia a la resolución del Golfo de Tonkín, de 1964. «Todavía tenemos una Constitución», dijo, y sacó del bolsillo un ejemplar.

Byrd rememoró tiempo después la noche en que él y su esposa cenaron con Bush en la Casa Blanca. Bush había bendecido la mesa, sin preguntar a los demás. «Aquello me impresionó», comentó Byrd. El senador habló sobre la influencia negativa de Hollywood en la cultura, sobre la tendencia hacia la permisividad y el materialismo que percibía en Estados Unidos. «Rezo por usted», dijo Byrd. «A pesar de Hollywood y de la televisión, hay un ejército de personas que cree en la guía divina y en el creador». Se hizo un silencio en el comedor. «Siga así—añadió—. Fuerzas poderosas acudirán en su ayuda».

Por la tarde Bush se reunió en privado con Bernadine Healy, presidenta de la Cruz Roja estadounidense, quien le comunicó que no habría sangre suficiente en caso de otro atentado terrorista.

«Sigan recogiendo sangre—le dijo el presidente—. ¿Me entiende?». Le explicó que él no iba a salir corriendo. «Estoy en las manos del Señor». En efecto, le habían comunicado que un avión de pasajeros procedente del aeropuerto nacional volaba ya sobre el río Potomac, y que podía desviarse de su ruta y llegar a la Casa Blanca (y estrellarse contra ella) en cuestión de cuarenta segundos. Había superado ese tipo de cosas, le dijo.

En el Departamento de Estado Richard Armitage iba de un lado para otro, recorriéndose los despachos de la séptima planta como un delantero en busca de algún hueco en la línea defensiva. Se sabía que era un apasionado de la halterofilia, y unos días antes el presidente Bush le había preguntado por el peso que levantaba en esa época, a lo que Armitage había contestado: «150/6», es decir, ciento cincuenta kilos en seis repeticiones seguidas. En sus mejores momentos, hacía años, había llegado a levantar doscientos.

—Está muy bien—había replicado el presidente—. Yo me hago noventa kilos. ¿No le parece que es la mejor marca de un presidente?

—Sí—había contestado Armitage. Pensaba que debía de serlo.

Pues bien, había llegado la hora de la diplomacia entre los intermediarios. El presidente había declarado su arrolladora Doctrina Bush sin contar con ninguna aportación formal del Departamento de Estado. El Pentágono seguía al rojo vivo, no había tiempo para coordinar acciones con los demás departamentos.

El general Mahmud Ahmad, director de los servicios paquistaníes de investigación (ISI), se encontraba en Washington por casualidad, de visita a la CIA. Este hombre de aspecto solemne le dijo a Tenet y a sus altos cargos que el líder talibán, el *mulá* Mohamed Omar, uno de los dirigentes del régimen talibán, era una persona religiosa, con instintos humanitarios, no un defensor de la violencia, sino alguien que había sufrido mucho bajo el poder de los señores de la guerra afganos.

—¡Un momento!—interrumpió el subdirector de Operaciones, Jim Pavitt—. Ahórreselo, hágame el favor. ¿Es que el *mulá* Omar quiere que el Ejército de Estados Unidos se abalance con todas sus fuerzas contra los talibanes? ¿Quiere usted que pase eso? ¿Por qué iba a querer el *mulá* Omar que pasara eso? ¿Le importaría preguntárselo?

Armitage invitó a Mahmud al Departamento de Estado.

Comenzó por decir que todavía no estaba claro qué pensaba pedirle Estados Unidos a Pakistán, pero sí se había decidido que las peticiones obligarían a realizar una «honda introspección. Pakistán tiene ante sí una elección muy cruda: decidir si está con nosotros o no. Es una cuestión de blanco o negro, no caben medias tintas».

Mahmud dijo que su país se había enfrentado a elecciones difíciles en otros momentos, pero que Pakistán no era un país grande ni poderoso.

—Pakistán es un país importante—le cortó Armitage.

Mahmud volvió a hablar del pasado.

—El futuro empieza hoy—le dijo Armitage—. Dígaselo al general Musharraf [el presidente paquistaní]: O con nosotros o contra nosotros.

A las cuatro de la tarde el Consejo de Seguridad Nacional volvió a ser convocado. La cuestión más acuciante era la definición exacta de la misión.

Rumsfeld insistió en un aspecto que ya había planteado anteriormente. «¿Vamos a luchar contra el terrorismo en sentido amplio, no limitado solo a Al Qaeda? ¿Queremos buscar una base de apoyo más amplia?».

Una vez más, Bush dijo que en su opinión había que empezar por Bin Laden. Si conseguían asestarle un golpe a Al Qaeda, el resto sería más fácil. Rumsfeld, sin embargo, temía que una coalición creada con el objetivo de eliminar a Al Qaeda se desmembraría en cuanto hubieran cumplido la misión, por lo que después sería más difícil proseguir con la guerra contra el terrorismo en general.

Powell se mostró de acuerdo con Bush, y sostuvo que sería mucho más fácil lograr el apoyo unánime del mundo entero si se apuntaba hacia la meta concreta de Al Qaeda. Se podría conseguir la aprobación de una resolución amplia de la ONU si el centro de atención era Al Qaeda.

Cheney volvió a referirse a la cuestión del apoyo de Estado al terrorismo. Asestarle un golpe al terrorismo implicaría inevitablemente poner en el punto de mira a los países que lo alimentan y exportan, dijo. En cierto sentido, era más fácil apuntar hacia países que hacia unos terroristas en la sombra.

Pero Bush temía que el objetivo inicial de la lucha quedara demasiado difuso. «No fijemos un objetivo tan indeterminado que luego no se entienda y que no consiga ganarse el apoyo del norteamericano de a pie», dijo. Y añadió que el sentir de los ciudadanos era que su país había sufrido a manos de Al Qaeda.

Cheney replicó que la coalición debía ser un medio para acabar con el terrorismo, y no un fin en sí misma. No era el único que pensaba así. Lo que querían era el apoyo del resto del mundo, pero no que la coalición les atara las manos. La coalición debía quedar definida en función de la misión, y no al revés.

En ese caso, intervino Rumsfeld, lo que hacía falta era contar con unos socios de coalición que estuvieran verdaderamente comprometidos con la causa, no unos participantes reacios.

Powell propuso lo que un colega describió después como la «geometría variable» del proceso de creación de la coalición. En efecto, esta debía ser lo más amplia posible, pero los requisitos de participación podrían variar de un país a otro. Rumsfeld opinó que esa idea entrañaría la creación de una coalición de coaliciones.

Rumsfeld sacó a relucir la cuestión de Irak. «¿Por qué no vamos a por Irak también, aparte de Al Qaeda?», preguntó. Al plantear este interrogante, no solo hablaba por él. Su subsecretario, Paul D. Wolfowitz, estaba decidido a aplicar una política que convirtiese a Irak en un objetivo primordial de la primera fase de la guerra contra el terrorismo.

Antes de los atentados, el Pentágono llevaba meses elaborando una propuesta alternativa de acción militar en Irak. Todos los presentes consideraban al presidente iraquí, Sadam Husein, como una amenaza, como un dirigente empeñado en adquirir—y quizá también en utilizar—armas de destrucción masiva. Una guerra a gran escala contra el terrorismo tendría que incluir en algún momento a Irak como objetivo bélico. Lo que Rumsfeld planteaba era la posibilidad de aprovechar la ocasión que les brindaban los atentados terroristas para ir a por Sadam de inmediato.

Powell, que se oponía a atacar a Irak en esos momentos, insistió en que el centro de atención era Al Qaeda, porque así lo sentía también el pueblo estadounidense. «Toda acción requiere el respaldo de la sociedad. No se trata solo de establecer qué va a apoyar una coalición internacional, sino también qué está dispuesto a secundar el pueblo estadounidense. Y lo que quiere es que hagamos algo con Al Qaeda».

Bush aclaró que no era el momento de resolver la cuestión. Hizo hincapié en que su objetivo fundamental era elaborar un plan militar que causara verdadero daño y destrucción entre los terroristas.

«No quiero una guerra de paripé», les explicó. Quería «un tablero de resultados realista» y «una lista de los matones» a los que habría que poner en el punto de mira. Todos tenían en mente la Guerra del Golfo, dijo. Pero era una analogía errónea. «El pueblo norteamericano quiere ver un gran golpe y ya está—prosiguió—. Y yo debo convencerlo de que esta es una guerra que se librará a lo largo de muchas fases».

Pensaba en Vietnam, donde el Ejército norteamericano había lanzado una guerra convencional contra una guerrilla. «Mi instinto me decía que íbamos a tener que aplicar una mentalidad diferente», explicó tiempo después. «Iba a pasar cierto tiempo hasta que se desarrollara la estrategia militar necesaria—añadió—. Aquello me frustraba».

Esa misma tarde Pavitt envió desde la sede central de la CIA a todas las delegaciones y bases de la Agencia en el mundo un segundo cable clasificado como SECRETO, con el encabezamiento «Acción requerida: vuestras ideas».

La Agencia proseguía con su ingente tarea de buscar por todos los rincones del mundo a los responsables de los atentados del 11 de septiembre, escribió Pavitt. «Además, la CIA está diseñando en estos momentos un nuevo programa de acción encubierta con el claro objetivo de causar estragos entre los patrocinadores y defensores del terrorismo islámico radical y acabar con ellos».

Pavitt exhortaba a los oficiales clandestinos de la Dirección de Operaciones (esto es, a los oficiales de calle, los que más cerca estaban de la acción) a aportar sus ideas más osadas y radicales sobre cómo llevar a cabo esta caza masiva del terrorista. Sin restricciones de ninguna clase. «Piensen en vías novedosas, en vías que aún no se hayan puesto en práctica» para cumplir esta misión, les decía en el mensaje.

«El programa de acción encubierta incluirá elementos paramilitares, logísticos y de guerra psicológica, además de las operaciones clásicas de espionaje», añadía en el cable. Todo estaba permitido.

La Dirección de Operaciones volvía así a la carga.

Alrededor de las nueve y media de la mañana del jueves 13 de septiembre el presidente se reunió con el Consejo de Seguridad Nacional en la Sala de Situación de la Casa Blanca, sita justo debajo del despacho del jefe de gabinete en el extremo suroriental del ala oeste. Tenet llegó acompañado del jefe de Contraterrorismo, Cofer Black, quien se encargaría de ofrecer más detalles sobre las propuestas de la CIA.

La idea de Tenet era aglutinar amplios recursos de obtención de informaciones secretas, tecnología sofisticada, equipos paramilitares de la Agencia y fuerzas de oposición afganas en una acción encubierta clásica. Una vez reunidos todos estos elementos, pasarían a combinarse con el poderío militar estadounidense y las Fuerzas Especiales, dando así lugar a un complejo ensamblaje letal diseñado para destruir las oscuras redes terroristas.

Tenet explicó que el punto clave era financiar y reforzar a la Alianza del Norte. Estaba claro que sus apenas veinte mil guerrilleros formaban un conjunto variopinto dominado por cinco facciones, pero lo más seguro era que en realidad hubiese veinticinco subfacciones. Era una coalición precaria, que a veces sí compartía intereses comunes. El asesinato, dos días antes del 11 de septiembre, de su jefe más carismático, Ahmed Shah Masud, fue un revés importante que dejó a la Alianza más fracturada que nunca. Pero con los equipos de la CIA y enormes cantidades de dinero sería posible unirla y formar una fuerza de combate cohesionada, dijo Tenet.

Durante los últimos cuatro años los grupos paramilitares de la CIA habían estado reuniéndose clandestinamente con los cabecillas de la Alianza. Tenet dijo que podía introducir en Afganistán grupos paramilitares asignados a cada señor de la guerra. Junto con los equipos de las Fuerzas Especiales del Ejército norteamericano, harían de «ojos en el terreno» para dirigir los bombardeos estadounidenses. La superioridad tecnológica norteamericana daría una ventaja importante a la Alianza del Norte.

Cofer Black fue el siguiente en tomar la palabra. En estos encuentros con los responsables máximos del Estado, Black había percibido una penosa tendencia a hablar de conceptos generales. No estaban acostumbrados, por así decirlo, a disparar al blanco, a abordar los asuntos directamente y con mano dura. Pero creía saber qué era lo que necesitaban.

Tenía preparada una presentación en PowerPoint.

—Señor presidente—empezó—, podemos hacerlo. No tengo ninguna duda. Lo hacemos tal como se ha descrito, montamos todo esto de tal manera que sea una lucha desigual en favor del Ejército de Estados Unidos.—Black se giró hacia Bush, que presidía la mesa—. Pero debe usted comprender que va a morir gente. Y lo peor de todo, señor presidente, es que van a morir norteamericanos, es decir, compañeros y amigos míos. Por eso, que nadie piense que no se va a derramar sangre en esta operación.

—Así es la guerra—dijo Bush.

—Tenemos que asumir que vamos a perder gente en este asunto. Cuántos, no lo sé. Muchos tal vez.

—De acuerdo—dijo el presidente—. Adelante. Así es la guerra. Estamos aquí para ganarla.

Black fue describiendo la eficacia de la acción encubierta con un estilo teatral: se levantaba constantemente para hacer énfasis en los diversos aspectos, e iba tirando hojas al suelo a medida que describía el desplazamiento de las fuerzas en el territorio afgano.

Black quería que la misión comenzara lo antes posible. No ponía en duda que sería un éxito.

—Usted ordena la misión y nosotros los atrapamos. Los aplastaremos—dijo, usando el mismo lenguaje que había empleado públicamente el presidente al hablar de cómo saldrían los terroristas de sus cuevas llenas del humo provocado por las bombas.

—Pues bien—añadió—, la meta deseada es capturar a los miembros de Al Qaeda y entregarlos a los órganos de seguridad del Estado para que puedan ser juzgados.

Sin embargo, se había enterado, para su disgusto, de que Al Qaeda nunca se rendiría ni negociaría. El gran mártir de la Alianza del Norte, Masud, le había dicho en cierta ocasión: «Llevamos cuatro años luchando contra estos tipos y nunca he podido capturar a ninguno de esos hijos de puta». La explicación era que cada vez que una de sus unidades quedaba en desventaja, los hombres se agrupaban y hacían detonar una granada de mano. En definitiva, según Black, la operación finalizaría con la muerte de los integrantes de Al Qaeda.

—Cuando terminemos con ellos, van a tener moscas en las cuencas de los ojos—dijo. Era una imagen de la muerte que se les quedó grabada a varios miembros del gabinete de guerra. En el círculo próximo a Bush, Black empezó a ser conocido como «el de las moscas en las cuencas de los ojos».

Black añadió que no solo tendrían que ir a por Al Qaeda, sino también a por los talibanes, pues eran inseparables. La CIA no había conseguido elaborar ningún plan de acción encubierta que permitiera dejar al margen a los talibanes mientras se entablaba el combate contra Al Qaeda.

—¿Qué se sabe sobre los cabecillas de la Alianza del Norte?—preguntó Bush.

Black ofreció unos esbozos y señaló también ciertos puntos débiles manifiestos, para demostrar que la CIA no se enfrentaba exactamente a un escenario halagüeño. En concreto, un general clave de la Alianza, Abdurrashid Dostum, había estado a sueldo de todo el mundo, o sea, de Rusia, Irán y Pakistán.

Bush preguntó entonces cuánto tiempo se tardaría en introducir a los grupos paramilitares en Afganistán.

—Muy poco—contestó Black. Se haría de manera escalonada: en cuanto hubiera dentro un grupo, el siguiente entraría con mayor facilidad, y así sucesivamente.

—¿Y en cuánto tiempo lo conseguiremos?—quiso saber el presidente. (Ese «lo» se refería a la victoria.)

—Una vez en el terreno—replicó Black—, debería ser cuestión de semanas.

Ninguno de los presentes, incluido Tenet, creía que fuese posible.

En cualquier caso, fue una actuación memorable y causó un efecto tremendo en el presidente. Bush llevaba dos días expresando de la forma más directa posible su determinación de buscar y acabar con los terroristas. Ahora, por primera vez, alguien le decía sin reservas que había una manera de conseguirlo, que no iba a tener que esperar indefinidamente, que la CIA tenía un plan.

El entusiasmo de Black, aunque ciertamente optimista, era contagioso. La operación nunca sería tan rápida ni tan simple como él daba a entender, pero eso era lo que el presidente quería oír en esos momentos. Por otra parte, también parecía lógico este plan de utilizar a la CIA, a la Alianza del Norte y al Ejército norteamericano a modo de tríada.

Personalmente, Powell veía que Bush estaba harto de retórica. El presidente quería que rodaran cabezas.

—Comprendí que tendríamos que ser capaces de librar una guerra diferente de la de los rusos—comentó Bush tiempo después. Invadir Afganistán con un ejército tradicional, tal como había hecho, infructuosamente, la Unión Soviética en los años ochenta, no iba a ser la única opción militar de Estados Unidos.

—Me dejó impresionado su [de la CIA] conocimiento del terreno. Hacía mucho que teníamos activos allí. Y habían hecho su trabajo, habían estado planeando las cosas detenidamente.

Poco antes de las once de la mañana, miembros del personal de la Casa Blanca condujeron a los periodistas al Despacho Oval para presenciar la llamada telefónica de larga distancia programada con el alcalde de Nueva York, Rudolph W. Giuliani, y con el gobernador de Nueva York, George E. Pataki.

El día anterior el equipo de comunicaciones de la Casa Blanca (Hughes y demás) había decidido televisar la conversación. Querían que se viera al presidente uniéndose al sentir de los familiares de las miles de víctimas que habían muerto en el derrumbe de las torres, así como de los equipos de rescate que luchaban desesperadamente de sol a sol por encontrar supervivientes. Dado que Bush no tenía planeado ir a Nueva York esa semana, la conferencia televisada era el mejor gesto posible.

Cuando se puso al teléfono, sin embargo, Bush les dijo al alcalde y al gobernador que pensaba tomar un avión para Nueva York al día siguiente por la tarde, justo después de un funeral en la catedral Nacional de Washington.

Mientras conversaba, Bush parecía incómodo, como distraído delante de las cámaras.

—Ojalá mi visita se produjera en circunstancias mejores—dijo al terminar—. Pero al menos será una ocasión para que los tres demos gracias y nos abracemos y lloremos junto a los ciudadanos de su magnífica región.

Una vez finalizada la conversación telefónica, Bush decidió atender a las preguntas de los periodistas, que aguardaban de pie a escasos metros de él.

—Señor presidente—preguntó uno de ellos—, ¿podría indicarnos qué tipo de oraciones tiene pensadas y cómo se siente?

—Ahora mismo no pienso en mí—dijo Bush. Saltaba a la vista que estaba luchando por controlar sus emociones—. Pienso en los familiares, en los niños.—Volvió la cabeza y los ojos se le llenaron de lágrimas—. Tengo sentimientos—prosiguió mientras empezaba a recuperar la compostura, aunque solo parcialmente—pero, al mismo tiempo, tengo un trabajo que hacer y mi intención es llevarlo a cabo. Es un momento terrible. Pero este país no descansará hasta que nos hayamos salvado, a nosotros y a otros, de la terrible tragedia que se ha abatido sobre Estados Unidos.

Todavía con los ojos llenos de lágrimas, Bush dio por finalizada la sesión con un leve movimiento de la cabeza y el grupo de periodistas fue escoltado hasta la salida.

«A los presidentes no les gusta precisamente echarse a llorar delante de los ciudadanos estadounidenses, y menos en el Despacho Oval, pero, aun así, yo lo hice», comentó Bush tiempo después. De todos modos, creía que su «estado emocional reflejaba cómo se sentía la nación en muchos aspectos. La gente de nuestro país se sentía igual que yo».

Tal vez aquellas lágrimas tuvieron su importancia. Bush llevaba dos días reaccionando como presidente, con su estilo personal pero siempre según las normas de conducta que se puede esperar de todo mandatario, quizá demasiado distante e impersonal. Hasta ese momento sus declaraciones públicas no parecían encajar exactamente con su personalidad. Había asumido el aura de presidente, se había obligado a rodearse de ella. Pero su actitud y sus lágrimas de aquella mañana en el Despacho Oval dejaron patente que incluso en el ámbito presidencial mandaban las emociones.

Antes del mediodía Bush salió con su esposa a visitar la unidad de quemados del Washington Hospital Center, donde estaban siendo atendidos algunos supervivientes del atentado contra el Pentágono. Los heridos, tanto hombres como mujeres, estaban cubiertos de aceites especiales y envueltos en vendajes. Algunos estaban casi irreconocibles. Muchos de los que tenían quemado un gran porcentaje del cuerpo les explicaron que habían salido a gatas entre las llamas.

A eso de las doce y media la limusina subía por el camino de acceso a la Casa Blanca. Tras aquel nuevo golpe emocional en el hospital, el presidente no se encontraba de humor para naderías. Antes de poder salir del coche, Andy Card extendió las manos hacia la puerta del coche, haciéndole señas de que permaneciera sentado.

—Espere un momento, señor presidente—dijo Card—. Tengo que decirle algo.—El jefe de gabinete subió al asiento trasero, al lado de Bush, y cerró la puerta—. Hemos recibido otra amenaza contra la Casa Blanca. La consideramos auténtica.—En efecto, la CIA acababa de transmitirles un aviso del servicio de información indio, según el cual los partidarios de la *yihad* paquistaníes (extremistas musulmanes) estaban planeando un ataque inminente contra la Casa Blanca.

—¿Pero por qué me lo cuenta usted aquí?—le espetó Bush, irritado ante la idea de que Card hubiese provocado una escena innecesaria delante del grupo de periodistas apostado al principio del camino de acceso—. Podría haber esperado a que entrara en el Despacho Oval.

Bush salió del coche y fue directo al Despacho Oval acompañado por Card. Allí les esperaban el señor Stafford, director del Servicio Secreto, y el jefe de la escolta personal de Bush.

—Tenemos que sacarle de aquí—dijo Stafford. La amenaza era creíble y encajaba con otras informaciones secretas que hablaban de un peligro inmediato. El Servicio de Inteligencia indio estaba plenamente infiltrado en Pakistán. Stafford quería llevar a Bush al Centro de Operaciones de Emergencia, el búnker situado debajo de la Casa Blanca.

—No pienso marcharme—replicó Bush. Quería más información, si la tenían. De momento, no pensaba marcharse a ninguna parte—. Ah, otra cosa—añadió sin dirigirse a nadie en particular—, tengo hambre.—Localizó a Ferdinand Garcia, el camarero de la Armada que se encontraba de servicio en el ala oeste—. Ferdie, quiero una hamburguesa.

Card sabía que Bush era un tanto fatalista. Si tenía que ocurrir algo, ya no se podía hacer nada más. La opción de esconderlo en el búnker quedaba sencillamente descartada.

—En fin—dijo Hughes al escuchar que pedía una hamburguesa—, también podría ponerle queso.—Antes de los atentados Bush había estado siguiendo un régimen de comidas más ligeras, como fruta y alimentos sanos, para adelgazar un poco.

Rice se había unido al grupo y, juntos, habían decidido que, incluso si el presidente no estaba dispuesto a marcharse, ellos tenían una obligación para con el resto de los empleados de la Casa Blanca. Muchos miembros del personal, en especial algunos de los ayudantes de menor categoría y edad, eran aún presa de la angustia posterior al trauma del día 11 de septiembre, cuando la Casa Blanca había sido evacuada.

El presidente y sus consejeros decidieron que todos los empleados que no fuesen esenciales debían marcharse a casa esa tarde. Card comunicó la información durante una reunión del personal de máximo nivel y anunció que el Servicio Secreto aplicaría medidas adicionales para proteger el edificio, como ampliar el perímetro de seguridad que rodea el complejo de la Casa Blanca.

Card dijo también que el vicepresidente iba a ser trasladado a un lugar no identificado, como medida de precaución, para que el presidente y él no estuvieran juntos en caso de producirse otro atentado. La continuidad del Gobierno (garantizar la supervivencia de alguien en la línea sucesoria constitucional del presidente) era una prioridad fundamental.

La decisión de trasladar a Cheney era la señal más clara de lo seriamente que se estaban tomando las amenazas de otro atentado. Podía suscitar preguntas sobre su ubicación y su estado físico (el vicepresidente había sufrido cuatro ataques de corazón), pero insistió en mantenerse lejos de la Casa Blanca cuando aumentó la alarma.

«Tenemos la responsabilidad de garantizar la gobernabilidad», le dijo Cheney al presidente.

5

En el Departamento de Estado Powell y Armitage se habían centrado en Pakistán, eje sobre el que pivotaba cualquier estrategia para aislar y, llegado el momento, atacar a Al Qaeda y a los talibanes en Afganistán. Pakistán era uno de los dos países de todo el mundo que reconocía formalmente al régimen talibán como el Gobierno oficial de Afganistán. Además, dentro de sus propias fronteras dicho movimiento radical islámico contaba con muchos seguidores.

Estados Unidos no mantenía buenas relaciones con el general Pervez Musharraf, que se había hecho con el poder mediante un golpe militar pacífico en 1999, un año después de que Estados Unidos impusiera sanciones a Pakistán por llevar a cabo pruebas nucleares.

Powell ya le había dicho a Bush que no podría hacerse nada sin contar con el apoyo paquistaní. Por eso había que ponerles sobre aviso. Presionar excesivamente a Musharraf era un riesgo, pero no presionarle en absoluto sería más arriesgado aún. Powell se veía como un lanzador de béisbol a punto de lanzar un *brushback*, un lanzamiento alto contra el puño del bate, a un bateador particularmente peligroso.

—Haga lo que tenga que hacer—le había dicho el presidente.

—Vamos a preparar un plan—propuso Powell a Armitage—. ¿Qué es lo que queremos conseguir de esos tipos?

Así pues, empezaron a elaborar la lista de exigencias:

Primera: «Detengan a los activistas de Al Qaeda en sus fronteras, intercepten envíos de armas que atraviesen territorio paquistaní y cancelen TODO apoyo logístico a Bin Laden».

Segunda: «Derecho a sobrevolar y aterrizar en cualquier punto de su territorio».

Tercera: «Acceso a Pakistán, a sus bases navales, bases aéreas y fronteras».

Cuarta: «Entrega inmediata de informes sobre espionaje e inmigración».

Quinta: «Condena de los atentados del 11 de septiembre y freno a todas las manifestaciones internas de apoyo al terrorismo contra [Estados Unidos], sus amigos y aliados». Powell y Armitage sabían que era algo que ni siquiera podía imponerse en Estados Unidos.

Sexta: «Cancelación de todos los envíos de combustible al régimen talibán y prohibición de salida de voluntarios paquistaníes hacia Afganistán para unirse a los talibanes».

La séptima exigencia, en opinión de Powell, era la que crearía confusión entre los paquistaníes o incluso provocaría una negativa de Musharraf: «En caso de que las pruebas apunten firmemente hacia la implicación de Osama Bin Laden y la red Al Qaeda de Afganistán. Y en caso de que Afganistán y los talibanes sigan dándole cobijo a él y a su organización, Pakistán romperá sus relaciones diplomáticas con el Gobierno talibán, dejará de apoyar a los talibanes y nos ayudará, por los medios descritos anteriormente, a destruir a Osama Bin Laden y a su red Al Qaeda».

Lo que Powell y Armitage expresaban con tantas palabras era, en resumidas cuentas, pedirle a Pakistán que les ayudara a destruir lo que su Servicio de Espionaje había contribuido a crear y sostener: los talibanes.

Armitage telefoneó al jefe de los servicios de información paquistaníes, el general Mahmud, con quien se había reunido el día anterior, y le invitó a visitar el Departamento de Estado.

Una vez allí, Armitage le entregó la hoja en la que habían escrito las siete exigencias. «Nada de esto es negociable—le dijo—. Debe usted aceptar los siete puntos».

A las 13:30 Powell telefoneó a Musharraf. «De general a general—le dijo—, necesitamos a alguien en el flanco que luche junto a nosotros. El pueblo estadounidense no comprendería (por decirlo suavemente) que Pakistán no esté con Estados Unidos en esta lucha».

Para sorpresa de Powell, Musharraf dijo que Pakistán apoyaría a Estados Unidos en los siete puntos.

Aquella mañana la sesión informativa del Pentágono ante la prensa estuvo dirigida por el subsecretario de Defensa, Paul Wolfowitz, el cual había ejercido un alto cargo en el Departamento de Defensa a las órdenes de Cheney durante la Administración de Bush padre. En muchas ocasiones Wolfowitz expresaba los puntos de vista de un grupo declaradamente conservador del aparato de Seguridad Nacional de Washington, muchos de cuyos componentes eran veteranos de la Administración Reagan y de Bush padre. Estos hombres consideraban que no había mayor amenaza en el mundo que el presidente iraquí, Sadam Husein, y sostenían que si el presidente pretendía de verdad perseguir a quienes dieran cobijo a los terroristas, Husein debía estar entre los primeros de la lista.

Según su manera de ver las cosas, Irak era un problema tan grave para el presidente y su equipo como lo era Afganistán. Si Sadam, un tipo taimado, impredecible y de los que no dan su brazo a torcer fácilmente, decidía lanzar un ataque terrorista contra instalaciones estadounidenses (o incluso un ataque militar limitado) después del 11 de septiembre sin que el presidente hubiese tomado medidas contra él, las recriminaciones serían interminables. Rumsfeld había mencionado a Irak durante las reuniones del día anterior entre el presidente y los responsables de la Seguridad Nacional. Ahora Wolfowitz tenía la intención de difundir públicamente un aviso a los Estados terroristas. Era un empujón más al presidente para que incluyera a Irak en el primer paquete de objetivos militares.

«No se trata meramente de capturar a ciertas personas—dijo— y declararlas responsables de los hechos, sino de eliminar también sus santuarios, eliminar sus redes de apoyo y acabar con los estados que patrocinan el terrorismo.

»Va a ser una campaña, no una única actuación. Y vamos a perseguir a esas personas y a quienes las apoyan, hasta el final».

Haciendo una lectura benévola, solo era una formulación más provocativa de la Doctrina Bush anunciada en la noche del 11 de septiembre. En ese sentido, Wolfowitz no estaba diciendo nada nuevo. Pero lo cierto es que se trabó con las palabras. Su comentario daría pie a grandes titulares y, con toda seguridad, alarmaría a muchos aliados de Estados Unidos. «Acabar con los Estados que patrocinan el terrorismo» (es decir, cambiar regímenes de otros países) era una idea implícita en la declaración de Bush, pero nunca manifestada de manera expresa.

Powell se distanció públicamente de él. «Me gustaría dejarlo en "acabar con el terrorismo", y que el señor Wolfowitz hable por sí mismo», dijo.

El general del Ejército, Hugh Shelton, que ocuparía el cargo de jefe del Estado Mayor Conjunto durante otras dos semanas hasta que Myers asumiera el puesto, se opuso con firmeza a la propuesta de incluir a Irak en la ecuación militar en esos momentos iniciales. Según su análisis de la situación, la única justificación de ir a por Irak sería hallar pruebas contundentes de su vinculación con los atentados del 11 de septiembre. A falta de dichas pruebas, al poner a Irak en el punto de mira se arriesgaban a enemistarse con los estados árabes moderados cuyo apoyo era fundamental, no solo para realizar una campaña militar en Afganistán, sino también para reavivar el proceso de paz de Oriente Próximo. Era un riesgo que no merecía la pena correr.

Esa misma semana Powell había hablado con Shelton y se había llevado las manos a la cabeza ante la sugerencia de Rumsfeld de considerar a Irak como posible objetivo.

«¿Por favor, pero en qué están pensando estos tipos?—le preguntó Powell, quien tenía experiencia en el mismo puesto de Shelton de jefe del Estado Mayor Conjunto—. ¿No puede usted meterles en vereda?».

Shelton no podía haber estado más de acuerdo con él. Se había pasado el tiempo haciendo esfuerzos, discutiendo detalles prácticos y prioridades, pero Wolfowitz estaba decidido y empeñado en defender sus ideas con uñas y dientes.

En la reunión del Consejo de Seguridad Nacional de aquella tarde, en la Sala de Situación, el presidente dijo que iba a aprobar la propuesta de la CIA sobre la operación encubierta a gran escala que proporcionaría apoyo paramilitar y financiero a la Alianza del Norte.

—Quisiera explicarles lo que les hemos dicho hoy a los paquistaníes—anunció Powell, y sacó una copia de las siete exigencias. Sabía que al presidente no le gustaba escuchar largas peroratas, pero se sentía orgulloso de lo que habían conseguido sin necesidad de un prolongado debate entre agencias. Así pues, leyó en voz alta las siete exigencias. Al terminar, les informó de que Musharraf las había aceptado ya.

—Parece que lo tiene todo bien atado—dijo entonces el presidente.

«El Departamento de Estado en plena forma», pensó. Ni asomo de las formalidades típicas de los trajeados altos cargos.

—¿Puede darme una copia?—preguntaron algunos de los presentes.

A continuación, el secretario del Tesoro, Paul H. O'Neill, les informó sobre el proceso de elaboración del borrador de la orden ejecutiva que permitiría al Departamento del Tesoro perseguir los fondos de los terroristas. Durante la primavera y el verano de ese mismo año se había venido deliberando sobre Bin Laden. En aquellas discusiones anteriores al 11 de septiembre, los funcionarios del Tesoro se habían mostrado reacios a intervenir las cuentas bancarias de los terroristas. En cuanto a imponer sanciones, también se había mantenido una resistencia institucional. El problema principal era que muchos grupos terroristas utilizaban como tapadera organizaciones benéficas privadas, de manera que cualquier intento de congelar sus cuentas podría dar una imagen de país punitivo, además de suscitar ruidosas protestas y amenazas de pleitos.

Bush señaló que esta nueva potestad ponía nerviosos a algunos burócratas, pero restó importancia al temor de que la actuación pudiera resultar inquietante para el orden financiero internacional. «Esto es una guerra, no estamos en momentos de paz. Hágalo. [Bin Laden] necesita dinero y nosotros tenemos que averiguar quién se lo está dando y encargarnos de ellos».

Shelton ofreció en su turno de intervención una evaluación pesimista sobre las opciones militares inmediatas. Los planes de contingencia disponibles hasta entonces consistían únicamente en emplear misiles de crucero contra campos de entrenamiento. «Cavar agujeros, nada más», dijo.

Rumsfeld dijo que había que asignar tareas nuevas al Ejército si querían atacar a los estados que ofrecían cobijo a Bin Laden. «Es la primera vez que hacemos algo así».

Bush temía que el gabinete de guerra no hubiera tenido tiempo suficiente para debatir y evaluar realmente sus líneas de actuación, para sopesar las diferentes opciones y planes. Las reuniones del Consejo de Seguridad Nacional eran demasiado aceleradas y breves, a veces solo de sesenta o noventa minutos, a veces mucho más cortas. Personalmente, su jornada estaba dividida en pequeños intervalos para atender tanto las exigencias de su faceta privada como las de su función pública en la crisis. No habían tenido tiempo para exprimir a fondo la cuestión como a él le habría gustado. Por eso, pidió a sus asesores que acudieran ese fin de semana a Camp David junto con sus esposas.

«El mundo ha cambiado—dijo Bush con tono insistente—. El general Shelton debería volver a hablar con sus generales e insistirles en que le ofrezcan objetivos militares nuevos. Pongan en marcha los relojes. Esto es una oportunidad. Quiero un plan: costes, tiempo. Necesito tener las opciones sobre la mesa. Quiero ver las opciones con respecto a Afganistán en Camp David. Quiero decisiones rápidas».

Rumsfeld estaba tratando de presionar al Pentágono, por lo que aplaudió la decisión y el sentido de urgencia de Bush. Pero también le recordó al presidente las meteduras de pata de ciertos ataques anteriores, como el bombardeo de la embajada de China en Belgrado en 1999 durante el conflicto de Kosovo o el ataque con misiles contra una fábrica de productos químicos de Sudán en 1998 (que fue una operación fallida contra Bin Laden).

—Es nuestro deber informarle de lo que puede salir mal—dijo Rumsfeld—, de las cosas que puedan cortarnos las alas, como atacar campamentos sin gente, por ejemplo.

—Díganles a los afganos que acorralen a Al Qaeda—pidió Bush—. Como no les veamos hacerlo, les vamos a dar duro. Vamos a hacerles tanto daño que todo el mundo entenderá que no se debe hacer tratos con Bin Laden. Y no me voy a gastar un misil de un millón de dólares en destrozar una tienda de campaña que cuesta cinco.

Una de las personas que tomaba apuntes en la reunión anotó algunos fragmentos del diálogo que recogían perfectamente el sentido de urgencia y la visión desenfocada reinante, la avalancha de ideas expresadas al azar.

—Necesitamos opciones nuevas—dijo Rumsfeld en un momento dado—. Porque esta es una misión nueva.

Parecía que el presidente estaba de acuerdo.

—Lo tenemos todo sobre la mesa—dijo—. Estudien las opciones.

También dijo que el Reino Unido estaba firmemente dispuesto a participar.

—Denles una función. El tiempo es una cuestión primordial. Cuando lleguemos a Camp David tenemos que contar ya con un calendario claro de actuación... pero sobre todo quiero algo efectivo.

Alrededor de medianoche del tercer día de crisis Rice regresó por fin a su apartamento del Watergate. La primera noche había dormido en la Casa Blanca, sin lograr descansar. La noche del miércoles no había sido mejor. Igual que todos los demás, había pasado horas con la adrenalina por las nubes. Ahora podía disfrutar en casa de un rato de tranquilidad. Por primera vez desde el inicio de la crisis, se sentó ante el televisor. La pantalla transmitía una escena conocida: el cambio de la guardia en el palacio de Buckingham. Pero lo que le llamó la atención fue la música de fondo. En un gesto de solidaridad y condolencia para con Estados Unidos, la banda de los guardias Coldstream estaba tocando el «Himno de las Barras y Estrellas». Rice lo escuchó durante unos segundos y se echó a llorar.

A primera hora de la mañana del 14 de septiembre un oficial de rango medio telefoneó desde el Centro del Mando Militar Nacional, la Sala de Guerra del Pentágono, a la Casa Blanca para confirmar si el presidente definitivamente no quería que un caza del Ejército escoltara su Air Force One cuando volase a Nueva York esa tarde.

Rice, junto con Steve Hadley, su mano derecha, y Card, el jefe de gabinete de la Casa Blanca, se reunieron a debatir la cuestión. Quedaron de acuerdo en que la decisión estaba en manos de Rumsfeld. Todavía no había certeza alguna sobre la situación de amenaza, y nadie sabía qué podría ocurrir. Si pasaba algo por la ausencia de un caza de escolta, Rumsfeld sería quien tuviera que dar explicaciones al país. Y al mundo entero.

Uno de los ayudantes de Rice telefoneó al Pentágono y así fue como Rumsfeld se enteró de que el Centro del Mando Militar Nacional había llamado a la Casa Blanca para preguntar por el caza de escolta.

A Rumsfeld casi le da algo. «Hay alguien en mi edificio hablando con la Casa Blanca sin que yo lo sepa ni lo haya autorizado—profirió—. ¡Eso sí que no!». Rumsfeld sentía una presión insoportable: no tenía planes militares y el presidente se estaba metiendo en una guerra. Inmediatamente ordenó identificar al oficial que había telefoneado a la Casa Blanca. Mientras se averiguaba, Rumsfeld se negó a decidir si iba a poner escolta o no al Air Force One.

Esa mañana el gabinete en pleno, reunido en la Casa Blanca por primera vez desde los atentados terroristas, se puso en pie y aplaudió cuando el presidente entró en la sala. Pillado por sorpresa, Bush se quedó mudo. Era la segunda vez en dos días que perdía la compostura delante de otras personas.

A Bush le gustaba iniciar con una plegaria las reuniones de su gabinete, y para esta sesión en concreto le había pedido a Rumsfeld que preparase una. Entre otras cosas, Rumsfeld pidió en su oración «paciencia y comedimiento en nuestras ansias de acción».

Powell estaba preocupado con la manifestación de emociones de Bush. En cuestión de pocas horas el presidente estaría pronunciando un discurso en la catedral Nacional de Washington, y Powell pensó que el país y el mundo entero tenían necesidad de ver a un presidente fuerte. Desde su asiento junto al presidente (así lo establecía la tradición, como miembro más veterano del gabinete), anotó rápidamente unas palabras en un trozo de papel. «Querido señor presidente: Lo que hago yo cuando tengo que pronunciar un discurso así es evitar las palabras que sé que me harían llorar, como "mamá" y "papá"». Acto seguido, y no sin cierta agitación, le pasó disimuladamente la notita por debajo de la mesa.

Bush cogió el papelito, lo leyó y sonrió. «Permítanme que les diga lo que acaba de decirme el secretario de Estado—dijo, sosteniendo la nota en alto—: "Querido señor presidente: ¡No se nos eche a llorar!"». La sala entera soltó una carcajada, compartida tanto por Powell como por el presidente.

«No se preocupen, he anulado esa función en mi sistema», añadió Bush. Y les aseguró que él y el gabinete de guerra estaban diseñando planes para llevar a cabo una respuesta militar que fuese efectiva. A continuación, fue pidiéndoles, uno a uno, las últimas novedades.

Powell describió la ofensiva en el ámbito diplomático. Al igual que el presidente, Powell veía los atentados como una oportunidad para reformular las relaciones diplomáticas con todos los países del mundo. Pero, según dijo al gabinete, se trataba de crear una coalición con definiciones claras de lo que se esperaba de los aliados, como compartir informaciones de los servicios de investigación, congelar las cuentas de los terroristas y contribuir a la campaña militar.

«No ha sido solo un atentado contra Estados Unidos, sino contra la civilización y la democracia», afirmó Powell, como si hablara por boca del presidente. «Es una guerra larga, y una guerra que tenemos que ganar. Nos estamos comprometiendo con el mundo. Queremos que ésta sea una coalición muy duradera».

Esa misma mañana Powell había hecho treinta y cinco llamadas telefónicas a dirigentes políticos de otros tantos países, y aún le quedaban doce más por hacer. «He sido tan multilateral estos últimos días que me estoy mareando», bromeó.

Risas de los presentes.

Por su parte, Rumsfeld informó sobre los daños sufridos en el Pentágono y anunció que se había reducido en un punto el estado de alerta militar, a DefCon 4. El 11 de septiembre, el Pentágono había pasado a DefCon 3 por primera vez desde la guerra árabe-israelí de 1973. (El estado de máxima alerta posible, DefCon 1, se utiliza en momentos de guerra total.)

El secretario de Transportes, Norman Y. Mineta, dijo que el tráfico aéreo iba a reanudarse ese día, pero al 16 por 100 del volumen habitual, lo que reflejaba la dimensión del impacto causado por los atentados.

Bush concluyó recordándoles a todos que, si bien la Administración estaba centrada en esos momentos en la guerra contra el terrorismo, no deberían olvidarse de las prioridades nacionales, como el proyecto de ley de enseñanza, el proyecto de ley de los derechos del paciente, así como la legislación en virtud de la cual el presidente gozaría de mayor autoridad en la negociación de acuerdos comerciales.

A la hora del almuerzo la comitiva presidencial salió de la Casa Blanca hacia la catedral Nacional, a doce minutos en coche en dirección norte. Caía una lluvia torrencial.

En el templo aguardaba una congregación multitudinaria. Entre otros oradores, iban a tomar la palabra un sacerdote protestante, un rabino, un cardenal católico, un clérigo musulmán y el reverendo Billy Graham. También estaban allí los ex presidentes Bill Clinton y Jimmy Carter, así como el ex vicepresidente Al Gore. Entre el público se encontraban los miembros del gabinete, gran parte del Senado, muchos miembros de la Cámara de Representantes, el presidente de la Reserva Federal (Alan Greenspan) y muchos otros altos cargos. Sentados junto al presidente y su esposa estaban los padres de este.

Condi Rice tuvo la sensación de que el desfile hasta la catedral parecía una comitiva de pompas fúnebres. Y cuando la cantante de ópera Denyce Graves entonó junto a los congregados el canto de la «Oración del Señor», Rice se preguntó: «¿Cómo lo hará para mantener la compostura después de oír esto?».

«Estamos aquí reunidos en plena hora de dolor», empezó a decir Bush. «Muchas personas han sufrido una pérdida inmensa por culpa de los atentados—dijo—, y la nación quiere estar a su lado y escuchar su experiencia y llorar con ellas. Pero tenemos clara ya nuestra responsabilidad ante la historia: responder a estos ataques y librar al mundo del mal». El presidente integraba su misión y la del país entero en el conjunto, más amplio, del plan maestro de Dios.

«Se dice que en la adversidad nos conocemos a nosotros mismos». Habló de los actos de valentía y sacrificio con que los ciudadanos estadounidenses habían demostrado su compromiso con el prójimo y el amor hacia su país. «Hoy sentimos lo que Franklin Roosevelt llamaba "el cálido coraje de la unidad nacional", una unidad que era afín al dolor y a la decisión sin tapujos de vencer a nuestros enemigos».

En su discurso había muchas frases destinadas a consolar a los ciudadanos, pero la más memorable de todas (que había sido idea de su equipo de redactores y que el presidente enseguida hizo suya) se produjo cuando Bush se refirió, lleno de confianza, a lo que estaba por venir. «Este conflicto se inició según los cálculos y los términos de otras personas. Pero terminará de la manera y en el momento en que nosotros lo decidamos».

Pronunciar un discurso de guerra dentro de una catedral era algo que chirriaba, algo arriesgado incluso, pero al menos sirvió para transmitir el mensaje que Bush quería comunicar. Cuando volvió a su asiento de la primera fila, su padre alargó el brazo por delante de Laura Bush y apretó la mano de su hijo.

Al final de la ceremonia, los congregados se pusieron en pie y entonaron «El Himno de Batalla de la República». Rice notó que una oleada de determinación embargó el templo.

Cuando el grupo presidencial salió de la catedral, el aspecto gris y la lluvia de la mañana se habían desvanecido, sustituidos por un sol brillante y un cielo azul.

Bush rememoraría después aquel discurso no tanto como una incitación a la guerra cuanto como una manifestación de religiosidad. «Para mí fue la ocasión de ofrecer mi consuelo a la gente y de ayudarles en lo posible a superar su duelo», dijo. «También lo entendía desde un punto de vista espiritual: que para la nación era importante rezar». Estuvo de acuerdo en que su lenguaje fue «muy duro» en ciertos momentos, pero dijo que «reflejaba mi estado de ánimo». Sin embargo, añadió: «Para mí el discurso fue algo más, para mí realmente fue una plegaria. No lo entendía como una oportunidad para sentar las bases de un discurso posterior. Estaba seguro de que la nación necesitaba recogerse en la oración».

El Pentágono seguía aguardando la decisión de Rumsfeld de enviar o no un caza como escolta del presidente, que en poco rato estaría viajando ya hacia la ciudad de Nueva York. El secretario estaba que echaba humo. Para él, era una cuestión que afectaba directamente al núcleo de la cadena de mando y a su autoridad legal. Normalmente la información fluye entre el Pentágono y la Casa Blanca, pero la decisión de desplegar fuerzas, aunque solo fuera un caza en misión de escolta, era solo suya por ley. «La autoridad de mando nacional va del presidente a mí—dijo Rumsfeld tiempo después—. Y si hay gente por debajo de ti enviando instrucciones según las cuales actuarán otras personas, el presidente no puede tener la certeza de que dichas acciones estén en consonancia con lo que él ha esperado de mí.

»Y si unas personas hablan con otras y de repente alguien dice "Ah, pues vamos a enviar una escolta" o "Vamos a enviar una Patrulla Aérea de Combate" o "mejor no la enviemos", esa decisión puede ser justamente la contraria a los deseos del presidente o a los míos [...]. Es algo con lo que no se juega».

Unos quince minutos antes de que el Air Force One despegara, el secretario dio la orden. El avión del presidente llevaría escolta.

A continuación se puso a revisar el borrador de la orden clasificada como ALTO SECRETO que la CIA quería que firmara el presidente. Desde su punto de vista, la redacción del borrador estaba poco cuidada y escrita sin esmero. El lenguaje era impreciso y dejaba puntos sin concluir, y la autoridad quedaba demasiado amplia o excesiva. Corrigió la copia añadiéndole propuestas de revisión, cortes y clarificaciones. En el texto se les estaba otorgando a los subordinados una autoridad que debía reservarse al presidente o al director de la CIA.

«¿Notáis ese olor?», preguntó Hughes mientras el helicóptero que trasladaba a algunos miembros del personal de la Casa Blanca se aproximaba a Nueva York en el último tramo del viaje. Estaban a unos treinta o cuarenta kilómetros de Lower Manhattan.

Los demás asintieron. El secretario de prensa, Ari Fleischer, pensó que debía de ser algo del helicóptero. Pero al mirar hacia abajo por las ventanillas de un lado, vieron un penacho gigantesco de humo. El olor procedía de los restos carbonizados del World Trade Center.

Los helicópteros aterrizaron en el helipuerto de Wall Street y se formó una larga comitiva (55 vehículos, la comitiva más larga que habían visto en su vida los componentes de la avanzadilla presidencial). La muchedumbre, banderitas en mano, saludaba al presidente en su recorrido hasta la Zona Cero.

La visión del amasijo descomunal de escombros ennegrecidos dejó en Bush una impresión indeleble, una imagen que después recordaría como «algo absolutamente sobrecogedor». Aunque había hablado con muchas personas sobre la devastación del lugar, lo cierto es que no estaba preparado todavía para lo que se encontró allí. Era «una pesadilla, una pesadilla real». Además de un grado de destrucción mucho peor de lo que hasta entonces había visto por televisión o que le hubieran descrito sus asesores, se encontró con un sinfín de integrantes de los equipos de rescate sedientos de venganza, gente «increíblemente emocional» que exigía justicia, tal como recordaba después.

El presidente fue avanzando a pie por la zona, presenciando a su paso una escena salvaje. «No le puedo describir la exaltación» de los trabajadores de los equipos de rescate. «¡Cueste lo que cueste!», gritaban algunos.

Uno de ellos le señaló con el dedo y le chilló:

—¡No me defraude!—Bush se quedó perplejo. Sintió que aquellas palabras y la mirada de ese hombre se le quedarían grabadas para siempre. «¡No *me* defraude!». La situación se estaba viviendo desde lo personal, pensó. Era como si se encontrara en una especie de estadio antiguo. Los operarios de rescate empezaron a gritar a coro:

—U-S-A, U-S-A, U-S-A.

—Quieren que les diga algo—le dijo a voz en cuello Nina Bishop, miembro del grupo avanzado presidencial, a Karl Rove al ver al presidente abrirse paso entre la multitud—. ¡Quieren que su presidente les diga algo!

Por una vez, el equipo de comunicaciones de la Casa Blanca, que lo tenía todo siempre previsto, se vio ante una coyuntura imprevista. Como no se había pensado que Bush se dirigiera a los trabajadores, no habían llevado ningún sistema de sonido.

—¿Puede buscar un megáfono?—le preguntó Rove.

Cerca de ellos, subido a un camión de bomberos abrasado que había sido sacado de entre los escombros, estaba Bob Beckwith, un bombero jubilado de Nueva York, de 69 años y aspecto ligeramente frágil. Un asistente de Bush le preguntó si el presidente podía usar el camión como plataforma, y si Beckwith, que llevaba su máscara antigás colgada al cuello, podía dar unos saltos encima para comprobar su estabilidad. Debajo del camión había un gran pedazo de asfalto o de hormigón. Algunos miembros del equipo avanzado del presidente pensaron que debían moverlo, pero unos operarios de rescate les dijeron que era posible que hubiera restos humanos sepultados debajo.

A las 16:40 alguien le puso en las manos al presidente un megáfono blanco y le ayudó a subir por los escombros. Beckwith quiso bajarse, pero Bush le pidió que se quedara a su lado. Otra vez empezó a sonar la cantinela:

—U-S-A, U-S-A.

—Gracias, a todos ustedes—empezó a decir Bush—. Quiero decirles que...—Pero el gigantesco cañón de escombros y restos humanos parecía tragarse las palabras que salían de su megáfono, tan diminuto en comparación.

—¡No se le oye!—gritó un operario de rescate.

—No puedo subir más el volumen—dijo Bush esbozando una sonrisa—. Hoy toda Norteamérica reza de rodillas por la gente que ha perdido la vida aquí...—Se oyó entonces otra voz entre la multitud:

—¡No puedo oírle!

Bush guardó silencio un instante y a continuación, echando el brazo alrededor de los hombros de Beckwith, le contestó también gritando:

—¡Yo sí puedo oírle a usted! El resto del mundo también le oye. ¡Y la gente que ha derribado estos edificios nos oirá a todos muy pronto!

Hughes, a un lado, estaba radiante. Pensó que era un momento increíble, elocuente, simple, con un telón de fondo perfecto, un instante para las portadas de las revistas de información, para el salón de trofeos del servicio de comunicaciones y para la historia. Y ella no había tenido nada que ver para que ocurriera.

Tras una breve parada para que el presidente pudiera expresar su agradecimiento a los equipos de rescate, la comitiva enfiló la autopista West Side en dirección al centro de convenciones Jacob K. Javits, que se estaba utilizando como punto de organización de las tareas de rescate. El programa del día incluía una visita de entre treinta y cuarenta y cinco minutos a los familiares de las víctimas. Iba a ser una visita privada, es decir, sin prensa ni fotógrafos, ni siquiera con la delegación del Congreso que acompañaba a Bush.

Los organizadores habían colgado cortinas y telas para suavizar el aspecto sombrío de la sala y crear algo de intimidad. Los ayudantes de Bush formaron a su alrededor una muralla humana, dando así al grupo un poco más de privacidad. Había unas doscientas cincuenta personas esperando al presidente. Muchas llevaban fotografías de los desaparecidos. Había también niños, huérfanos desde hacía pocas horas, que se abrazaban a sus ositos de peluche o a otros objetos simbólicos y recuerdos.

A su llegada, los familiares de las víctimas aplaudieron al presidente. De repente se hizo un silencio sepulcral. Solo se oía el zumbido del sistema de ventilación. La situación podía resultar bastante incómoda para Bush, que no estaba muy seguro de cómo dirigirse a los familiares. Pero al final empezó a caminar entre el gentío y fue hablando directamente con cada persona que encontraba a su paso. «Cuénteme su caso», les decía. Y cada vez le contaban la misma historia, pues todos los presentes «creían que su ser querido aún estaba vivo», como dijo él mismo tiempo después. Era demoledor.

Le pedían autógrafos, y Bush se puso a firmar fotos, trozos de papel y toda clase de objetos cargados de valor sentimental. Tiempo después rememoró sus propias palabras: «"Les diré una cosa: Voy a firmarle esto y así, cuando vea usted a Jim, cuando vea usted a Bill, le podrá contar que de verdad es mi autógrafo, que no es un truco". Era la única manera de ayudarles que se me ocurrió. Sencillamente, aproveché la oportunidad para decirles: "Yo también comparto su esperanza, y rezamos por que Jim aparezca"».

Mucha gente lloraba. El presidente mismo iba pasando de un grupo a otro con los ojos húmedos. Un hombre, que llevaba en brazos a un niño pequeño, le mostró la foto de su hermano, un bombero que había muerto en las labores de auxilio. El niño señaló la fotografía y se limitó a decir: «Mi tío». Al cabo de una hora aproximadamente Bush parecía haber recuperado en parte su optimismo, pues se oía reír a algunos de los familiares a los que iba saludando. Estuvo dos horas hablando con la gente, con cada familia. Hacia el final de su visita habló con Arlene Howard, cuyo hijo, George Howard, un agente de la Autoridad Portuaria que ese día se encontraba de permiso, había muerto mientras trataba de salvar a otras personas. La señora Howard llevaba la placa policial de su hijo y se la ofreció al presidente, rogándole que se la quedara en honor a su hijo. El presidente la aceptó.

En el trayecto de vuelta al helipuerto la comitiva de Bush pasó por Times Square, abarrotada de gente con velas encendidas y banderas de Estados Unidos. Hubo aplausos al paso de los coches. De regreso a la base de las Fuerzas Aéreas McGuire, en Nueva Jersey, un Bush agotado se despidió del personal que volvía a Washington.

Si era posible vivir una vida entera en un solo día, ese era el día.

En lugar de subir a bordo del Air Force One, Bush subió a un C-20, lo bastante pequeño para poder aterrizar en Hagertown, Maryland. Desde allí iría a Camp David. En las imágenes grabadas cuando salía del helicóptero se ve a un presidente terriblemente cansado, consumido, casi tambaleándose.

El presidente les había pedido a sus principales asesores en materia de seguridad nacional (Cheney, Powell, Rumsfeld y Rice) que acudieran a Camp David antes que él para preparar la reunión del día siguiente. Aquella noche cenaron búfalo en la cabaña del presidente.

Durante la cena pudieron contrastar sus informaciones en un ambiente más relajado, aprovechando la ocasión para ponerse al corriente unos a otros y definir los puntos que se tratarían en las sesiones del día siguiente. Hablaron sobre la presión incesante que les exhortaba a acometer una acción rápida, sobre la envergadura de la lucha que se avecinaba y sobre las diferencias entre este conflicto y la Guerra del Golfo, que se pudo organizar con mucho tiempo y que había requerido una campaña militar relativamente corta (38 días de bombardeos masivos y una guerra de cuatro días sobre el terreno). Pensaban que esta vez iba a ser justo todo lo contrario. Cuanto más hablaban del asunto, más se iban dando cuenta de lo dura que iba a ser esta guerra y de las enormes consecuencias si fracasaban.

Powell tuvo la impresión de que era una especie de ensayo general de un banquete la víspera de una boda. Una boda en la que se palpaban serias diferencias en el seno de la misma familia.

Cuando Bush llegó a la cabaña habló primero con Rice, quien le comunicó que no había ninguna novedad significativa. Había pasado todo el día en el candelero como plañidero mayor, y ahora le tocaba enfrentarse a las discusiones más decisivas de su gabinete de guerra. En su fuero interno, tenía ya meditadas algunas conclusiones.

Tiempo después narraría así la situación: «Lo que tenía claro era que se trataba del centro de atención más importante de la Administración. Lo que tenía claro era que íbamos a aplastar el terrorismo allí donde estuviera, y no me importaba cuánto tiempo tardásemos. Lo que tenía claro era mi doctrina, que si alguien les daba cobijo, alimento o protección, era tan culpable como ellos y, por tanto, tendría que rendir cuentas ante la justicia. Lo que tenía claro era que [...] esta guerra había que librarla en muchos frentes: además del frente militar, el flanco del espionaje, el financiero, el diplomático. Lo que tenía claro era que íbamos a atacarles con todos nuestros recursos y de una manera inteligente».

Bush era consciente de que había mucho por hacer. «Lo que no se sabía aún era si el equipo respaldaba unánimemente la misma estrategia, si el equipo la aprobaba. Porque una de las cosas que sabía que podían pasar era que si no estábamos todos en la misma onda, iba a haber desmarques, opiniones contrapuestas. Y el proceso no... verdaderamente no se desarrollaría como debería, no habría un debate sincero».

Eran los problemas típicos de alguien que dirige un equipo de personas. Pero el presidente se enfrentaba además a aspectos mucho peores. Había estado inmerso en un mar de conceptos generales y de retórica, motivados por la crudeza, la sorpresa y la carnicería de los atentados terroristas así como por sus propios instintos. Pero, para un presidente, la hora de la verdad llega cuando tiene que decidir cuándo, dónde y cómo emplear la fuerza, asestar los golpes militares y aplicar la acción encubierta. En definitiva, apuntar todos los recursos hacia el blanco. En el transcurso del día siguiente iba a haber momentos en que los asesores del presidente se iban a preguntar si lograrían finalmente salir de ese mar de palabras y apretar el gatillo.

6

A primera hora de la mañana del sábado 15 de septiembre el presidente, «en pie de guerra», entraba en el pabellón Laurel de Camp David. Antes de tomar decisiones iba a tener que escuchar a los demás y mantener una actitud resuelta sin caer en la imprudencia.

En una entrevista posterior declaró: «Una manera de no ser impulsivo es escuchar al grupo de asesores de Seguridad Nacional». Para él, los asesores eran un buen punto de referencia para medir sus propios impulsos. «Si para algo tengo buena cabeza, es para saber reconocer el talento, para pedirles que trabajen y ofrezcan su servicio como equipo». Y su equipo acumulaba en conjunto, tirando por lo bajo, cerca de cien años de experiencia exclusiva en todo lo relacionado con la seguridad nacional. El presidente apenas llegaba al año.

«Cuando me aportan sus consejos—dijo—, siempre confío en su juicio. Pero a veces sus consejos no coinciden entre sí, en cuyo caso mi labor... la labor consiste en pulir los problemas, pulir las diferentes alternativas y, con suerte, alcanzar un consenso entre seis o siete cerebros, lo cual me facilita el trabajo».

Pues bien, estaba a punto de descubrir no solo que podía haber divergencias en el asesoramiento, sino que, además, podían venir envueltas en un lenguaje que no siempre era directo. También estaba a punto de descubrir que pulir las diferencias no siempre es tarea fácil.

Llevaba levantado ya unas cuatro horas, cuando a las 9:19 invitó a los periodistas a entrar en la sala de conferencias para explicarles lo poco que iba a tener que declarar en público. «En esta Administración no se habla de cómo obtenemos informaciones secretas, ni de cómo sabemos lo que vamos a hacer, ni de cuáles son nuestros planes».

El gabinete de guerra entró entonces en esta sala de paredes revestidas de madera y tomó asiento alrededor de la gran mesa con plazas para casi dos docenas de personas. Tenet llegó acompañado de su subdirector, John E. McLaughlin, y del jefe de contraterrorismo, Cofer Black. Por su parte, Rumsfeld había llevado a su subsecretario, Paul Wolfowitz. Powell había entendido que se trataba de una sesión de la plana mayor, por lo que no había llamado a Armitage. Todos iban con ropa informal, muchos incluso con chaqueta debido a las bajas temperaturas. Bush, con camisa azul y cazadora verde, se sentó a la cabeza, flanqueado por Cheney a su derecha y Powell a su izquierda. Rumsfeld se sentó al lado de este último.

La sesión empezó con una oración, y a continuación Powell y O'Neill, el secretario del Tesoro, expusieron sus novedades.

Tenet habló en tercer lugar. El director de la CIA había acudido a Camp David con un maletín repleto de documentos y planes ALTO SECRETO, que recogían más de cuatro años de trabajo sobre Bin Laden, Al Qaeda y el terrorismo en el mundo. Repartió varios juegos de documentos informativos que llevaban un llamativo título: «Hacia la guerra». En el extremo superior izquierdo de cada página había una fotografía de Bin Laden dentro de un círculo rojo con una franja sobreimpresa por encima de la cara, la particular adaptación de la CIA del símbolo universal de prohibición.

Tenet abrió su juego de documentos por la primera página, titulada «Primer gancho: Destruir Al Qaeda y clausurar su puerto seguro» (esto último en referencia a Afganistán, el hogar y base de operaciones de Bin Laden). Para ello se desplegarían los equipos paramilitares de la CIA con la Alianza del Norte y, en último término, unirían esfuerzos con las unidades de las Fuerzas Especiales del Ejército estadounidense para llevar armas y tecnología a los soldados de la oposición, con el fin de crear un frente en el norte de Afganistán.

El plan conllevaba realizar un ataque encubierto a gran escala contra los cimientos financieros de la red terrorista, ataque que incluiría vigilancia clandestina de sus ordenadores y escuchas electrónicas para localizar a los activistas de Al Qaeda y de otros grupos terroristas que se escondieran tras la fachada legal de organizaciones benéficas y de las denominadas «organizaciones no gubernamentales» (ONG).

Otro capítulo se titulaba «La numerosa comunidad afgana de Estados Unidos, centro de atención de la CIA y el FBI». En efecto, la CIA y el FBI se coordinarían para localizar y desenmascarar a simpatizantes de Bin Laden (un punto en el que habían fallado clara y manifiestamente antes de los atentados).

Tenet hizo referencia también a las tareas de propaganda, y mencionó que tenían en plantilla a unos cuantos *mulás.*

Pero en el meollo de sus propuestas estaba una recomendación al presidente: que otorgara a la CIA lo que Tenet calificó como «autoridad excepcional» para destruir a Al Qaeda en Afganistán y en el resto del mundo. Lo que pedía era una orden de espionaje en términos amplios, que permitiera a la CIA llevar a cabo operaciones encubiertas sin tener que esperar la aprobación formal de cada operación en concreto. El proceso vigente implicaba demasiado tiempo, el visto bueno de los expertos legales, revisiones y discusiones. La CIA estaba necesitada de autoridad nueva y robusta para actuar sin cortapisas. Y Tenet quería también que el presidente tuviera el valor de arriesgarse.

Otro componente clave, dijo, era «contar con una autoridad excepcional para detener a los activistas de Al Qaeda en cualquier lugar del mundo», lo que significaba que la CIA podría usar los servicios de inteligencia de otros países, así como otros activos a sueldo. Tenet y sus altos cargos quedarían autorizados a aprobar operaciones «de arresto» en el extranjero, una potestad verdaderamente excepcional.

Tenet había llevado consigo un borrador de una orden presidencial sobre espionaje, denominada «conclusión», que otorgaría poderes a la CIA para emplear absolutamente todos los instrumentos propios de las operaciones encubiertas, incluidos los letales. Durante más de dos décadas la CIA se había limitado a modificar las conclusiones presidenciales anteriores para obtener autorización formal en materia de contraterrorismo. Esta nueva propuesta, denominada técnicamente «Memorándum de Notificación», se presentaba como una modificación de la conclusión sobre espionaje contraterrorista internacional firmada en 1986 por el presidente Reagan. Pasando por alto cinco memorándums similares firmados por el presidente Clinton, como queriendo borrar simbólicamente el pasado reciente.

El director de la CIA llegó a una página titulada «Servicios árabes de enlace con elevadas subvenciones». Explicó a los presentes que, con los cientos de millones de dólares adicionales para la nueva acción encubierta, la CIA «compraría» una serie de servicios de inteligencia fundamentales, mediante programas de entrenamiento, equipamiento nuevo, dinero para sus redes de agentes y cualquier otra cosa que pudieran necesitar. En el documento se enumeraban varios de estos servicios de inteligencia: los de Egipto, Jordania y Argelia. Al actuar como enviados de Estados Unidos, dichos servicios estarían aportando el triple o cuádruple de los recursos de la CIA, una extensa fuerza mercenaria de especialistas en espionaje.

Como ocurre con muchos aspectos del mundo de las actividades encubiertas, esta clase de arreglos entrañaba riesgos. En este caso, alinearía a Estados Unidos con ciertos servicios de inteligencia dudosos, algunos de los cuales contaban con un historial espeluznante en materia de derechos humanos. En efecto, algunos tenían fama de despiadados y de emplear la tortura para obtener confesiones. Tenet reconocía que era una gente junto a la cual a nadie le gustaría sentarse en la iglesia los domingos. «Miren ustedes, yo no controlo a esos tipos en todo momento», dijo.

Bush dijo que entendía el riesgo que implicaba.

Tenet añadió que Estados Unidos utiliza ya una «base numerosa de activos» en la región, dada la labor que había estado desarrollando la CIA en los países próximos a Afganistán. La Agencia llevaba más de un año usando vehículos teledirigidos sin piloto (los denominados «zánganos Depredador») en misiones de vigilancia en la frontera de Uzbekistán, para obtener imágenes de vídeo de Afganistán en tiempo real. Los Depredador podían equiparse con misiles Hellfire, que se activaban por control remoto, y también podían utilizarse para misiones letales, como eliminar a Bin Laden o a sus lugartenientes más importantes, por ejemplo.

Estados Unidos debería establecer vínculos más estrechos con Tayikistán, Turkmenistán y Pakistán, dijo Tenet, para impedir que los cabecillas de Al Qaeda viajaran a dichos países y para «clausurar todos los pasos fronterizos». Además, pidió que se iniciaran contactos secretos con algunos estados terroristas, como Libia y Siria, que según él podrían resultar de gran ayuda en las acciones encaminadas a destruir Al Qaeda. En definitiva, para que la CIA pudiera obtener informaciones útiles sobre los terroristas, tal vez tendrían que ensuciarse las manos en algún momento.

Dicho esto, Tenet volvió al tema de las operaciones dentro de Afganistán. Describió la función de las tribus opositoras de la parte meridional del país, unos grupos hostiles a la Alianza del Norte pero, al mismo tiempo, fundamentales para la campaña contra Al Qaeda y los talibanes. El año anterior la CIA había empezado a trabajar con aproximadamente una docena de cabecillas de las tribus del sur. Algunos intentarían estar en los dos bandos a la vez, pero en cuanto comenzara la guerra se unirían a la campaña estadounidense, tentados por el dinero, la comida, las municiones y los suministros.

A continuación, Tenet amplió el último parte de novedades que había comunicado al presidente. En concreto, la cuestión relativa a cómo utilizar con eficacia a la Alianza del Norte, que en opinión de la CIA era un instrumento poderoso pero desesperadamente necesitado de dinero, armas e informaciones secretas.

Pasó entonces a exponer otro documento de ALTO SECRETO, el titulado «Ataque internacional Matrix», que describía las operaciones encubiertas en ochenta países que se estaban realizando ya o que recomendaba iniciar. Las acciones iban desde campañas típicas de propaganda hasta acciones letales encubiertas como medida preparatoria de los ataques militares. Se incluían también labores encaminadas a abortar planes o atentados terroristas en países de Asia, Oriente Próximo y África. En algunos países los equipos de la CIA entrarían a robar documentos en ciertas instalaciones. Lo que estaba proponiendo Tenet representaba un salto tremendo en la política estadounidense, pues otorgaría a la CIA la potestad más amplia y letal de su historia. Tenet se refirió a ello como el «componente externo», es decir, los elementos allende las fronteras afganas. En una rápida exposición (del tipo «esta es nuestra situación actual», «esto es lo que podríamos hacer», «esto es lo que queremos hacer»), expuso ante los presentes las acciones que se llevarían a cabo en ochenta países. Era el plan, impresionante en cuanto a su alcance, de una guerra secreta e internacional contra el terror.

Dado que la CIA llevaba años trabajando agresivamente contra el terrorismo, dijo Tenet, la Agencia contaba ya con una lista exhaustiva de objetivos de ataque y con un profundo análisis de las conexiones y redes. Lo que necesitaba ahora era dinero, flexibilidad y una potestad más amplia para poder moverse con rapidez, de inmediato, si daba con los objetivos.

Aunque Rumsfeld estaba encantado con el plan en general, quería que la orden se redactara con mayor cuidado y que fuese también más restrictiva.

En cuanto al presidente, no disimuló en lo más mínimo su opinión sobre las propuestas de Tenet. «¡Magnífico trabajo!», exclamó, prácticamente gritando.

«Bien, Mueller—dijo Bush entonces, volviéndose hacia el director del FBI—, póngame al corriente de sus novedades. ¿Qué se sabe de lo que está ocurriendo?».

Robert Mueller era un antiguo fiscal federal. Se había pasado años investigando el atentado terrorista con bomba contra el vuelo 103 de la Pan Am ocurrido en 1988. Sabía, por tanto, que lo peor que le puede pasar a un director del FBI es que se produzca una acción terrorista en territorio nacional. Que el presidente le haga llamar inesperadamente sería, quizá, la segunda peor cosa. Pues bien, al recién nombrado director del FBI le había pillado por sorpresa la invitación de asistir a la sesión de preparación de la guerra. Mueller había pensado que se le convocaría mucho más adelante, si es que le llamaban en algún momento.

En una compañía poco habitual para él, intimidado por la presencia de los mandamases de la nación, Mueller hizo un resumen rutinario de la investigación sobre los secuestros de los aviones. Hablaba casi balbuciendo, como él mismo notó, y enseguida cedió la palabra al siguiente orador. El fiscal general Ashcroft les puso al tanto del diseño de un paquete de leyes que ampliarían las potestades de los órganos de seguridad del Estado en su lucha contra el terrorismo. Les avisó de la importancia de detener a los terroristas, pero añadió: «Debemos recordar que son gente paciente». De este modo les recordaba que habían pasado ocho años entre los dos atentados contra el World Trade Center.

Por tanto, la Administración necesitaba diseñar una estrategia nueva a largo plazo, «porque ese es el tipo de estrategia que ellos aplican».

La última intervención de la mañana fue la del general Shelton, quien también había llevado un grueso maletín a Camp David. Bush había ordenado al Pentágono que en la reunión debían presentarse todas las opciones posibles, por lo que Shelton se había preparado para hablar sobre la acción militar contra Afganistán y, si así se exigía, contra Irak.

En cuanto a Afganistán, tenía tres opciones generales.

La primera opción era un ataque con misiles de crucero, algo que el Ejército podía ejecutar rápidamente si es que la prioridad máxima del presidente era la celeridad. Se podían lanzar los misiles desde barcos de la Armada o desde aviones de las Fuerzas Aéreas, a una distancia de cientos de kilómetros. Entre otros objetivos había campos de entrenamiento de Al Qaeda.

El problema de esta opción era, como todos sabían—señaló—, que los campamentos estaban vacíos. Saltaba a la vista que ni a Shelton, ni a Bush ni a Rumsfeld les entusiasmaba este plan. Tampoco a los demás. Podría perfectamente haberse calificado como «Opción Clinton». La sola mención a los misiles de crucero era recibida con un desagrado palpable.

La segunda opción combinaba los misiles de crucero con ataques de bombarderos activados por personal de carne y hueso. Shelton le ofreció a Bush la posibilidad de optar inicialmente por un ataque que duraría entre tres y cuatro días (o tal vez un poco más, quizá hasta diez días en total). Los objetivos serían, entre otros, los campos de entrenamiento de Al Qaeda y algunos blancos de los talibanes. Este plan también tenía sus limitaciones.

Shelton describió a continuación la tercera y más sólida opción: una combinación de misiles de crucero, bombarderos y lo que los planificadores habían dado en llamar «tropas sobre el terreno». Incluía todos los elementos de la opción segunda, más las unidades de elite de las Fuerzas Especiales estadounidenses y, posiblemente, el Ejército y la Infantería de Marina. Se trataba de desplegar todas estas fuerzas dentro de Afganistán. Pero dijo que solo trasladar los destacamentos iniciales al terreno requeriría un mínimo de diez o doce días, porque harían falta bases y derechos de sobrevuelo en la zona para que los equipos de búsqueda y rescate pudieran socorrer a los pilotos que fueran abatidos.

Los que habían vivido la Guerra del Golfo (Powell y Cheney, desde luego) estaban anonadados ante la inmensa diferencia que había entre la situación militar en Afganistán y la Operación Tormenta del Desierto. En efecto, el sábado 4 de agosto de 1990 el general Norman Schwarzkopf, a la sazón comandante en jefe del Mando Central, había presentado en ese mismo pabellón de Camp David una propuesta detallada (pero nada novedosa) de acción militar. Se denominó Plan de Operaciones 90-1002, y fue el plan militar básico que se ejecutaría a lo largo de los siete meses siguientes con el fin de expulsar de Kuwait al Ejército iraquí.

Pero en aquellos momentos no existía ningún plan militar válido. Había que crear uno nuevo rápidamente, desde cero, en cuanto el presidente decidiera qué forma quería dar a esta guerra, cuál iba a ser el enfoque inicial de la campaña y cómo sería la relación entre la CIA y el Pentágono.

En un momento dado alguien comentó que esto no iba a ser como los Balcanes, un conflicto de odios entre etnias que había tenido ocupada a la Administración Clinton durante casi ocho años. «Vamos a desear que sea como los Balcanes», replicó Rice. Los problemas de Afganistán y de la región circundante eran mucho más complejos, puntualizó. «Afganistán», pensó al mirar un mapa. El nombre le evocaba una imagen muy negativa: una tierra lejana, montañosa, sin acceso al mar, difícil.

Bush dijo que el resultado ideal de la campaña sería echar a los terroristas de algunos sitios como Afganistán y, gracias a ello, convencer a otros países que hubiesen apoyado anteriormente el terrorismo, como Irán, de que debían modificar su comportamiento.

Powell afirmó que todos los integrantes de la coalición estaban dispuestos a perseguir a Al Qaeda, pero matizó que algunos se desvincularían si se decidía extender la guerra a otros grupos o países terroristas.

El presidente replicó que no quería que ningún otro país dictase los términos o las condiciones de la guerra contra el terrorismo. «Llegará un momento en que nos quedemos solos—dijo—. Por mí, bien. Somos Estados Unidos».

Powell no le contestó. Quedarse solos era precisamente lo que quería evitar, en la medida de lo posible. Pensó que la formulación del presidente no era realista. Sin aliados, Estados Unidos no podría llevar a cabo una guerra efectiva ni siquiera en Afganistán, y mucho menos a escala mundial. En su opinión, el presidente hacía ese tipo de comentarios sabiendo de antemano que no resultarían factibles si se analizaban una segunda vez. Alzar la voz y ser rotundo podría ser algo necesario, pero no debía confundirse con tomar decisiones políticas.

Cheney, por el contrario, se tomó las palabras de Bush al pie de la letra. Estaba convencido de que el presidente iba en serio cuando decía que Estados Unidos libraría en solitario la guerra si hiciera falta.

Rumsfeld planteó entonces otro problema. Aunque todos estaban de acuerdo en que la primera prioridad era destruir a Al Qaeda, cualquier distinción que se hiciera con Bin Laden, sobre todo por parte del presidente, le encumbraría por encima de todo lo demás, al igual que ocurriera con el presidente iraquí Sadam Husein durante la Guerra del Golfo. Rumsfeld dijo que lo peor que podían hacer en una situación así era equivocarse al establecer la meta que se proponían lograr. De nada serviría detener o matar a Bin Laden o al dirigente de los talibanes Mohamed Omar si no se resolvía el problema básico del terrorismo. Demonizar a Bin Laden restaría firmeza a Estados Unidos en su intención de librar una guerra más extensa. Dicho de otra manera, la señal de «Bin Laden, no» que adornaba cada página del informe de la CIA transmitía el mensaje erróneo, y no debía reproducirse en público.

Otra cuestión complicada eran los talibanes. Estaba claro que Estados Unidos iba a presionarlos, con la esperanza de que rompieran sus vínculos con Al Qaeda y entregaran a Bin Laden. Los presentes no lo veían muy factible, pero estaban de acuerdo en que debían intentarlo.

La historia de Afganistán traía de cabeza a los asesores del presidente. Era un país inhóspito en cuanto a su geografía, y sus antecedentes de expulsión de fuerzas externas eran ciertos. A pesar de las opciones presentadas en el transcurso de la mañana, muchos asesores parecían preocupados. «¿Cuáles son las peores consecuencias que podrían producirse en la zona?, ¿qué riesgos entraña la situación?», preguntó Bush.

Uno de los peligros era provocar en Afganistán un caos que se propagaría a Pakistán. Rice y Cheney, en particular, lo consideraban un peligro muy grave. Afganistán ya era un desastre, dijo Cheney. Pero si Pakistán se les iba de las manos, habrían desatado otro conjunto entero de problemas. Cheney estaba preocupado por la posibilidad de que la decisión de Pakistán de apoyar a Estados Unidos incitara a sus extremistas a intentar derrocar al Gobierno de Musharraf, porque entonces los fundamentalistas islámicos podrían tener acceso a las armas nucleares de Pakistán.

Todos eran conscientes de que el presidente Musharraf era la barrera crucial entre la estabilidad y la peor de las situaciones posibles.

«¿Los paquistaníes han meditado a fondo los riesgos que implica su decisión de apoyarnos?», preguntó Bush.

Powell contestó que creía que sí. En primer lugar, Musharraf había visto que la Administración se lo estaba tomando muy en serio. En segundo lugar, dijo, Musharraf se daba cuenta de que había ido perdiendo paulatinamente el control en su país y acaso veía toda esa situación como una oportunidad para detener el deslizamiento hacia el extremismo. Powell creía que Musharraf no quería que Pakistán acabara convertido en un Estado aislado y peligroso. Quería un país más laico y occidentalizado.

«El presidente Musharraf está asumiendo un riesgo tremendo—dijo Bush—. Debemos tratar de que le merezca la pena. Deberíamos ayudarle en varios asuntos, como el de la seguridad nuclear. Establezcan un paquete de apoyo para Pakistán», ordenó.

El segundo riesgo al que se enfrentaban era quedarse atrapados en Afganistán, el castigo que habían sufrido los británicos en el siglo XIX y los soviéticos en el XX. Rice se preguntaba si podría ocurrirle lo mismo a Estados Unidos en el siglo XXI.

No era la única que sentía ese temor. De ahí que se entrara a debatir otra cuestión: ¿Debían plantearse lanzar una acción militar en otros lugares como medida de precaución, por si salía mal la campaña de Afganistán? Para mantener el apoyo de la ciudadanía estadounidense y el de la comunidad internacional, tendrían que conseguir éxitos iniciales en una Guerra. La rápida victoria de Estados Unidos en 1991, que puso fin a la Guerra del Golfo y fue retransmitida en directo por la CNN, había transformado las expectativas de la opinión pública respecto de los conflictos bélicos, una nueva actitud que no se había visto alterada por los ataques ocasionales con misiles de crucero realizados durante la Administración Clinton.

Rice quiso saber si se podía contar con una campaña militar exitosa fuera de las fronteras de Afganistán. Esta idea volvía a poner a Irak sobre el tapete.

Aquello animó al subsecretario de Defensa, Paul Wolfowitz, de 57 años, un hombre de trato amable aunque partidario de las políticas más duras y conservadoras. Wolfowitz consideraba que el abrupto final de la campaña militar terrestre de 1991 (la Operación Tormenta del Desierto) había sido un error, pues había dejado a Sadam en el poder.

Desde su llegada a la presidencia, Bush había estado buscando la manera de debilitar a Husein. Para ello, Wolfowitz había insistido en ayudar a los grupos de la oposición iraquí, mientras que Powell trataba de ganarse apoyos para imponer al régimen un nuevo conjunto de sanciones. El temor radicaba en que Sadam seguía intentando desarrollar, obtener y, en último término, utilizar armas de destrucción masiva, y sin los inspectores de Naciones Unidas en el país, no había manera de conocer con exactitud la envergadura real de la amenaza a la que se enfrentaban. Los atentados terroristas del 11 de septiembre otorgaban a Estados Unidos una nueva justificación para perseguir a Husein.

Wolfowitz aprovechó la oportunidad. Las perspectivas de éxito de un ataque contra Afganistán eran inciertas. Le preocupaban los cien mil soldados estadounidenses que en el plazo de seis meses estarían atrapados entre las montañas afganas. Por el contrario, Irak era un régimen frágil y opresor que podría sucumbir fácilmente. La victoria era factible. Wolfowitz calculó que había entre un 10 y un 50 por 100 de posibilidades de que Sadam estuviera implicado en los atentados terroristas del 11 de septiembre. Si realmente se tomaba en serio la guerra contra el terrorismo, tarde o temprano Estados Unidos tendría que ir a por Sadam.

Andy Card pensó que Wolfowitz solo estaba haciendo ruido en lugar de aportar datos o argumentos novedosos. Durante una pausa, Cheney, I. Lewis «Scooter» Libby (el jefe de personal de Cheney) y el propio Wolfowitz entablaron una discusión. Bush se unió al grupo y les comentó que las opciones militares planteadas por Shelton le habían parecido poco imaginativas.

Wolfowitz se explayó con su argumentación de que la guerra podría ser más sencilla contra Irak que contra Afganistán.

El presidente le preguntó por qué no ahondaba más en la materia durante la reunión.

«No me corresponde a mí contradecir al jefe del Estado Mayor Conjunto, a no ser que el secretario de Defensa así lo estime oportuno», contestó Wolfowitz, consciente de que Shelton se oponía a lanzar un ataque contra Irak.

Cuando se reanudó la sesión, Rumsfeld preguntó: «¿Es este el momento de atacar a Irak?». Señaló que iba a haber una importante acumulación de fuerzas en la región, y que seguía preocupándole profundamente la disponibilidad de buenos objetivos en Afganistán.

Powell se opuso a la idea. «Va usted a tener noticias de sus socios de coalición—le dijo al presidente—. Están todos con usted, todos, pero se desmarcarán si ataca a Irak. Si consigue algo que vincule a Irak con los atentados del 11 de septiembre, magnífico; lo comunicamos y les atacamos en el momento oportuno. Pero por ahora centrémonos en Afganistán. De este modo, habremos aumentado nuestras posibilidades de luchar contra Irak... si es que podemos demostrar que Irak ha estado implicado».

Bush tenía serias reservas en cuanto a atacar a Irak, pero dejó que el debate prosiguiera. Tal como declaró tiempo después, le preocupaban dos cosas. «Mi teoría es que tienes que hacer algo y lo tienes que hacer bien, y que [...] si podíamos demostrar que podíamos tener éxito [en Afganistán], el resto del trabajo sería más sencillo. Si pretendíamos hacer demasiadas cosas militares (dos cosas, por ejemplo, o tres cosas a la vez), entonces [...] esa dispersión habría entrañado un riesgo inmenso».

Había otra cosa que le inquietaba. No habló de ello con su gabinete de guerra, pero después declararía que estaba presente en sus reflexiones. Sabía que en torno a la mesa de la reunión había ciertos asesores (Powell, Cheney y Wolfowitz) que habían participado en las deliberaciones sobre la Guerra del Golfo junto a su padre. «Y una de las cosas que no iba a permitir era que su experiencia anterior en este mismo terreno impusiera un discurso lógico en la nueva guerra». O, lo que es lo mismo, no quería que utilizaran la guerra contra el terrorismo como una excusa para saldar viejas cuentas.

En otro momento de la mañana Wolfowitz interrumpió a su jefe, Rumsfeld, para insistir en un aspecto que había mencionado antes acerca de Irak, tal vez animado por lo que le había comentado el presidente durante la pausa.

Se produjo un silencio incómodo. Rumsfeld siguió como si no hubiera habido inciso alguno, pero sus ojos se achinaron. Algunos pensaron que quizá le había sentado mal, pero otros entendieron el gesto simplemente como si estuviera pensando.

Bush lanzó una mirada cortante a Card. Durante la siguiente pausa, el jefe de personal se llevó a Rumsfeld y a Wolfowitz a un aparte.

«El presidente no admitirá que hable más de una persona del Departamento de Defensa», les dijo Card.

Poco antes del almuerzo, Bush hizo saber a los convocados que ya había oído hablar lo suficiente sobre Irak. «Durante la segunda ronda [la de la tarde] no se discutió mucho más sobre Irak—comentó tiempo después—. La segunda parte del debate se centró únicamente en Afganistán, para que me entienda».

A las 12:45 se sirvió el almuerzo, y Bush animó a sus asesores a aprovechar la sobremesa para realizar un poco de ejercicio o para descansar. «Después quiero a todo el mundo aquí a las cuatro en punto, y quiero que me cuenten lo que piensan que debemos hacer».

A Rice le inquietaba la dispersión de ideas del último tramo de la mañana. Normalmente las reuniones del Consejo de Seguridad Nacional eran más estructuradas: la plana mayor informaba sobre sus materias respectivas, entre todos se buscaban soluciones a los problemas planteados («les echábamos el lazo», como ella misma lo expresó en cierta ocasión) y se elaboraban las diferentes opciones. La reunión de la mañana había empezado con buen pie, pero después se había vuelto repetitiva, inusitadamente desbocada. Ahora ya no sabía en qué punto se encontraban. ¿Cómo vamos a sacar un plan de todo esto?, se preguntaba. ¿Hemos llegado a alguna conclusión? Sabía que el presidente quería salir de la reunión con un plan de acción preparado.

Rice convocó a la plana mayor (Powell, Rumsfeld, Tenet y Card) a una reunión sin el presidente, para comunicarles sus preocupaciones. «Tiene que haber más disciplina en la sesión de la tarde», les dijo, instándoles a ser más concretos en sus exposiciones.

Powell volvió a su cabaña. Mientras él reflexionaba, Alma, su esposa, se entretenía leyendo un libro. A su modo de ver, seguían pendientes de respuesta los grandes interrogantes: ¿qué hacer?, ¿cuándo actuar y contra quién?, ¿había que combatir ese elemento que todos tenían ya identificado—Al Qaeda y Afganistán—o había que ampliar la guerra en esos momentos? Powell se sentó en una silla y cerró los ojos durante media hora.

Tenet y McLaughlin dieron una vuelta en un *buggy* del campo de golf. McLaughlin se preguntaba cómo iba el presidente a controlar la discusión, que se había desbordado completamente.

Rice regresó a su cabaña, devolvió unas cuantas llamadas telefónicas y salió a hacer un poco de ejercicio. Hacia las cuatro menos cuarto se encontró con Bush cerca de la cabaña presidencial. Había estado ejercitándose en la máquina elíptica y levantando pesas. El presidente le dijo a su consejera de Seguridad Nacional que tenía una idea para la reunión de la tarde.

—Voy a ir preguntándoles qué opina cada uno—le explicó—. ¿Qué te parece?

—Bien—contestó Rice—. ¿Quiere que me limite a escuchar?

—Sí, quiero que escuches sus propuestas—replicó Bush—. Pero después podrías aportar tu opinión, una vez oídas las explicaciones de todos los presentes.

Cuando el grupo volvió a reunirse en el pabellón Laurel a las 16:00 el presidente dijo que quería oír las recomendaciones de la plana mayor, refiriéndose a Powell, Rumsfeld, Tenet, Card y el vicepresidente.

—Bueno, ¿quién empieza?

Miró a Powell. El secretario de Estado se había mentalizado para un debate más general. Pero entendió bien y fue al grano. «En primer lugar, se trata de Al Qaeda y de UBL», dijo, usando la abreviatura empleada por el Gobierno para referirse a Bin Laden (donde la U correspondía a Usama, otra versión ortográfica de Osama). «Considérelos el objetivo de los ataques, además de sus campos de entrenamiento y su infraestructura. Más allá hay otras redes y organizaciones, y no estoy hablando de las FARC» (la guerrilla colombiana de izquierdas). Necesitaban una campaña militar aérea sostenida, contra los enclaves donde se sabía que se escondía Bin Laden, dijo. Y cuarenta y ocho horas antes del inicio de la campaña había que advertir a los talibanes de que se les iban a exigir responsabilidades. Si no reaccionaban, empezarían a pagarlo caro.

«Pero no ataque a la cúpula dirigente en la capital—añadió Powell—. Ataque aquello que les mantiene en el poder, como las Fuerzas Aéreas. Empiece por el final de la cadena en lugar de atacar de arriba abajo».

Powell tenía algunas ideas más. «Aléjese de la CNN», sugirió. Una cobertura informativa instantánea del campo de batalla podría crear una presión innecesaria. Dijo también que sería deseable dejar a alguien de los talibanes como interlocutor en posibles negociaciones, y que acaso se podría trabajar con los saudíes para tratar de establecer contactos con los talibanes, ya que Arabia Saudí era el único Estado importante, aparte de Pakistán, que reconocía formalmente a los talibanes como el Gobierno legítimo de Afganistán.

«En cuanto a todos los Estados que secundan el terror, puede usted encargarse de ellos uno por uno, a su gusto—añadió Powell, haciéndose eco de la frase utilizada por el presidente durante el discurso del día anterior en la catedral—. No van a marcharse a ningún sitio. No ataque a Irak en esta primera fase, pues se echaría a perder la coalición que hemos estado construyendo. Van a pensar que les queremos dar gato por liebre... No es lo que han firmado».

«Si antes del 11 de septiembre no estábamos persiguiendo a Irak, ¿por qué hacerlo ahora, cuando el clamor popular no se dirige contra Irak?», preguntó Powell. Nadie podía coger y decir que Irak era responsable de lo ocurrido el 11 de septiembre. Era fundamental no perder la perspectiva. «Deje abierta la puerta a la opción de atacar a Irak, por si consigue pruebas de su vinculación—dijo—. Tal vez también a Siria o a Irán [los estados que más habían patrocinado actos terroristas en los años ochenta], pero no esté muy seguro de poder vincularlos».

Aunque el Ejército estadounidense afirma estar diseñado y equipado para combatir al mismo tiempo en dos conflictos a gran escala, Powell pensó que el Departamento de Defensa estaba sobrevalorando su capacidad de hacer dos cosas al mismo tiempo desde el mismo mando, con el mismo comandante y el mismo personal. En efecto, los ataques militares contra Afganistán e Irak corresponderían a la jurisdicción del Mando Central.

No llegó a expresar este último punto, pero lo consideró como su as en la manga. Hasta entonces no se había presentado ningún plan militar para Irak. Nadie, ni Rumsfeld ni Wolfowitz, le había dicho al presidente qué debía hacerse exactamente en Irak y cómo podría hacerse. Nadie había llevado la opción más allá de la mera especulación, nadie había dicho: «Estamos hablando de esto, esto y esto». Era evidente que nadie tenía un plan concreto.

Powell sí añadió que había que demostrar públicamente que Bin Laden era el culpable. Era un detalle importante. Las pruebas pesaban.

El siguiente en hablar fue Rumsfeld. «No debemos limitar nuestra propia capacidad de acción a largo plazo», dijo, dando a entender que se debía seguir pensando en qué hacer con el terrorismo en general. Habría que tener paciencia. Eliminar a Bin Laden iba a requerir un tipo de espionaje muy diferente del que conocían. Aplicar la doctrina del «golpe, palabra, golpe», según la cual Estados Unidos atacaría, después se detendría para ver las reacciones y a continuación volvería a atacar, recordaba mucho a la guerra de Vietnam.

«Las alternativas militares parecen de hace cinco o diez años», dijo. Era un golpe directo a los planificadores militares uniformados. Insistió en que era necesario usar métodos no convencionales para la obtención de información sobre el terreno. Se refería sobre todo a las operaciones de las Fuerzas Especiales. «Forme un grupo que actúe con rapidez, que no esté dominado por una mentalidad convencional».

En respuesta al comentario de Powell sobre el riesgo de desmembramiento de la coalición, Rumsfeld dijo que cualquier «consideración que haga pensar que la coalición se opone a la opción de Irak significa que no es la coalición que necesitamos». Sin embargo, en ningún momento recomendó formalmente atacar a Irak. Un detalle significativo.

«Tenemos que mejorar la selección de objetivos—dijo a continuación—. Se trata de hacer una campaña sostenida. Necesitamos un marco operativo que no existe en estos momentos».

Aportó también unas reflexiones sobre el control de la información. «Hace falta un control más firme de los asuntos públicos. Que se trate igual que una campaña política, con temas de debate para cada día. Una acción prolongada exige contar con una base amplia de apoyo nacional. Amplia, no estrecha. Esto es una maratón, no un sprint. Van a ser años, no meses». Para una guerra que se iba a librar en un lugar remoto, durante mucho tiempo y en relativo secreto, necesitaban disciplina en los mensajes que se transmitieran a la ciudadanía.

«Los que hacen este tipo de cosas no pierden—dijo Rumsfeld—, no tienen objetivos altamente valiosos. Lo que tienen es redes y fanatismo». En cierto sentido era un aspecto obvio pero muy importante, pues apuntaba al meollo de los problemas a los que se estaban enfrentando: carencia de buenos objetivos, carencia de fuentes de información internas, inutilidad de una estrategia de desgaste.

«Es necesario reforzar la defensa de nuestro territorio—dijo entonces el presidente—. En primer lugar, necesitamos un borrador inicial de respuesta». Encargó esta tarea a Cheney. «Hay que coordinar los asuntos públicos—admitió—. Tenemos que actualizar nuestras comunicaciones». Bush llevaba meses quejándose del mal funcionamiento de los sistemas de comunicación, deteriorados en los últimos años por la falta de inversiones. Durante la mañana del 11 de septiembre los teléfonos habían dejado de funcionar.

Tenet recapituló. «Parece que tenemos una estrategia en tres fases», dijo. Primero, plantear las exigencias a los talibanes y a otros. Segundo, «atacar y estrangular». Tercero, «cercar y mantener el acoso».

Aportó también una reflexión deprimente. «Nuestra situación se parece más a la de los israelíes», dijo. Estados Unidos entraba en un período de atentados terroristas frecuentes en territorio nacional. El problema no va a desaparecer. «Necesitamos una estrategia en nuestro propio país para abortar los atentados».

«Empecemos por las opciones militares relativas a los talibanes». Tenet estaba de acuerdo con Powell en que en un primer momento debían apuntar hacia objetivos militares, y no tanto hacia la cúpula dirigente. «Ataquemos al menos el blanco de Al Qaeda. Destruyamos la mayor parte de la estructura militar de los talibanes».

A continuación mencionó sus propios planes para una guerra global, pero secundó la idea de que, en un primer momento, había que centrar las fuerzas militares exclusivamente en Afganistán.

Card habló a continuación. No tenía mucha experiencia en política exterior, por lo que empezó con conceptos generales. «¿Cómo se define el éxito?». Dijo que consistía en primer lugar en demostrar que no se trataba solo de lanzar bombas en medio del desierto (como el presidente había dejado claro). «O están con nosotros o contra nosotros. Si no hay una frontera clara y tampoco se habla claramente de las consecuencias, la gente se pasará al lado equivocado de la línea». Coincidiendo con Powell y Rumsfeld, añadió: «No lo defina como Osama Bin Laden. El enemigo puede ser Al Qaeda».

«*Un* enemigo», puntualizó Bush, interrumpiendo a su jefe de personal. Quería recordarles a todos que esta guerra iba más allá de Al Qaeda.

Card dijo que habría que plantearse actuar al mismo tiempo en otras partes del mundo, como Indonesia, Filipinas, Malaisia, Yemen o Somalia. «Tener a quince equipos SEAL atacando diez blancos en un mismo día, a la vez, en diferentes rincones del mundo, sería como transmitir el mensaje de que estamos abordando la cuestión en todo el ámbito internacional».

Card propuso también «organizar las tropas a lo grande» en el golfo Pérsico. Esto les demostraría que pensaban quedarse allí y, además, les colocaría en posición para atacar después a Irak. Pero añadió que no pensaba que la cuestión fuese hacer de Irak un blanco inicial importante.

Tenet comentó que le preocupaba lo que él denominaba «la caza de culpables por eliminación», pues sabía que se producirían toda clase de incriminaciones e investigaciones, como la interminable reconsideración de Pearl Harbor, las ganas de encontrar a un culpable, al que había lanzado la pelota. «La gente se está dejando la piel en esto», dijo refiriéndose a su personal. Pero no solo ellos. Mucha otra gente también. «Han salvado miles de vidas». Era fundamental apoyarles. Tenet, para sorpresa de los presentes en la reunión, miró al presidente y le dijo: «Los hombres y mujeres que están haciendo este trabajo necesitan saber que usted, señor presidente, cree en ellos».

Bush dejó claro que sí creía en ellos.

El vicepresidente fue el último en tomar la palabra. «Hay que hacer todo lo posible por impedir un nuevo atentado, perseguir dentro de Estados Unidos a todo el que pueda ser un terrorista. ¿Estamos siendo lo bastante agresivos? Ahora necesitamos contar con un equipo de gente que se dedique a aprender las lecciones que hemos extraído hasta este momento. Y si vamos a ir a por Bin Laden, hay que tener en cuenta el contexto en toda su amplitud. Hace una semana, antes del 11 de septiembre, nos preocupaba la fortaleza de nuestra situación en Oriente Próximo: cuál era nuestra posición junto a los saudíes, los turcos y otros países de la región. Ahora todos ellos quieren participar en nuestras acciones, lo que nos brinda una oportunidad. Pues bien, tenemos que aprovechar esta oportunidad.

»Formar una coalición para poder aprovechar mejor esta oportunidad—dijo—, indica que este no sería el mejor momento para atacar a Sadam Husein. Nos haría perder fuerza. Si vamos a por Sadam Husein, perdemos el derecho a erigirnos en los buenos de toda esta historia».

Así pues, Cheney se alineaba con Powell, Tenet y Card en su oposición a actuar contra Irak. Y Rumsfeld no se había decantado. Para alguien que quisiera llevar la cuenta, estaban 4 a 0 más una abstención.

Aun así, el vicepresidente expresó su honda preocupación acerca de Sadam y dijo que no descartaba un ataque a Irak en algún momento.

Cheney dijo también que la CIA debía tocar todas las teclas posibles. «Un inconveniente son las ONG, la verdadera baza de Bin Laden». Se refería a las organizaciones benéficas y no gubernamentales que ayudaban a financiar a Al Qaeda. Cheney recomendó reforzar a la Alianza del Norte y asestar un golpe a los talibanes, pero no necesariamente de una manera masiva al principio. «De entrada, hay que anular sus defensas antiaéreas y sus aviones de combate—dijo—. Tenemos que estar listos para introducir a nuestros hombres en el terreno. Habrá sitios a donde solo puedan llegar las Fuerzas de Operaciones Especiales—añadió—. Y debemos preguntarnos también si contamos con la adecuada combinación de fuerzas».

Por último, Cheney volvió al tema de la defensa nacional. Debía hacer todo lo posible por impedir, evitar o abortar otro atentado en Estados Unidos. La cuestión era muy preocupante. Había revisado la labor realizada por cinco comisiones gubernamentales que últimamente habían estudiado el asunto del terrorismo. El presidente le asignó la tarea de organizar un plan de seguridad del territorio estadounidense y tenerlo preparado para mayo. Debían pensar no solo en defender las fronteras y las líneas aéreas, sino también en defender el territorio nacional contra armas biológicas y otras amenazas, dijo.

La reunión tocó a su fin. Bush fue rodeando la mesa y les dio las gracias a todos. No había quedado claro en qué situación se encontraban después de la reunión.

«Voy a reflexionar sobre todo esto, y les haré saber lo que haya decidido», les anunció.

Powell y Rumsfeld se marcharon entonces de Camp David, pero la mayoría de los presentes y sus esposas se quedaron a cenar. Durante la velada cantaron, con Rice ejerciendo de directora del coro, clásicos norteamericanos como «Old Man River», «Nobody Knows the Trouble I've Seen» o «America the Beautiful». El presidente pasó un rato en otra mesa, donde algunos de los invitados trataban de formar un complicado rompecabezas de madera.

7

A la mañana siguiente Tenet, ya de regreso en su casa, en Washington, cogió un lápiz y unos folios y se puso a escribir. Tenía mil ideas y quería enviar un mensaje a su equipo de asesores. Como cabecera, anotó: «Estamos en guerra».

Era una guerra contra Al Qaeda en todos los frentes, escribió. «No puede haber impedimentos burocráticos al éxito de esta guerra. Han cambiado todas las reglas. Debemos comunicarnos absolutamente toda la información disponible, poner en común ideas y capacidades. No tenemos tiempo para celebrar reuniones o arreglar problemas. Arréglenlos con rapidez y de una manera inteligente. Cada persona debe asumir un grado de responsabilidad individual sin precedentes». Cualquier problema con otras agencias, con el Ejército o con los órganos de seguridad del Estado debe «solucionarse ya».

«Todos debemos ser vehementes y enérgicos, pero no atolondrados. Hay que mantener la calma.

»Juntos ganaremos esta guerra y haremos que nuestro presidente y el pueblo estadounidense se sientan orgullosos. Ganaremos esta guerra en nombre de nuestros hermanos muertos y heridos en Nueva York y en Washington, y en nombre de sus familiares».

Envió las notas a la sede central desde su casa, usando el fax a prueba de interceptaciones, para que las pasaran a máquina y las repartieran. El memorándum era un llamamiento a la acción, pero también un reconocimiento de que su agencia adolecía de una cierta tendencia a convocar reuniones cada vez que surgía un problema.

El presidente regresó a la Casa Blanca a las 15:20. Ofreció una breve declaración ante la prensa en la explanada sur y accedió a contestar cinco preguntas. Habló en siete ocasiones del «mal» o de «malhechores», y por tres veces expresó estar anonadado ante la envergadura de los atentados.

«Hacía mucho tiempo que no presenciábamos este tipo de barbarie—declaró—. Nadie podría haber imaginado sensatamente que iban a introducirse en nuestra sociedad unos terroristas suicidas para emerger después todos a la vez y pilotar sus aviones... aviones estadounidenses en dirección a unos edificios llenos de gente inocente, y sin el menor atisbo de remordimientos.

»Esta cruzada, esta guerra contra el terrorismo va a durar un tiempo», añadió. La calificación de la guerra como una «cruzada» sería considerada una metedura de pata debido a su grave connotación negativa en el mundo islámico, donde todavía se asocia con los ejércitos invasores medievales de la Europa cristiana. Los ayudantes del presidente iban a tener que retirar después el comentario y pedir disculpas públicamente.

Bush era consciente del problema monumental al que se enfrentaban él y su Administración en lo relativo a la comunicación. Los atentados del 11 de septiembre no solo habían sido el ataque contra suelo norteamericano que más muertes había provocado, superando en número de víctimas al bombardeo de Pearl Harbor, sino que, además, había sido el ataque violento más fotografiado y grabado de la historia. ¿Quién podría olvidar las repeticiones de las imágenes, limpias como el cristal, del levemente ladeado avión del vuelo 175 de United Airlines estrellándose contra la planta 80 de la Torre Sur del World Trade Center, despositando su bola de fuego letal y llegando casi a asomar por el otro lado? O la grabación del desmoronamiento de las dos torres, una después de la otra, y la nube de escombros y humo que cubrió todo Lower Manhattan. O las tomas de la gente saltando desde las plantas superiores de las torres, lanzándose a una muerte segura, saltando al vacío para escapar de las temperaturas insoportablemente altas del interior del edificio. O los rostros de desesperación de todos los estadounidenses. Casi parecía que los terroristas tenían un sentido perfecto de la afición de los norteamericanos a lo histriónico y dramático. Era como si se dieran cuenta de que el país tenía unos medios de comunicación y noticias y un sistema de valores que harían que estas imágenes se repitieran una y otra vez ante la mirada del público.

Bush percibió que no iba a ser capaz de responder con un acontecimiento de espectacularidad equivalente. Gran parte de su guerra y de su represalia sería invisible, y se desarrollaría en el transcurso de mucho tiempo.

Convocó a Rice, Hughes, Bartlett y al secretario de prensa Ari Fleischer a una reunión en su despacho de la segunda planta de la residencia privada, conocido como la Sala del Tratado.

Bush le dijo a Hughes: «Serás la responsable de cómo le expliquemos esta guerra a la opinión pública». Para el éxito general de la campaña iba a ser fundamental cómo explicase la Casa Blanca sus metas y sus reflexiones sobre las acciones de guerra. Sería crucial para conservar la confianza de la ciudadanía en sus dirigentes, así como para mantener la unión de la coalición internacional. El problema era que el equipo de comunicaciones no iba a conocer detalles, sobre todo los relacionados con las operaciones encubiertas de la CIA, y que la respuesta estadounidense iba a tardar en producirse.

«Sabía perfectamente que si lográbamos el apoyo del pueblo norteamericano a una tarea ardua y lenta, nos sería más fácil cumplir con nuestro trabajo—explicó Bush tiempo después—. Yo soy un producto de la era de Vietnam. Recuerdo a presidentes que intentaban promover guerras muy impopulares, recuerdo la división de la nación». Señaló entonces un retrato de Abraham Lincoln, colgado en el Despacho Oval. «Está en esa pared porque el trabajo de un presidente es unir a la nación. Ese es el cometido del presidente. Y yo sentí como si... sentí que mi labor era asegurarme de que el pueblo estadounidense comprendiese. Que comprendiese la gravedad del ataque. Pero no estaba seguro de si los ciudadanos entendían que iba a durar mucho tiempo y que iba a ser un proceso difícil».

Bush dijo a sus consejeros: «Vamos a acometer misiones que pondrán en peligro la vida de muchas personas del Ejército norteamericano. Debemos tener cuidado». Quería que Defensa, Estado y otros departamentos y agencias trabajaran a partir de un mismo plan. Asegurarse de que la mano izquierda supiera lo que estaba haciendo la mano derecha.

Durante casi una hora hablaron sobre lo que el presidente esperaba de su equipo de comunicación. Sus asesores recuerdan que la conversación prácticamente fue una especie de monólogo. Bush hizo hincapié en los aspectos no convencionales de la guerra: la función de los órganos de seguridad del Estado, de la puesta en común de toda información secreta disponible, de la desarticulación de la red financiera de los terroristas, la misión de la CIA y el imperativo primordial de que gran parte de la guerra no fuese visible para la ciudadanía.

Pidió a sus asesores que reflexionaran sobre cómo explicar la misión, los riesgos y el tiempo que podría tardarse en completar las tareas. Habría partes de la campaña de las que no podrían hablar, dijo una vez más, y debían pensar en la manera de presentar al público todos los elementos de la guerra de los que sí pudieran hablar, en especial el aspecto financiero, es decir, los esfuerzos tendentes a extraer el máximo de dinero de las redes terroristas.

«No podemos tolerar que haya filtraciones», insistió machaconamente el presidente. Podrían poner en peligro la vida de personas. Rumsfeld y el Pentágono hablarían sobre las operaciones, los funcionarios de la Casa Blanca no. No podremos confirmar determinadas acciones u operaciones. Su cometido no va a ser fácil.

Tiempo después Bush recordaba su actitud firme y clara respecto de lo que había que decir en esos momentos: «Estamos a punto de iniciar una lucha difícil, un tipo nuevo de guerra. Nos enfrentamos a un enemigo desconocido hasta ahora. En un principio se trata de una guerra en dos frentes: en casa y en Afganistán. Además, tenía la responsabilidad de mostrar resolución. Debía demostrar al pueblo estadounidense la resolución de un comandante en jefe que iba a hacer lo que fuera por ganar. Sin concesiones. Sin una equivocación. Nada de, ya sabe, legislar la situación hasta el último punto y coma. Dejar claro que íbamos a por ellos. Y no solo para que lo viera la nación, la gente en sus hogares. Era también crucial que el resto del mundo lo viera». Sobre todo le inquietaba cómo iban a interpretar sus acciones los dirigentes mundiales. «Estos tipos observaban cada gesto que hacía. Y para ellos es muy importante venir a este Despacho Oval, y así lo hicieron, con regularidad, y yo les miraba directamente a los ojos y les decía: "O está usted con nosotros o contra nosotros"».

Bush tuvo que interrumpir sus palabras en dos ocasiones, para atender precisamente las llamadas telefónicas de dos dirigentes extranjeros, uno de los cuales fue el presidente mejicano Vicente Fox, al que había ido a visitar a su rancho poco después de asumir la presidencia. Mientras estos dos rancheros conversaban, Bush cambió a la manera de hablar del Viejo Oeste. «Se buscan vivos o muertos. Así es como me siento», dijo Bush.

Bush despachó a su equipo de comunicaciones, pero le pidió a Rice que se quedara un momento.

«Sé lo que quiero hacer y voy a hacerlo mañana en el Consejo de Seguridad Nacional», le dijo. A continuación le dictó la lista de acciones que pensaba ordenar la mañana siguiente.

Rice volvió a su despacho para elaborar un resumen de once puntos en una sola página, un plan de guerra en una única hoja de papel.

El lunes 17 de septiembre a las 9:35 Bush y el Consejo de Seguridad Nacional se congregaron en la Sala del Gabinete. Esta sala, con vistas al Jardín de los Rosales, parece la biblioteca de un venerable bufete de abogados. Dominando el espacio hay una gran mesa de reuniones, ovalada, imponente, en madera de caoba, regalo del presidente Nixon en 1970.

Para los demás no estaba claro cuál había sido el resultado del crisol de Camp David. Esa mañana Bush fue el primero en hablar: «El propósito de esta reunión es asignar tareas para la primera fase de la guerra contra el terrorismo—dijo—, que empieza hoy».

Aprobó todas y cada una de las peticiones de Tenet para ampliar las funciones de la CIA, rechazando casi todos los intentos de Rumsfeld por recortarlas. Los subordinados de la Agencia tendrían autoridad para actuar de manera encubierta.

«Quiero firmar una conclusión hoy—les anunció el presidente—. Quiero que la CIA sea la primera en pisar el terreno».

«El fiscal general, la CIA y el FBI contribuirán a la protección de Estados Unidos frente a otros atentados». La nueva política insistiría en la toma de medidas para adelantarse a posibles atentados futuros, más que en la investigación o en la obtención de pruebas y el procesamiento judicial. Ordenó a Ashcroft que solicitara del Congreso la concesión de potestades nuevas para que el FBI pudiera rastrear y grabar conversaciones de los terroristas y detenerlos, un proyecto que ya estaba en marcha.

A Rumsfeld le dijo: «Necesitamos planes para proteger las fuerzas e instalaciones estadounidenses en el extranjero».

«El secretario de Estado debería presentar un ultimátum a los talibanes hoy mismo», dijo dirigiéndose a Powell, comunicándole las órdenes casi a voz en grito. Quería un mensaje que «les advirtiera que debían entregar a Bin Laden y a su Al Qaeda, o si no sufrirán las consecuencias».

«Si no acceden, les atacaremos—dijo Bush—. Nuestra meta no es destruir a los talibanes, pero ese podría ser el resultado. Atacaremos con misiles, bombarderos y tropas sobre el terreno—dijo, escogiendo así las opciones más amplias planteadas por Shelton—. Asestémosles un duro golpe. Queremos dejar claro que ya no es como antes. Queremos hacer que otros países, como Siria e Irán, cambien de opinión. Queremos atacar lo antes posible».

El Pentágono debía diseñar y presentar un plan detallado, dijo, pero era evidente que aún no se había dado respuesta a ciertas cuestiones básicas relativas a la operación (expresadas seis días antes por Rumsfeld). Bush las repitió: ¿Qué objetivos militares?, ¿cuánto se tardará en atacarlos?, ¿qué fuerzas aliadas queremos?, ¿cuándo?, ¿cómo?, ¿en qué consistirá la primera oleada?, ¿y después?

Trasladar hombres al terreno antes de bombardear Afganistán sería una buena idea. «Nos vamos a echar encima de ellos como locos. Tendrán ustedes que poner en peligro las vidas de sus hombres. Pero hay que ponerlos sobre el terreno».

A Powell le había dejado más bien anonadado oír que Bush quería presentar un ultimátum a los talibanes inmediatamente. En el sur de Asia era de madrugada en esos momentos. Dado que Estados Unidos no mantenía relaciones diplomáticas con los talibanes, cualquier mensaje privado tendría que ser transmitido a través del Gobierno de Pakistán.

Hubo ciertas complicaciones. Powell debía redactar el ultimátum. Todos debían comprender las consecuencias. Estaba preocupado con lo que podría ocurrir en Pakistán. Tendrían que cerrar sus embajadas y hablar con los aliados. «Me gustaría disponer de

ultimátum a Afganistán (Reg Taliban)

una hora para reflexionarlo, y decidir entonces si debemos posponerlo hasta mañana por la mañana», dijo el secretario de Estado.

Bush accedió, pero en todo caso quería que lo redactara con un estilo duro. «Quiero que tiemblen de la cabeza a los pies».

Bush dijo que quería un plan para estabilizar Pakistán y protegerlo contra las consecuencias que acarrearía su apoyo a Estados Unidos.

En cuanto a Sadam Husein, el presidente zanjó el debate: «En mi opinión, Irak estaba involucrado, pero no voy a atacarlos ahora. Todavía no tengo pruebas».

Bush dijo que quería que siguieran trabajando en los planes de acción militar en Irak, pero indicó que habría tiempo suficiente para atacar. Todo lo demás, sin embargo, debía hacerse enseguida.

«Empiecen desde ya—dijo el presidente—. Es muy importante que nos movamos deprisa. Es una forma nueva de hacer la guerra».

Shelton dijo que se tardarían entre cuatro días y una semana en organizar el traslado aéreo de tropas y suministros hasta las cercanías de la frontera afgana. Y se tardaría aún más en desplazar a las tropas de las Fuerzas Especiales.

«Esto es una partida de ajedrez, no una de damas—dijo Rumsfeld—. Tenemos que pensar más allá del primer movimiento». Para él, era más bien como un ajedrez tridimensional. Le recordaba a ese juego de toda la vida que había en las gasolineras, que funcionaba con veinticinco centavos y en el que había que manipular unas asas con articulaciones para atrapar el premio.

¿Qué hacer después de los diez días de campaña de bombardeo? ¿Qué puede pasar que les haga cambiar de opinión? ¿Qué es lo peor que puede pasar? ¿Y lo mejor? A veces una operación podía desarrollarse demasiado deprisa, por lo que tenían que estar preparados para reaccionar si las cosas salían mejor de lo que habían imaginado.

Eran buenas preguntas, pero esta tendencia de Rumsfeld a racionalizarlo todo enmascaraba una frustración de tipo práctico. Como bien sabían sus principales ayudantes, le preocupaba que el Ejército, en concreto el general Franks, no estuviese (como dijo sucintamente uno de sus asistentes) «considerando con suficiente agresividad las opciones agresivas».

Después de la reunión, el presidente acudió al Pentágono para que le pusieran al corriente sobre las operaciones especiales. Tenía programada una visita a Fort Bragg, la sede de las Fuerzas Especiales y de la unidad Delta (un comando de elite especializado en el rescate de rehenes) en Carolina del Norte, pero al final se había anulado el viaje por temor a que su presencia allí pudiera revelar hacia dónde apuntaban sus planes.

El mando militar de la zona había enviado a un general de dos estrellas para poner al tanto de las novedades a Bush, Rice y Frank Miller, el miembro más veterano del equipo de defensa del Consejo de Seguridad Nacional. Miller había trabajado anteriormente con Cheney en el Pentágono, en asuntos de guerra nuclear, y sabía que los oficiales de operaciones especiales eran gente de cuidado. Empezó por revisar la presentación de diapositivas, llenas de información confidencial.

Una de las diapositivas contenía datos sobre posibles operaciones en Afganistán. Se titulaba «Posibilidad de acción extrema: suministro de alimentos envenenados».

A Miller casi le da algo. Le mostró la diapositiva a Rice. «Estados Unidos es incapaz de hacer semejante cosa—le recordó Miller—, y no tenemos permiso para ello». Equivalía a un ataque con armas químicas o biológicas, una opción tajantemente prohibida por los tratados que Estados Unidos había firmado.

Rice fue a ver a Rumsfeld con la diapositiva en cuestión. «El presidente de Estados Unidos no puede ver esta filmina», dijo ella. Un ataque con productos tóxicos era precisamente lo que temían que hiciera Bin Laden. ¿Cómo podía entenderse que alguien pudiera siquiera plantearse adoptar las mismas tácticas de Bin Laden y presentarle la idea al presidente?

«Tiene razón», dijo Rumsfeld. Funcionarios del Pentágono comentaron tiempo después que la inspección interna había apartado aquella diapositiva ofensiva y que de ningún modo se habría mostrado en la presentación. Pero lo cierto es que, cuando Miller la vio, solo quedaban unos minutos para que comenzara la sesión informativa.

Después de la reunión el presidente dirigió unas palabras a unos treinta y cinco mil reservistas que habían sido convocados, y contestó a las preguntas de los periodistas.

—¿Quiere ver muerto a Bin Laden?

—Recuerdo un viejo cartel del Oeste que decía: «Se busca, vivo o muerto»—contestó Bush.

Ese día iba a firmar un documento que autorizaba acciones tanto encubiertas como no encubiertas encaminadas a capturar o matar a Bin Laden. Tiempo después explicó que había dicho aquello para que la opinión pública supiera cuáles eran sus intenciones.

«Muchas veces ocurre que estás ahí, delante de todos, y sabes que algo va a pasar o bien estás pensando en algo—recordaba—. Y entonces alguien te hace una pregunta y sencillamente aflora lo que tenías en mente. En ese sentido, a veces no soy muy precavido. [...] Fue un poco una bravuconería, pero también era una manera de expresar que en materia de defensa propia de Estados Unidos, vamos, que en cuanto a la defensa propia de Estados Unidos había tomado esa decisión del "vivo o muerto", que era legal».

Cuando Laura Bush vio el telediario, no le hizo ninguna gracia. «Suaviza el tono, cariño», le dijo a su marido.

Pero él siguió igual, según explicó ella después. «Cada dos por tres tenía que decírselo otra vez».

Ese mismo día por la tarde, en la Casa Blanca, llevaron al presidente dos documentos que debía firmar. Uno era el Memorándum de Notificación que modificaba la conclusión que había firmado el presidente Ronald Reagan el 12 de mayo de 1986.

Este memorándum autorizaba todas las fases propuestas por Tenet en Camp David. Se otorgaba a la CIA la potestad necesaria para desarticular la red de Al Qaeda y otras redes terroristas en todo el mundo, a escala mundial, empleando acciones letales encubiertas para mantener oculto el papel de Estados Unidos.

La conclusión autorizaba asimismo a la CIA a actuar con total libertad en Afganistán con sus propios equipos paramilitares, oficiales de casos y el «zángano Depredador», recién armado.

El otro documento, de dos páginas y media de extensión, contenía las órdenes y las fases de actuación del gabinete de guerra y de los departamentos y agencias estatales que Bush había presentado por la mañana. Las órdenes instaban a ejercer presión financiera, realizar acciones diplomáticas y aplicar planes militares y acciones encubiertas. Estaba clasificado como ALTO SECRETO / PERLA. La palabra en clave PERLA había sido escogida al azar para denominar una sección de acceso especial para las fases iniciales de la guerra, y solo podían ver esos documentos las personas incluidas en una lista restringida.

En el centro de la tercera página el presidente añadió su firma, con su inconfundible letra. «George W. Bush».

El martes 18 de septiembre el presidente Bush y el vicepresidente Cheney señalaron el séptimo día transcurrido desde los atentados terroristas con un momento de silencio en la explanada de la Casa Blanca, y a continuación se reunieron con el Consejo de Seguridad Nacional. Tenet explicó que el primer equipo paramilitar de la CIA se encontraba ya de camino hacia Afganistán para trabajar con la Alianza del Norte. Aunque el equipo tardaría ocho días en llegar, Tenet afirmó: «Nuestro plan ya está en marcha».

Rumsfeld informó sobre el funcionamiento del plan militar, también iniciado. Bush le dijo que dejar abierta la puerta para otras opciones era un aspecto importante, pero no el objetivo prioritario. «La prioridad máxima es desarticular el entramado de Bin Laden».

Tras la sesión del Consejo de Seguridad Nacional el presidente se reunió con Hughes y con el equipo de redactores de discursos para deliberar sobre el discurso que iba a pronunciar durante una sesión conjunta del Congreso. No estaba contento con el primer borrador. Quería concluir con un compromiso personal para con el pueblo estadounidense, una frase final del estilo «esta es mi misión», o «mi propósito» o «el propósito de la nación». «En eso consiste mi labor de presidente», dijo.

Explicó a su equipo que quería transmitir la idea de que la guerra contra el terrorismo iba a ser el tema prioritario de todo su mandato como presidente, y que se comprometía personalmente con el pueblo norteamericano a ganar la batalla, por muy larga que fuese.

El discurso se había convertido en el vehículo retórico para describir, al menos veladamente, la envergadura de una guerra total contra el terrorismo.

Rice sacó el borrador del ultimátum a los talibanes elaborado por el Departamento de Estado. Cuando Bush lo leyó, empezó a creer que tenía más sentido incluirlo en su discurso en lugar de dejar que lo comunicara el Departamento de Estado. Tendría más peso si lo pronunciaba directamente el presidente, y sería motivo de grandes titulares.

Aquella noche, hacia las nueve y media, Bush llamó a Michael Gerson, el jefe de los redactores de discursos. Gerson acababa de entrar en el camino privado de su casa, en una zona residencial de Virginia. No era habitual que el presidente telefoneara a esas horas de la noche. Aun así, estuvieron hablando sobre el borrador durante media hora. Bush le sugirió incluir dos docenas de modificaciones.

Armitage y Cofer Black volaron a Moscú para recabar el apoyo de los altos cargos rusos del ámbito diplomático y del espionaje.

«Esto es una guerra—les dijo Black—. Vamos a llevarla a cabo. Sea cual sea su decisión, nosotros vamos a librar esta guerra». Era consciente de que Afganistán quedaba dentro de su esfera de influencia y que iban a poner pegas. «Queremos que miren hacia otro lado, al menos». No le hacía ninguna gracia que los rusos trataran de empantanar las operaciones de la CIA. «En mi humilde opinión, creo que esto es una oportunidad histórica. Salgamos del siglo pasado y entremos en el nuevo».

Los rusos dieron a entender que les ayudarían y que de ningún modo plantearían impedimentos. Uno de ellos señaló que Afganistán era el paraíso de las emboscadas, que los guerrilleros afganos habían aplastado al Ejército ruso. «A mi pesar—dijo aquel alto cargo ruso—, debo decir que van ustedes a pasarlo realmente muy mal».

«Vamos a matarlos—replicó Black—. Les vamos a ensartar las cabezas en palos. Vamos a poner patas arriba todo su mundo».

Los rusos enviaron enseguida a la CIA un equipo encargado de facilitarles informes secretos obtenidos sobre el terreno, en especial sobre la topografía y las cuevas de Afganistán.

El Consejo de Seguridad Nacional volvió a reunirse el miércoles 19 de septiembre por la mañana en la Sala de Situación de la Casa Blanca. Bush quiso asegurarse de que los funcionarios estadounidenses habían insistido claramente en que el régimen talibán debía liberar a dos mujeres, dos jóvenes estadounidenses que estaban trabajando allí en labores de ayuda y que habían sido secuestradas.

También instó a Powell y Rumsfeld a hacer hincapié en sus informes en la idea de que la coalición iría variando en función de las exigencias de la guerra, es decir, que los diferentes países tendrían que contribuir cada uno de una manera, que no se trataba de una coalición inamovible, estanca o en la que todos actuaran de una única forma.

«No pediremos a los miembros de la coalición nada que no esté en sus manos, pero lo que no pueden hacer los estados es declararse en contra del terrorismo y ser proterroristas dentro de sus fronteras», replicó Powell. Dijo también que debían acusar públicamente a Al Qaeda de estar detrás de los atentados.

«No una acusación judicial—puntualizó Rumsfeld—. No tiene que ver con un hecho concreto». No se trataba de acusarlos de unos actos terroristas específicos. Sabían que Al Qaeda creía en el terrorismo. Bin Laden y los demás así lo habían manifestado públicamente y en repetidas ocasiones. No sería la primera vez que se les acusaba de crímenes federales o que se les condenaba formalmente. «Algunos países tienen miedo... ven la cuestión desde otros puntos de vista. La prensa dirá que la coalición se está debilitando si las pruebas no corroboran el caso».

—¿Irán forma parte de la coalición?—preguntó entonces Steve Hadley.

—No se trata de una coalición compacta—respondió Rumsfeld.

—A veces el silencio puede ser una amenaza mayor—apuntó Tenet. No decir nada podría preocupar a los iraníes más que cualquier otra cosa.

Esa misma mañana Hughes preguntó a Card y Rice si pensaban que el presidente había decidido que el borrador del discurso era válido tal como estaba. Ella opinaba que todavía faltaba mucho por hacer. Rice estaba de acuerdo, y añadió que enviaría a dos de sus colaboradores más veteranos para que trabajaran con Hughes.

A pesar de las vehementes declaraciones que había realizado en el transcurso de la semana, el presidente tenía la sensación de que sus redactores no habían incorporado en el discurso el estilo directo y sencillo que quería usar para la conclusión.

«¿Pero es que no me está escuchando nadie?», les preguntó.

Hacia las once y media de la mañana Gerson llamó a Hughes para decirle que iba a llevarle al despacho un borrador corregido. Juntos lo repasaron punto por punto, y por fin decidieron que estaban preparados para enseñárselo al presidente. Hacia la una y cuarto entraron en el Despacho Oval.

—¡Qué sonrientes!—comentó Bush—. Eso es bueno.

Al empezar a leer en voz alta, se fijó en el primer añadido y les preguntó:

—¿Es que ahora estáis poniendo y quitando cosas del discurso?—Se detuvo en el siguiente añadido—. Esto es diferente—dijo—. ¿Quién lo ha metido? ¿Es que estáis poniendo al tuntún más cosas en el discurso?

—No—contestó Hughes—. Es que tenía que decidir según mi propio criterio. Estaba usted en una reunión.

Bush fue haciendo algunas sugerencias a medida que iba leyendo, pero cuando terminó les dijo: «Magnífico. Esto es lo que vamos a decir en el Congreso».

A las 18:25, con una chaqueta de deporte, Bush entró en el gimnasio de la Casa Blanca y empezó a hacer sus ejercicios.

A las 19:00 Bush se reunió con su gabinete de guerra. Rumsfeld dijo que el discurso no debía otorgar un lugar destacado a Bin Laden, pues se arriesgaban a encumbrarle sin querer y a reducir la base de apoyo para la campaña antiterrorista. Rice respondió que se había tomado la decisión de mencionar a Bin Laden una sola vez.

Pero había otra cuestión pendiente. Más que cualquier otra cosa, los asesores de Bush habían discutido sobre la parte en que se lanzaba un aviso a los estados que secundaban el terrorismo. Habían buscado un estilo que clarificara la doctrina expresada por Bush durante su aparición pública la noche siguiente a los atentados (que Estados Unidos no haría distinciones entre los terroristas y quienes les ofrecieran refugio).

¿A qué otros estados iban a poner en el punto de mira, al margen de la campaña inicial? ¿Cuáles eran las reglas nuevas para medir la conducta de países con un historial de patrocinio del terrorismo?

Rice y Powell consideraban que el lenguaje era demasiado estridente. Querían ofrecer a esos países la oportunidad de romper con el pasado. Abogaban por añadir a la frase la expresión «que continúen», que les animaría a cambiar de opinión. Sin esa modificación—pensó Powell—Estados Unidos estaría declarando la guerra a todo el mundo.

«Se han recibido amenazas de un atentado terrorista inminente», anunció Tenet poco después de que hubiera dado inicio la reunión del Consejo de Seguridad Nacional del jueves por la mañana. Era una noticia alarmante, sobre todo habida cuenta de que el presidente tenía programado hablar ante el Congreso esa noche. Los datos de los servicios de espionaje mostraban que varios miembros de la cúpula dirigente de Al Qaeda, entre ellos algunos lugartenientes cruciales de Bin Laden, estaban hablando de un gran atentado para dos días después. Era el mismo tipo de charla interceptada por los servicios de información que les había alarmado poco antes del 4 de julio (al final no se habían producido atentados) y también poco antes del 11 de septiembre.

Tenet le dijo al presidente que el primer equipo paramilitar de la CIA estaría en Uzbekistán el viernes, y en el norte de Afganistán el domingo.

«Cuídese de suscitar falsas expectativas, que una cosa es derrotarles y otra cosa es acabar con su capacidad para poner en peligro nuestro estilo de vida», le avisó Rumsfeld. Era una manera de decirlo sutilmente, con cuidado. No había forma de poner fin al terrorismo en todas sus manifestaciones, pero sí se podría limitar su capacidad de actuación hasta un nivel que permitiera continuar con el estilo de vida norteamericano. Así sería también más fácil despejar obstáculos tanto a corto como a largo plazo. A Rumsfeld le preocupaba realizar declaraciones que sonaran demasiado ambiciosas.

Pero Bush insistió en que no pensaba suavizar la determinación estadounidense de ganar la guerra. «Derrotaremos a nuestros enemigos, fijaremos el tono para los presidentes venideros—dijo—. Dentro de dos años puede que solo los británicos estén a nuestro lado».

Rumsfeld sacó a relucir la posibilidad de que Estados Unidos fuese atacado con armas de destrucción masiva. «Es un revulsivo para el pueblo norteamericano—dijo—. Nos enfrentamos a una situación completamente nueva y diferente». ¿Debería el presidente mencionar la cuestión en el discurso?

—No la he incluido—contestó Bush llanamente—. Eclipsaría el resto del discurso. Claro que en algún momento tendremos que informar a la nación, pero por ahora he dejado fuera ese tema. Y así se va a quedar. Lo he cavilado mucho.

Era evidente que Bush tenía miedo de causar alarma en la sociedad solo nueve días después de los terribles atentados, y dijo que trataría la cuestión más adelante, tal vez cuando contaran con más información.

—Se hará en el contexto de la estrategia general—dijo—. Pero hay que estar seguros. Hay que ser sinceros—añadió—, pero no se me da bien ser brutalmente sincero.

Desde hacía diez años se estaba intentando reforzar la situación de zona vetada al tránsito aéreo en que había quedado convertido Irak tras la Guerra del Golfo. Rumsfeld comentó que aún no se había planteado una petición rutinaria para atacar ciertos objetivos iraquíes como parte de dichas medidas. Sin embargo, en esos momentos ya no podía considerarse rutinario nada que tuviera que ver con intervenciones militares o con Irak.

—Si se lanza un ataque en las cercanías de Bagdad, lo cual haría saltar todas las alarmas en la capital, la misión perdería claridad, quedaría emborronada—contestó Bush. Irak y el mundo entero podrían pensar que el ataque tenía relación con las represalias por el 11 de septiembre—. Debemos ser pacientes con respecto a Irak.

Por la tarde Bush se echó una siesta corta mientras aguardaba la llegada del primer ministro británico Tony Blair. Había invitado a Blair a cenar en la Casa Blanca y a asistir como invitado especial a su intervención ante el Congreso. Blair había aceptado la invitación, a pesar de que en su país preocupaba «el factor perrillo faldero» (como lo bautizó un funcionario), es decir, se temía que el primer ministro pudiera dar la impresión de haberse convertido en un apéndice del presidente de Estados Unidos. Para Blair era una oportunidad más de manifestar su solidaridad con Bush y, un aspecto aún más importante, para escuchar de primera mano cómo habían evolucionado los planes estadounidenses para la guerra.

Bush y Blair estuvieron hablando a solas en la Sala Azul durante veinte minutos. Bush expuso su plan, mencionando incluso el empleo de la fuerza en Afganistán.

—Todas las fuerzas del Ejército estadounidense—le dijo a Blair—y bombarderos atacando desde todas las direcciones.

—No se te nota nada preocupado ni nervioso—comentó Blair, según palabras de Bush—. No te vendría mal estar a solas un rato, ¿no crees?

—Sé exactamente lo que tengo que decir y cómo decirlo, y qué debo hacer—le contestó Bush.

«Creo que se quedó un tanto sorprendido—contó Bush tiempo después—. Ya sabe, tienes que recordar, tener presente que un discurso es en esos momentos "el discurso de mi vida"... Mis asesores de confianza me han dado ya unos seis de esos. Así que soy inmune ya al discurso sobre "el discurso de tu vida"».

Más de ochenta millones de estadounidenses estaban pendientes de la televisión.

—Esta noche somos un país despierto ante el peligro y llamado a defender la libertad—dijo Bush mientras los cazas sobrevolaban en círculo el Capitolio—. Nuestro dolor se ha convertido en rabia y nuestra rabia en resolución. Se hará justicia, ya sea llevando a nuestros enemigos ante la justicia o viceversa.

»Dirigiremos todos los recursos disponibles, todos los medios diplomáticos, todos los instrumentos del espionaje, todos los instrumentos de Seguridad del Estado, toda la influencia financiera y todas las armas necesarias al desmantelamiento y la derrota de la red mundial del terrorismo.

Describió entonces la naturaleza novedosa de la campaña, para demostrar que la política de Estados Unidos había experimentado un cambio importante. «Nuestra respuesta implica mucho más que unas represalias inmediatas o unos ataques aislados—dijo—. Los ciudadanos norteamericanos no deberían esperar una única batalla, sino una campaña prolongada, en nada parecida a cualquier otra que hayamos visto nunca. Puede que haya ataques brutales que se verán por televisión, pero también operaciones encubiertas, cuyo éxito incluso será también secreto». Instó a los estadounidenses «a seguir adelante con sus vidas y a abrazar a sus hijos» y pidió «paciencia» para la larga lucha que se avecinaba.

En ese momento pronunció el compromiso que tanto trabajo le había costado perfeccionar: «No olvidaré esta herida infligida a nuestro país ni a quienes la han provocado. No cederé, no descansaré, no cesaré en esta lucha por la libertad y la seguridad del pueblo norteamericano».

El aplauso fue atronador.

Tiempo después Bush recordaba que desde el estrado era imposible saber cómo estaba siendo recibido el discurso. «Yo no sé cómo van estas cosas. Mire usted, cuando doy un discurso yo estoy en el ojo del huracán, como se dice.

»Pero cuando de verdad me di cuenta de la necesidad que tenía Estados Unidos de un líder fue cuando pararon el partido de hockey en Filadelfia», dijo. Los espectadores del partido habían pedido ver el discurso del presidente en las pantallas gigantes del estadio. Los árbitros pararon el partido y los jugadores se apiñaron alrededor de los banquillos para poder seguir también la retransmisión.

—Aquello era increíble—dijo Bush—. Querían... no querían que siguiera el partido. Querían escuchar lo que su comandante en jefe, el presidente de Estados Unidos, tenía que decir en esos momentos.

Bush llamó a Gerson. Los dos recuerdan lo que dijo el presidente: «Nunca me he sentido más a gusto en toda mi vida».

Pero Bush estaba a punto de aprender lo poco agradable y lo muy difícil que iba a ser llevar a la práctica sus osadas declaraciones.

8

«Las filtraciones acabarán con nosotros, minarán nuestra coalición», tronó Tenet al principio de la reunión del Consejo de Seguridad Nacional del viernes, 21 de septiembre, a las 9:30. Le preocupaba sobre todo Uzbekistán, que, secretamente, permitía el vuelo de los aparatos Depredador de la CIA desde su territorio. El presidente Islam Karimov podría justificar fácilmente su negativa apoyándose en una filtración.

Otros países que cooperaban o cuyo apoyo en la guerra se pediría podrían tornarse asustadizos o negarse, dando así a la CIA y al Pentágono con la puerta en las narices.

En los diez días posteriores a los ataques contra Nueva York y Washington, los medios de comunicación emplearon recursos sin precedentes para cubrir todos los aspectos del suceso. Periodistas, editores y productores explotaban fuentes antiguas y nuevas y rastreaban vías secundarias por conseguir una primicia. El hambre de aunque solo fuera un bocado de información nueva se agudizó a causa de las presiones del ciclo de noticias las veinticuatro horas, cuyos segundos marcaba ahora un teletipo sin fin que se arrastraba por el fondo de media docena de canales de noticias por cable. Los planes de espionaje y los planes militares secretos, así como los movimientos diplomáticos, eran las mejores primicias.

—Voy a leer la cartilla a nuestra plantilla—dijo Tenet.

—Sencillamente, lo único que tenemos que hacer es no poner en papel los asuntos más delicados—dijo Bush. Que se fastidie la historia. ¿Y qué, si la documentación quedaba incompleta? No estaba dispuesto a arriesgar la empresa.

El grupo pasó a debatir la última información sobre el paradero de Bin Laden. Aunque la Administración trataba de restarle importancia, Bush entendía el simbolismo de atraparlo. Se moría por capturarlo.

Una vez más, los datos de espionaje eran café de recuelo. Tenet no contaba en realidad con nada de importancia.

El presidente les dijo que tenían que encontrar la forma de demostrar avances visibles en la guerra antiterrorista, en sus propias condiciones. Quería una especie de «marcador de tantos», una forma de medir y demostrar lo que tenían y lo que llevarían a cabo. Se encontraban en la fase de puesta en práctica y, aunque no iban a hablar de planes ni operaciones, él quería hablar de resultados. Quería sumar tantos al marcador. «Quiero que todos los implicados en la operación sepan que voy a estar vigilando».

Nadie lo dudaba.

Paul O'Neill, secretario del Tesoro, se hallaba en la reunión con motivo de los planes para desbaratar el sistema de financiación del terrorismo en todo el mundo.

—Tenemos que ponernos en funcionamiento al respecto—dijo Bush, pasando la patata caliente al secretario del Tesoro—. Poner trabas a las redes financieras tiene que ser una herramienta de nuestro arsenal. Es importante. Tenemos que utilizarla.

Hubo asentimientos. Le tranquilizó un coro de «Pronto, señor presidente, estamos en ello, señor presidente». En cuestión de días estaría listo el anuncio público de los planes.

Rice trajo a colación un tema igualmente escabroso. La CIA ponía en circulación todos los días una Matriz de Amenazas ALTO SECRETO/CLAVE con la lista de las decenas de amenazas de bomba, secuestro y otros planes terroristas. Era escalofriante, a veces se producían cien amenazas específicas contra instalaciones estadounidenses en el mundo o contra posibles objetivos en el interior del país: embajadas, nudos comerciales, ciudades concretas, lugares donde se reúnen miles de personas. Algunos mensajes anónimos, por teléfono o por correo electrónico, parecían graves en potencia; otros eran simples chifladuras. Pero una gran parte provenía de las fuentes humanas más confidenciales y de la interceptación de comunicaciones en el extranjero.

Los segundos cargos habían mantenido reuniones a diario para tratar específicamente la cuestión de la seguridad en el país. Rice seguía su trabajo de cerca y opinaba que el progreso era minúsculo debido a que intentaban hacer más, resolver los grandes problemas de seguridad, endurecer Estados Unidos de verdad. Pues bien, ella opinaba que eso era imposible.

Resumió dicha conclusión ante el Consejo de Seguridad Nacional. «Asegúrense de que lo mejor no vaya en contra de lo bueno—dijo—. Ahora, hagan cuanto puedan por reducir el peligro en Estados Unidos». En esos momentos era preciso tomar medidas a corto plazo aunque, a la larga, pudieran resultar insatisfactorias.

Existía la posibilidad real de un nuevo ataque contra Estados Unidos a corto plazo. Rice reconocía que, a medida que remitía el impacto del 11 de septiembre, la tendencia natural consistiría en empezar a introducir mejoras metódicas y completas en los sistemas y procedimientos que los terroristas habían aprovechado, sobre todo la seguridad en los aeropuertos. Sería tarea de meses o años. Había que centrarse fundamentalmente en todo tipo de medidas a corto plazo que pudieran evitar, interrumpir o retrasar un nuevo ataque.

«No esperen por los resultados de largos estudios. Tendremos tiempo de sobra para realizarlos—prosiguió Rice—. El 60 o 70 por 100 de lo que hay que hacer ya saben ustedes que tienen que hacerlo inmediatamente. Háganlo». Insinuó que, sencillamente, recurrieran a la fuerza bruta, que reforzaran la investigación de antecedentes y la seguridad en todas partes. Colocar guardias nacionales en los aeropuertos daba una sensación de gran seguridad. Había que registrar tantos paquetes y contenedores de los que llegaban a los puertos del país como fuera posible.

La realidad era que el país estaba abierto y era vulnerable.

Bush volvió al tema de la financiación del terrorismo. Era una medida que podía tomarse inmediatamente. Dijo que necesitaban la cooperación internacional para desbaratar las redes financieras. «Miren, si los países son reacios, más vale que lo sepamos. Póngalo en mi lista de llamadas».

Cuando empezaban—o estaban a punto de empezar—las operaciones de la guerra antiterrorista, Bush quería que sus consejeros supieran que podían llamarle para pedirle ayuda. Les había ofrecido su despacho, su teléfono, sus influencias y cuanto necesitaran para progresar en los programas de trabajo. «Dennos las diez cosas más importantes que quieren que hagamos y las haremos», ordenó.

Pasaron al tema de la economía, otra preocupación. La Bolsa

había bajado a lo largo de toda la semana, desde la reapertura del mercado el lunes, y los índices más altos habían caído al punto más bajo desde hacía dos años. El índice Dow Jones había caído por debajo de los 8,4 puntos..., el 13 por 100 en menos de una semana.

También se habló de adónde apuntaba Estados Unidos respecto a la Asamblea General de Naciones Unidas, que tenía prevista una reunión en Nueva York para la semana siguiente, en la que el presidente Bush pronunciaría el discurso de apertura. Naciones Unidas habían pospuesto dicha reunión indefinidamente porque los cuerpos de seguridad de Nueva York no daban más de sí.

Hacia el final, Powell propuso uno de sus temas predilectos: la coalición de naciones que les prestaban apoyo y les apoyarían. En la reunión había quedado claro que todos los frentes de la guerra—el militar, el del espionaje, el financiero y el diplomático—dependían de las alianzas. Y estaba de acuerdo en que Estados Unidos se negara a adaptarse a la voluntad de las demás naciones.

—La coalición no coarta nuestras operaciones—dijo, y sonó a salida típica de Rumsfeld.

—La guerra es como la definí anoche—replicó Bush. En su discurso, más bien había dado la impresión de estar dispuesto a hacerla en solitario, de ser necesario. Pero, al parecer, su unilateralidad empezaba a perder terreno—. La coalición es necesaria, sin ella no se puede hacer—admitió.

Pero no tardó en volver a lo que fundamentalmente tenía en mente, y añadió:

—Y tenemos que empezar a mostrar resultados.

Se dio cuenta de que los estaba presionando. Más tarde, el presidente dijo que también pretendía protegerlos. «Se lo dije a nuestro equipo, les dije: "Miren, no se sientan obligados a tomar decisiones irracionales. Y no se preocupen de si cuestiono sus acciones a posteriori". Les dije: "Tomen las mejores decisiones que puedan y yo protegeré al equipo lo mejor que pueda explicando al público que esto va para largo"».

Desde Langley, Tenet convocó a los más destacados expertos en Afganistán—operadores y analistas—a una batalla campal en su sala de conferencias.

La pregunta fue: ¿Cómo emprender la acción encubierta en Afganistán?

«El tribalismo es importante, una característica dominante de la vida en Afganistán», dijo uno de ellos, y los demás asintieron. La población afgana está compuesta por unos seis grupos étnicos considerables y otros muchos pequeños; la historia, la reivindicación de la tierra y los conflictos de todos ellos se remontan varios siglos en el tiempo. La hostilidad entre grupos rivales suele ser furibunda. La etnia de los pastunes, que representa dos quintas partes de la población del país, se concentra sobre todo en el sur. La etnia de los tayikos, el segundo grupo en importancia, y la etnia de los uzbekos, se concentran sobre todo en el norte. La lucha entre los pastunes del sur y los tayikos y uzbekos del norte había mantenido al país envuelto en conflictos desde el final de la ocupación soviética, en 1989.

Ese había sido el momento de vacío que permitió a los talibanes y a Bin Laden apoderarse del país.

Incluso dentro de los grupos étnicos, las diferencias tribales y religiosas habían producido enemistades a muerte. Las dos tribus pastunes dominantes mantenían un enfrentamiento desde el siglo XVI; una de ellas apoyaba últimamente al Ejército talibán del *mulá* Omar y la otra, al antiguo monarca afgano, el rey Mohamed Zahir Sha.

En segundo lugar, los expertos de la CIA dijeron que era importante que la guerra fuera de afganos contra árabes, no de unos occidentales contra los afganos. Era de vital importancia enmarcar el conflicto en una guerra de liberación. Los afganos se acordaban de los diez años de esfuerzo en vano por parte de los soviéticos que querían un gobierno autoritario. Los miles de árabes nacidos en el extranjero que habían ido a Afganistán a prepararse en los campos de Al Qaeda eran foráneos, los invasores. La guerra era contra ellos, no contra las tribus afganas autóctonas. Tenet consiguió una unanimidad prácticamente total, también en este punto.

¿Cómo se podía aprovechar el tribalismo? Respuesta: haciendo que los afganos lucharan, no que se limitaran a hablar.

Y más importante: había que orientar la operación afgana sin poner las cosas más difíciles al presidente paquistaní Musharraf. Estados Unidos podía conseguirlo de varias formas, dijeron, sobre todo

evitando que grandes masas de refugiados de Afganistán entraran en Pakistán y mostrando a los paquistaníes las ventajas de la cooperación. Ya en esa semana se había hablado de que, a cambio de su apoyo en la guerra antiterrorista, Pakistán podría pensar que se levantarían las sanciones económicas impuestas tras las pruebas nucleares de 1998, además de un generoso paquete de ayudas y la condonación parcial de la deuda. El subsecretario de Estado para Asuntos Políticos, Marc Grossman, se encontraba ese día en la colina del Capitolio informando a los líderes del Congreso de las intenciones del presidente de no aplicar las sanciones a Pakistán.

Varios opinaban que Estados Unidos tenía que poner el énfasis en la diplomacia pública, una hermosa expresión para referirse a la propaganda de guerra. Los temas clave debían ser: 1) no es una guerra contra el Islam, y 2) no es una guerra contra el pueblo afgano.

La regla general era tener en cuenta lo que habían hecho los soviéticos y proceder en sentido contrario.

A las 17:30 la plana mayor celebró una videoconferencia por circuito blindado sin el presidente. Condi Rice y Andy Card se encontraban en Camp David, donde pasarían el fin de semana con el presidente. Los demás se reunieron en la Sala de Situación de la Casa Blanca.

Siguiendo una lista de países, informaron sobre la situación de Estados Unidos respecto a las bases, accesos y autorizaciones para sobrevolar espacios aéreos, lo necesario para dar comienzo a las operaciones militares. Cuanto más examinaban Afganistán, más difícil parecía. Irán se encontraba al oeste, tres antiguas repúblicas soviéticas y China al norte, Pakistán al este y al sur. La masa de agua accesible más cercana era el océano Índico, a quinientos kilómetros de distancia. No tenían aliados fuertes en las inmediaciones ni relaciones diplomáticas con Irán. Así pues, se dirigieron a las pequeñas naciones del golfo Pérsico, Bahrein, Emiratos Árabes Unidos y Omán, con la esperanza de que les proporcionasen territorio desde el cual lanzar incursiones de bombardeo y otras acciones militares ofensivas.

Omán parecía el más indicado. El país, con una extensión semejante a la de Kansas y una situación estratégica en el extremo oriental de la Península Arábiga, cuenta con 1.600 kilómetros de costa en el golfo de Omán y el mar de Arabia... y se halla a sorprendente distancia de Afganistán, unos 1.120 kilómetros. El sultán Qabús Bin Said, que había asistido a la academia militar británica de Sandhurst, había desplazado del poder a su padre en 1970. En 1980 había puesto el país al servicio de la Operación Desierto Uno, la fracasada misión de rescate de rehenes en Irán. En 1998 permitió a los bombarderos estadounidenses atacar a Irak desde su país.

No obstante, el informe inicial sobre Omán no era concluyente: todavía no estaba claro si permitirían preparar operaciones de combate desde su estratégica isla de Masira, en el mar de Arabia.

Estaba claro que Rusia desempeñaría un papel central. La plana mayor se dividió la responsabilidad de negociar con los rusos respecto a temas de bases en Asia Central. La estrategia era «Todos juegan». Cada cual trataría con su homólogo ruso. Powell hablaría con el ministro de Exteriores, Igor Ivanov; Rumsfeld con el ministro de Defensa, Serguéi Ivanov; Rice con el consejero de seguridad del Kremlin, Vladimir Rushailo.

Rice comprendió que era un tanto escabroso. A algunos Estados de Asia Central, antiguas repúblicas soviéticas, les ofendería que Estados Unidos negociara a través de Rusia. Uzbekistán estaba distanciado de Rusia. Tayikistán, sin embargo, se encontraba de lleno en el campo ruso y no haría nada sin su aprobación.

Rice les recordó el deseo del presidente de tomar parte también. «Si es necesario que el presidente llame a Putin, díganlo».

El sábado 22 de septiembre el presidente preguntó cómo estaba el marcador de tantos.

Mueller informó de las entrevistas que el FBI había mantenido con 417 personas durante la operación antiterrorista y de que tenían una lista con la pasmosa cifra de 331 individuos bajo vigilancia.

Trescientos treinta y uno. La cifra cayó como una losa sobre sus cabezas. ¿Mueller quería decir que en Estados Unidos podía haber quince veces más terroristas que los que habían llevado a cabo los ataques del 11 de septiembre? Tenían que asumir que algunos serían capaces de perpetrar planes mortales.

A Rice le pareció una cifra elevada. Casi se le encogió el corazón. Antes del 11 de septiembre, les habían avisado respecto a Al Qaeda en el extranjero. Sin embargo, el FBI, responsable del antiterrorismo en el país, no había comunicado ningún aviso o pormenor sobre los terroristas en Estados Unidos.

«Me quedé helado—recordaría Bush más tarde—. Eran muchos. No se me olvida. Era una cantidad increíble».

Dijo que seguía intentado recabar cifras sobre la envergadura de su Ejército: en Afganistán, en el resto del mundo y en Estados Unidos.

A pesar de que el presidente daba cifras en público constantemente para informar de los progresos, decidió que el 331 del marcador se mantendría en secreto. Más tarde dijo: «Se trata de un número significativo para el pueblo estadounidense, que acaba de salir de un momento traumático de nuestra historia, y el trauma todavía es fuerte en nuestra sociedad, verdaderamente lo era. El pueblo... lo entiende usted tan bien como yo. La idea de decir que hay 331 asesinos como los de Al Qaeda acechando por ahí, hasta el punto de constituir una lista, habría sido... en fin, no era necesario.

»Por otra parte, lo que era necesario era que el FBI comprendiera que tenían que cambiar el modo de pensar de arriba abajo, en todo el sistema—dijo Bush, recordando su preocupación—. Es un enemigo escurridizo, muy sofisticado. No son un puñado de gente pobre que hace intentonas a la desesperada. Son asesinos fríos y calculadores».

Powell informó sobre el estado de las negociaciones para las bases. Uzbekistán todavía se mantenía al margen. «Nuestro encargado se entrevista con Karimov esta misma mañana, a las once. Si no recibimos un sí por respuesta, llamaré yo». Pidió al presidente que llamara a su homólogo ruso y le pidiera que hablase con los uzbekos y los animase a abrir las puertas a Estados Unidos.

Rice opinaba que así quizá se consiguiera lo contrario, pero que una llamada a Putin sobre temas relacionados podría ser útil.

Bush deseaba anunciar públicamente la orden de ejecución de congelación de las cuentas terroristas. Le dijeron que estaba prácticamente terminada. Rice iba a trabajar en ello por la tarde.

Bush llamó a Putin ese fin de semana.

—Vamos a darles nuestro apoyo en la guerra antiterrorista —dijo Putin. Por medio de intérpretes, conversaron cuarenta y dos minutos.

Putin dijo que Rusia ofrecía a Estados Unidos autorización para sobrevolar su espacio aéreo, pero solo con fines humanitarios. «No podemos situar tropas rusas sobre el terreno en Afganistán—dijo, según la traducción de la Casa Blanca—. No tendría sentido, ni para ustedes ni para nosotros.—No fue necesario recordar el desastre de la intervención soviética—. Sin embargo, estamos preparados para ofrecer operaciones de búsqueda y rescate si han abatido a algún piloto suyo en Afganistán. A eso estamos dispuestos».

Bush le preguntó al presidente ruso si utilizaría su influencia sobre los estados de Asia Central para ayudar a Estados Unidos a conseguir permiso para instalar bases en la región.

«Estoy dispuesto a decir a los gobiernos de los estados de Asia Central con los que mantenemos buenas relaciones que no nos oponemos a que Estados Unidos desempeñe un papel en Asia Central, siempre y cuando el objetivo sea la lucha antiterrorista, y que sea provisional, no permanente. En ese caso, no pondremos objeciones, y así se lo diré al pueblo». Dijo que Rusia haría más por Estados Unidos que sus aliados tradicionales.

Rice estaba sorprendida. Era una concesión significativa. Esperaba que Putin le dijera a Bush que tuviera cuidado, que se trataba de regiones en las que Rusia tenía intereses. Normalmente, los rusos habrían sospechado motivos ocultos tras cualquier presencia de Estados Unidos allí.

El gran inconveniente era que Rusia no mantenía buenas relaciones con Uzbekistán, el Estado clave de Asia Central.

Rice pensaba que Putin veía la ocasión de cambiar las relaciones entre Estados Unidos y Rusia. La guerra fría había terminado y la Seguridad Nacional ya no era un juego en el que todos pierden. Al parecer, Putin no solo quería pasar de ser enemigos a ser neutrales, sino llegar incluso a comulgar con una idea de seguridad común. Putin parecía comprender que la guerra antiterrorista era una oportunidad estratégica de llegar hasta el presidente de Estados Unidos instantáneamente. Si Bush se proponía hacer cuajar la amistad pidiendo un favor, lo mismo hacía Putin concediéndolo. «Estoy aquí para ayudar—fue la idea esencial del mensaje—. Tienes un amigo en estos tiempos de grandes retos personales». A Rice le pareció muy hábil por parte de Putin.

El presidente consideraba la relación con Putin de una forma profundamente personal. En una entrevista, describió su primera reunión con Putin, el 16 de junio de 2001, en Liubliana, Eslovenia: «Y entonces entró Putin y se sentó; estábamos solo Condi, Putin, el tipo ese, como se llame... Rashilov, y los respectivos intérpretes. Y él quería ir al grano enseguida. Pero le dije: "Permítame un comentario sobre una cosa que me ha llamado la atención, señor presidente, y es que su madre le dio una cruz que usted bendijo en Israel, la Tierra Santa", y él dijo: "Así es". Le dije que me asombraba que allí fuera comunista, agente del KGB, y que, sin embargo, llevara puesta una cruz por voluntad propia. "Eso me dice muchísimo en su favor, señor presidente. ¿Puedo llamarle Vladimir?". Y a partir de ahí todo fue Vladimir y George», dijo.

«Y dijo también: "El resto de la historia es que yo llevaba puesta mi cruz, la colgué en una dacha. La dacha se incendió y lo único que quería recuperar era la cruz", y dijo: "Recuerdo que el obrero abrió la mano y allí estaba la cruz que mi madre me había dado, como si así hubiera tenido que ser". Y creo que entonces le dije: "Bueno, esa es la historia de la cruz, por lo que a mí respecta. Las cosas son como tienen que ser".

»Entonces, inmediatamente, pasó a la deuda soviética, a lo injusto que era que Rusia tuviera que cargar con la deuda de la Unión Soviética, y que si podíamos ayudarles. A mí me interesaba más quién era la persona con la que estaba hablando. Quería asegurarme de que la historia de la cruz era cierta». Era el antiguo lema de Reagan: «Confía, pero verifica», aunque en un conjunto de circunstancias completamente nuevas.

Putin enseñó la cruz a Bush un mes más tarde, en el transcurso de una reunión en Génova.

«La reunión fue todo un éxito. Y le convencí de que ya no consideraba a Rusia el enemigo, y en el nivel personal, lo consideraba a él como una persona con la que podíamos hacer tratos».

La llamada telefónica de ese fin de semana de septiembre era importante. «Lo que dice es: "Vayan a por ellos, queremos que ustedes lo logren". Sin embargo, por el tono de voz, estaba claro que necesitaba tener la certeza de que no se trataba de una artimaña para establecer nuestra presencia militar a largo plazo en lo que eran sus antiguos territorios»... certeza que Bush le garantizó inmediatamente, según dijo.

Karen Hughes estaba en la iglesia el domingo, 23 de septiembre, cuando el buscapersonas se disparó: el presidente la llamaba desde Camp David. Estaba que mordía.

—Ninguno de ustedes lo entiende—dijo.

El borrador que ella había elaborado para la declaración de la orden presidencial de congelar los activos financieros de los terroristas era completamente desacertado. No se trataba de un negociete cualquiera del que el secretario del Tesoro tuviera que informar en una rueda de prensa de rutina... era una gran noticia, y así tenían que presentarla.

—Es el primer disparo de la guerra antiterrorista. Es el primer golpe. No se trata de hombres de uniforme, sino de hombres de traje diplomático. Esto subrayará el hecho de que se trata de una clase de guerra completamente diferente. El comunicado oficial tendría que hacerlo yo.

Hughes llamó a Dan Bartlett.

—¿Sabes algo de esto?

Bartlett dijo que sí. Normalmente, el secretario del Tesoro se encargaba de hacer los comunicados oficiales cuando se congelaban activos.

Enseguida se dieron cuenta de que la normalidad no era lo aplicable. Bush les había dicho repetidamente que dependería de ellos comunicar por qué y en qué era diferente esa guerra. Habían metido la pata.

El mismo domingo, más tarde, la plana mayor se reunió de nuevo: Cheney, Powell, Rumsfeld, Tenet y Shelton. Rice presidía y expuso el orden del día. «Quiero que George Tenet nos hable del informe del jefe de puesto—dijo—. Quiero hablar de la estrategia en Afganistán, y después quiero hablar de las conversaciones con Putin e Ivanov».

El jefe de puesto de Tenet en Islamabad, Pakistán, un experto en la región muy experimentado llamado Bob,* había transmitido por cable una «evaluación del terreno» SECRETA que Tenet quería resumir.

«Le pregunté al jefe de puesto cómo usaríamos la acción encubierta, lo que pensaba sobre los objetivos militares y qué opinaba sobre la secuenciación».

El *mulá* Omar, líder espiritual supremo de los talibanes, se uniría a Bin Laden, y los talibanes también lo apoyarían «fatídicamente», según decía la evaluación. Los ancianos de las tribus y los afganos de nacionalismo ardiente—que no escaseaban entre los talibanes—se mostraban cada vez más escépticos respecto al *mulá* Omar por la dureza de su fundamentalismo islámico y por el apoyo a Bin Laden y al terrorismo árabe. El jefe de puesto apuntaba que Estados Unidos podía utilizar esas diferencias.

«La amenaza de acciones estadounidenses ha provocado fisuras aprovechables entre los talibanes—subrayó Tenet—. Tenemos contactos con tribus de miles de combatientes. Nuestro mensaje es: se trata de afganos contra árabes... Omar ha desafiado a los ancianos, se ha equivocado de bando».

Tanto en el norte como en el sur, abundaban los señores de la guerra y los comandantes de la oposición, según el jefe de puesto. En el cable no los identificaba por sus nombres, pero indicaba que uno de ellos contaba con unos miles de guerreros y otros cuantos contaban con entre quinientos y mil hombres. Entre media docena de comandantes reunían a unos doscientos combatientes que, decía, aunque parecieran pocos, eran importantes.

«El 11 de septiembre fue un crimen atroz que no guarda coherencia con el Corán. Colocarse en un bando o en otro es un juego en el que todos pierden—dijo Tenet—. Tenemos que animar al rey».

El rey Mohamed Zahir Sha, moderado, prooccidental y de etnia pastún, gobernó el país de 1933 a 1973, una época de prospe-

* Los agentes de la CIA que todavía operan encubiertamente se identifican por su nombre de pila solamente.

ridad y estabilidad relativas. Vivía exiliado en Roma desde que lo depusiera su primer ministro con un golpe de Estado incruento, y contaba con muchos partidarios en Afganistán e internacionalmente. Había esperanzas de que el octogenario monarca inspirase una revuelta contra el Gobierno talibán y asumiera, quizás, el papel de líder en un Gobierno de transición.

El punto principal del telegrama de Bob era que la guerra debía enfocarse como una guerra entre afganos y extranjeros.

—Tenemos que tildarlos de intrusos. Tenemos que ir tras las instalaciones árabes y destruirles toda la infraestructura—dijo Tenet.

—Tenemos que ir a por los líderes talibanes y, luego, a por los talibanes en general.—Bob subrayaba la importancia de la diplomacia pública (propaganda de guerra) y apuntaba dos temas. Primero, recordar a todos el éxito del esfuerzo de la CIA por expulsar a los soviéticos de Afganistán en los años ochenta mediante el apoyo al movimiento autóctono de resistencia. Segundo, recalcar que Estados Unidos no deseaba el territorio de la región ni instalar bases permanentes en él.

—Tenemos que llevar a las tribus al combate—dijo Tenet. La mejor forma de conseguirlo era lograr que el trabajo lo hicieran las fuerzas de oposición—. Tenemos que darles reconocimiento, tenemos que procurar orientarlos hacia los líderes de Al Qaeda, tenemos que conseguir que los afganos luchen contra los árabes y ataquen objetivos árabes. Tendrían que organizarse ataques rápidos y precisos por tierra. Estamos proporcionándoles dinero, tenemos que proporcionarles también equipos de comunicación.

La acción estadounidense no triunfaría si la Alianza del Norte tomaba el relevo del país, o aunque solo lo pareciera. La mayoría pastún no lo aceptaría.

—Se desataría la guerra civil y tribal tan encarnizadamente como la hemos encontrado—dijo Tenet—. Pidamos a los paquistaníes todo lo que tengan sobre Al Qaeda.—La evaluación expresaba confianza en el presidente Musharraf.

—Tenemos que contener a los talibanes—continuó Tenet—, pero sin desestabilizar a Pakistán ni nuestras relaciones con dicho país.—En Pakistán, los talibanes contaban todavía con un apoyo tan amplio que una campaña militar que oliera a antitalibán podría socavar a Musharraf—. Tenemos que lograr que Al Qaeda se

Diplomacia Pública

mueva hacia enclaves determinados que nos permitan apuntar hacia ellos y explotarlos.

—¿Cómo funciona la estrategia doméstica?—preguntó Rumsfeld—. No queremos dar la impresión de que estamos pateando la arena.—Rumsfeld sabía que la expresión era una bomba. «Patear la arena» era la expresión de Bush para referirse desdeñosamente a los pobres esfuerzos de la Administración Clinton: misiles de crucero contra tiendas de campaña y demás—. Por ese motivo teníamos objetivos militares talibanes en la lista—prosiguió Rumsfeld. Los efectivos militares, aunque limitados, un puñado de aviones y radares, estaban en manos de los talibanes—. Tenemos que encontrar algo que derribar. No hay gran cosa de Al Qaeda a donde apuntar.—Hasta el momento, la información sobre Al Qaeda consistía mayoritariamente en tiendas de campaña, cabañas de barro y campos de entrenamiento vacíos.

Rumsfeld, buscando algo enjuiciable en el informe del jefe de puesto, conceptual en gran medida, lanzó al aire una pregunta clave:

—¿Cuál es mi lista de objetivos?

—Podemos apuntar a la brigada árabe del norte—replicó Tenet—porque hay unidades árabes definidas.—La brigada árabe, conocida también como Brigada 055, era el cuerpo combatiente de elite de los talibanes, entrenado en los campos terroristas de Bin Laden y tan fiel que si alguno osaba retirarse en la batalla, moría a tiros; los mil brigadistas aproximadamente que la formaban eran el centro del Ejército mixto talibán y Al Qaeda. Los cien mejores soldados, más o menos, constituían la guardia personal de Bin Laden; el resto se distribuía entre las ciudades clave del norte, donde alentaban a las tropas de base.

Tenet propuso la brigada como objetivo de salida, de modo que, pasara lo que pasara, podría ser el comienzo. Tenet nombró a algunos comentaristas musulmanes que quizás apoyaran lo que Estados Unidos se proponía hacer.

—Creo que sería conveniente situar a algunas personas en el terreno—dijo Rumsfeld—que dirijan las operaciones de ayuda humanitaria tanto en el norte como en el sur. Unidades pequeñas. Ayudará a silenciar algunas críticas de nuestras operaciones.

»Necesitamos información procesable que nos permita llevar a cabo ese programa—dijo. No estaba satisfecho con los informes de espionaje que recibía—. También tenemos que pensar en toda nuestra política de declaraciones para separar a los talibanes de Al Qaeda y a otros talibanes del *mulá* Omar.

Había que centrarse en la propaganda y en la presión diplomática sobre los talibanes, dijo Powell. «La meta, en principio, no es cambiar el régimen, sino lograr que el régimen actúe convenientemente.—Podían esperar a ver la reacción de los talibanes—. Atacamos objetivos de Al Qaeda porque se utilizaron para el terrorismo en el pasado.—Comprendía que era difícil separar ambas cosas—. Nos colaremos subrepticiamente en la cuestión de los talibanes—propuso.

Uzbekistán todavía no había respondido a Estados Unidos. Tenían que reevaluarlo. ¿Cuál era su importancia? ¿Hasta qué punto necesitaban de ese país?

La respuesta era que lo necesitaban mucho.

Rice dijo que era preciso poner un pie en terreno afgano para espiar al enemigo.

—¿En qué parte quiere poner el pie?—preguntó Powell.

—El norte es más seguro—apuntó Tenet, pero finalmente decidieron que sería mejor colocar gente en el norte y en el sur.

—Poner un pie en el terreno tiene valor por sí mismo y en sí mismo—dijo Rumsfeld—. Da una imagen diferente de Estados Unidos.—Se inclinó hacia delante—. No estamos invadiendo, no vamos a quedarnos. Pero es necesario empezar a crear un entorno en Afganistán que resulte hostil a Al Qaeda y a los talibanes.

Rice quería debatir la presentación de todas esas cuestiones al presidente al día siguiente. Le gustaba ofrecer al presidente resúmenes claros y sin ambigüedades que reflejasen sus ideas. La mejor manera solía ser orquestar y redactar la reunión del Consejo de Seguridad Nacional del día siguiente. Acordaron lo que tenía que decir cada cual y el orden de las intervenciones.

En una reunión matutina sobre la marcha del espionaje mantenida por Tenet durante ese período, el presidente repasó las amenazas: amenazas a centros comerciales, a edificios, a ciudades, a negocios, a personas, a puentes, a túneles, a acontecimientos deportivos, a cualquier lugar donde se reuniera mucha gente.

«No podemos cubrirlo todo—dijo. Quería un análisis de riesgo—. Establezcamos prioridades, calculemos los riesgos y pensemos después en la estrategia adecuada para cada caso».

Bush recordó en una entrevista: «Era la continuación del proceso de comprensión del estado de ánimo del enemigo. Para ganar la guerra, es preciso comprender al enemigo».

«Lo que me preocupaba en aquel momento era el efecto psicológico de una clase de bomba sucia.—La llamada bomba radiológica cruda podía prepararse con material altamente radiactivo, como varillas de combustible nuclear de reactores, gastadas, envueltas alrededor de explosivos convencionales—. Tanto cuando estoy a solas como cuando me reúno con el Consejo de Seguridad Nacional, empiezo a pensar y a hablar sobre las peores situaciones que puedan pasar y en cómo habría que abordarlas. Ya sabe que hay unas cuantas peores situaciones que pueden ser muy devastadoras, y tenemos que pensar en todas ellas».

Bush, Tenet y Rice trataron de pensar en todas las posibilidades. Estaba claro que a Bin Laden y a sus colaboradores les gustaba lo espectacular. Quizá atacaran monumentos, o a la industria del ocio de un modo u otro, debido al odio que sienten por los valores estadounidenses. Todo era un objetivo en potencia, desde la Casa Blanca hasta una pequeña escuela de las praderas del Oeste.

—Tendremos que imaginarnos los casos con más probabilidades—dijo Bush. Había que confeccionar listas, un informe, establecer casi las posibilidades y las probabilidades. Lo decía en serio, y ordenó a Tenet que se pusiera manos a la obra inmediatamente, ya.

Tenet se acercó a un teléfono de la Casa Blanca y llamó a su segundo, John McLaughlin, a la central de la CIA.

—Tenemos que poner en papel todo lo que nos parezca un objetivo—dijo Tenet.

«¿Cómo?», pensó McLaughlin. Quizá hubiera que mandarle el listín telefónico del mundo entero.

—No sabemos—admitió Tenet—porque no se trata de algo específico.—Comprendía la dificultad—. Pero hazlo según tu criterio.—Sí, había que hacerlo por escrito, reuniendo a los mejores cerebros alrededor de la mesa... ahora mismo, imaginándose la motivación de esos individuos. ¿Qué pretendían? ¿Qué les permitiría lograr lo que pretendían?—Hacedlo según vuestro criterio.

McLaughlin, veterano personaje de la CIA de aspecto profesoral y hablar suave, que había alcanzado el segundo puesto en la Agencia desde el lado analítico, estaba intrigado. Sin duda habría una manera de plantearse todo eso... en parte, el análisis de la información consistía en aplicar los mejores criterios posibles.

Poco después de las 9:30 del domingo 24 de septiembre, Bush salió al Jardín de los Rosales a hablar con los periodistas.

«A las 12:01 de esta madrugada, un golpe de pluma dio comienzo a una ofensiva contundente de nuestra guerra contra el terrorismo—dijo Bush—. Hoy hemos asestado un golpe al sistema financiero de la red mundial del terrorismo». Había firmado una orden de ejecución la víspera, justo después de medianoche—mucho después de su hora habitual de acostarse—que congeló inmediatamente los activos financieros de varias organizaciones terroristas, varios líderes, una empresa fantasma y varias organizaciones sin ánimo de lucro: veintisiete en total.

Significaba que los bancos estadounidenses tenían que congelar los activos de los veintisiete grupos y personas particulares nombrados. La severa orden, que entró en vigor antes del comienzo de la jornada laboral, presionó también a los bancos e instituciones financieras del extranjero, donde Estados Unidos no tenía jurisdicción pero donde se creía que se guardaba gran parte del dinero de los terroristas. Si dichos bancos no decidían compartir información y congelar también los activos relacionados con el terrorismo, el Departamento del Tesoro podría prohibirles la realización de transacciones o el acceso a sus activos en Estados Unidos. Una orden que daba al Tesoro amplia autoridad, a cuyo ejercicio responsable Bush se comprometía.

«Hemos promovido el equivalente internacional financiero de las listas de "Más buscados" de los cuerpos policiales», dijo. La lista de veintisiete no era más que el comienzo.

9

El presidente se alejó enérgicamente del Jardín de los Rosales y entró en la Sala de Situación de la Casa Blanca para asistir a la reunión del Consejo de Seguridad Nacional, programada para las 9:45.

—Señor presidente—comenzó Cheney, siguiendo el guión—, sus instrucciones eran de debatir la memoria del jefe de puesto en el nivel de la plana mayor. Así lo hemos hecho. Hemos adaptado nuestros planes generales de modo que reflejen la aportación de la memoria del jefe de puesto. Nuestra prioridad es atacar en primer lugar los campos de Al Qaeda, empezar a restringir su libertad de acción.

»Vamos a centrarnos en Omar, en promover entre los líderes talibanes del momento su sustitución por alguien más dispuesto a lo que tenemos que hacer respecto a Al Qaeda.

»Después nos centraremos en el Ejército talibán y atacaremos también a la brigada de Al Qaeda en el norte.

Cheney estaba presentando aproximadamente el plan y la secuencia de aplicación. Pero las fechas estaban totalmente en el aire.

Las opiniones sobre la conveniencia de atacar frontalmente a los talibanes se dividían en el seno de la plana mayor. Esta cuestión había quedado reflejada el día anterior en los programas televisivos de debate del domingo. Powell había dicho: «No es el tema fundamental que nos preocupa ahora». Rice apuntaba en otra dirección: «Es un régimen muy represivo y terrible. El pueblo afgano estaría mucho mejor sin él. Veremos con qué medios contamos para hacerlo».

—Arrancaremos esta semana—dijo Tenet. Un equipo paramilitar secreto iría pronto a Afganistán con la Alianza del Norte—. Estamos proporcionando información y vigilancia sobre objetivos blandos. Vamos a darles un poco de tiempo para que lo consideren.

Tenet volvió a los conceptos esenciales que él y la dirección de la CIA habían desarrollado con expertos de la Agencia teniendo en cuenta la evaluación del jefe de puesto de Islamabad.

—Queremos plantearlo como un conflicto del pueblo afgano contra los intrusos—dijo, repitiéndose—. No vamos a invadirlos, no vamos a ocupar su país. El *mulá* Omar ha traicionado al pueblo afgano. Ha abierto las puertas a los intrusos, he ahí el problema.

Dijo que era importante retrasar el ataque directo contra los talibanes. En principio, habría que alcanzar sus misiles y radares en defensa de los bombarderos estadounidenses.

—Pero postergaremos el ataque contra los talibanes hasta comprobar si cuaja la idea de un cambio en su jefatura o alguna otra forma de ruptura con Al Qaeda.—Y si la idea no cuajaba, atacarían a las tropas talibanes y a sus jefes con dureza.

Cheney estaba de acuerdo.

—No queremos atacar a los talibanes frontalmente porque no queremos que rechacen la idea de cambiar de líder y romper con Al Qaeda.

Rice dio a conocer su preocupación porque las acciones unieran a los afganos contra Estados Unidos.

—¿Existe alguna duda sobre la evaluación del jefe de puesto?—preguntó Cheney.

—Todos mis hombres de Afganistán coinciden con el jefe de puesto—dijo Tenet.

—Tendría que servirnos de pauta para nuestra estrategia. Tendríamos que utilizar a los afganos en la lucha—dijo Bush.

—Eso lo discutirán el jefe de puesto y Tommy Franks—replicó Tenet.

—Es preciso expresar con claridad y exactitud lo que se les pide a los uzbekos—dijo Powell—. Las bases, la cifra de contingentes humanos, lo que van a hacer, cuánto tiempo van a quedarse.

—Mire—dijo Rumsfeld—, tenemos que expresar las cosas de una forma general porque no sabemos lo que vamos a hacer hasta que estemos allí.—El Pentágono seguía en dique seco respecto a los planes de guerra. En privado, Rumsfeld estaba furioso y descargaba contra Franks constantemente.

El Pentágono y el Departamento de Estado se enfrentaban al conocido problema de las autorizaciones para instalar bases y sobrevolar espacios aéreos de países extranjeros, con vistas a operaciones que no podían preverse con exactitud hasta que el conflicto estuviera en marcha. Cuando una nación considera qué clase de autorización puede conceder, requiere información específica sobre el tipo, duración y envergadura de las operaciones que se pretende llevar a cabo, antes de concederlos. Pero las autoridades de Defensa no tenían idea de si las dimensiones del conflicto aumentarían y precisarían de operaciones más complicadas. Así pues, la tendencia del Ejército siempre era pedir más de la cuenta e insistir en el máximo posible, lo cual retrasaba y alargaba las negociaciones.

Retomaron la cuestión de lo que pedirían los uzbekos si llegaban a un acuerdo.

Powell dijo que había que tener precaución respecto al coste. Los tanteos iniciales parecían indicar que se trataría de auténtico trabajo de mercaderes de alfombras, no aceptarían la primera oferta.

Rice sabía que el presidente Karimov quería acción contra su oposición internacional, el fundamentalista y extremista Movimiento Islámico de Uzbekistán (MIU). Uno de los peligros era permitir que todas las organizaciones de oposición fueran tildadas de «terroristas» y pasaran después a ser objetivo de la guerra antiterrorista de Estados Unidos.

—Tenemos que asegurarnos de que sabemos dónde nos metemos—advirtió.

—Tenemos que caer sobre Al Qaeda antes que ellos sobre nosotros—dijo Cheney. Le preocupaba que volvieran a atacar tanto como a cualquiera—. Tenemos que estar abiertos a tratar con los rusos para conseguirlo.

Varios de los presentes que habían trabajado con Cheney se sorprendieron. Conocían la profunda desconfianza que le inspiraban la antigua Unión Soviética y el actual Gobierno ruso. Su disposición a colaborar con los restos del *imperio del mal* era muy significativa.

Bush les recordó:

—Creo que Dick ha empezado a comprender que Putin es diferente porque ha oído cosas de mi charla con Putin. Cheney ha entendido claramente que estamos en evolución hacia una relación significativamente distinta, y que la guerra fría ha terminado de verdad.

Powell dio su opinión:

—Queremos que Afganistán se vea libre del terrorismo. Si lo consiguen los talibanes, conforme. De lo contrario, trabajaremos con quien esté dispuesto a liberar al país del terrorismo. Nuestra retórica debería evitar dar la idea de que queremos determinar quién tiene que gobernar Afganistán al final de la jornada.

El presidente retomó una cuestión cada vez más presente en sus pensamientos.

—Quiero que se efectúe un lanzamiento aéreo de ayuda humanitaria en el norte y en el sur. Quiero que se coordine con el Ejército. ¿Podemos permitirnos que las primeras bombas que tiremos sean alimentos?

Cualquiera que tuviera conocimientos mínimos sobre estrategia militar habría sonreído ante la pregunta. Los ruidosos y lentos aviones que se utilizan para lanzar alimentos son blanco seguro hasta que se destruyan por completo las instalaciones de defensa aérea. Diplomáticamente, Shelton respondió:

—Bien, ya sabe, no podemos olvidarnos de la defensa aérea. —Sabía que sería una negligencia llegar hasta allí con el primer avión de ayuda humanitaria y que lo derribaran.

—¿Cómo están las cosas con Pakistán?—preguntó Bush.

Hadley informó de un gran envío de ayuda a Pakistán.

A Cheney le preocupaban más las armas de destrucción masiva que el humanitarismo o la ayuda a Pakistán.

—Nuestros primeros objetivos tienen que ser las armas de destrucción masiva y los laboratorios químicos—dijo el vicepresidente.

Hacia el final, Rumsfeld dijo:

—Necesitamos una lista de peticiones de lo que queremos de cada país y dividirla en porciones individuales.

Rice se llevó una sorpresa cuando el presidente sacó el tema de la ayuda humanitaria. En realidad, no se había hablado entre los de la plana mayor, los segundos ni los terceros de a bordo. ¿Qué pasaba? ¿De dónde salía esa idea?

Para Bush, era fundamental respecto a lo que consideraba la misión moral de Estados Unidos. En una entrevista posterior, ahondamos extensamente en la cuestión. «Soy muy consciente de [la acusación de] que era una guerra de religión y de que, de alguna manera, Estados Unidos sería el conquistador. Pero quería que nos considerasen libertadores», dijo el presidente. La idea de dar de comer al pobre pueblo afgano le atraía. Dijo que no creía que el pueblo apoyara a los talibanes, que, en el mejor de los casos, eran meros peones. «La idea de someter a un pueblo a fuerza de bombas, causando así la caída del Gobierno, no era un pensamiento relevante en esta guerra». Bombardear al pueblo podía fortalecer a los talibanes. Era la consideración práctica. La consideración moral era, según dijo: «Tenemos que vérnoslas con el sufrimiento».

Bush había visto imágenes tomadas por satélite que reflejaban el hambre, la tortura y la brutalidad en los campos de prisioneros a gran escala en Corea del Norte. También estaba al tanto de la hambruna forzosa en Irak. «La condición humana es una cosa que debe preocuparnos en tiempos de guerra. Existe una escala de valores que no podemos comprometer: los valores divinos. No se trata de valores creados por Estados Unidos. Existen valores de libertad, de la condición humana, de madres que aman a sus hijos. Lo que es muy importante mientras articulamos la política exterior mediante nuestra diplomacia y la acción militar es que jamás dé la impresión de que estamos creando esos valores, de que somos sus autores.

»Lo cual nos lleva a la cuestión más amplia de la idea de Dios—y añadió que la lección era—: Todos somos hijos de Dios.—Quería la guerra en ambas dimensiones, la práctica y la moral».

Después de proponer que los primeros bombardeos fueran de alimentos, recordaba el presidente, todo el mundo lo entendió. «Rumsfeld lo comprendió, el señor Mano Dura, que no es nada duro, sino muy blando en muchos aspectos, lo comprendió inmediatamente. Quizás el militar se desconcertara un poco en el primer momento—comentó—, pero lo entendió.

La plana mayor se reunió sin el presidente después, por la tarde, mediante una videoconferencia. Tras los informes de rutina de Ashcroft y Powell, Rice sacó a colación el tema del patrocinio estatal del terrorismo. «¿Qué estrategia tenemos respecto a países que apoyan el terrorismo, como Irán, Irak, Siria y Sudán? ¿Cómo definimos los obstáculos que tienen que saltar en la carrera para ponerse del bando correcto en la guerra contra el terrorismo? Estados Unidos necesita parámetros mediante los cuales valorar las tendencias terroristas de los estados».

«Necesitamos un grupo reducido, de titulares y suplentes, que estudie la siguiente fase de la guerra antiterrorista», concluyó.

«Intento de anticipación al próximo ataque» era el título del documento de tres páginas, clasificado como «muy confidencial», que llegó al buzón del presidente la mañana del martes, 25 de septiembre. Era el informe que Bush había pedido varios días antes. Lo recibieron él y un número limitado de consejeros clave junto con en el informe diario para el presidente.

El informe había sido elaborado por un equipo «Célula Roja» organizado por Tenet y McLaughlin. El equipo de analistas y agentes expertos de la CIA conocía toda la información entrante sobre Bin Laden, Al Qaeda y otros asuntos relevantes del terrorismo internacional. Su trabajo consistía en pensar como Bin Laden y sus lugartenientes y decir lo que el otro bando—lo que Bush y Tenet llamaban «los malos»—podrían estar pensando o haciendo.

En una nota del documento se decía que, puesto que la «Célula Roja» tenía órdenes de pensar de forma «no convencional» y «fuera de tiesto», lo que habían pensado no debía tomarse como concluyente. La «Célula Roja» tenía el encargo de considerar el «ilimitado» número de objetivos terroristas posibles y, después, afinar la lista hasta llegar a los futuros objetivos en Estados Unidos con más probabilidades basándose en la práctica anterior de Al Qaeda. Es decir: aplicar sus propios criterios.

La «Célula Roja» estableció nueve categorías:

1. Centros políticos: Washington D. C. u oficinas federales de cualquier lugar.

2. Instalaciones de infraestructura: aeropuertos, carreteras, puertos, ferrocarriles, embalses, túneles, puentes.

3. Sistemas económicos: Wall Street, centros comerciales de Chicago.

4. Infraestructura energética: refinerías, plataformas petroleras.

5. Objetivos militares: zonas de grandes concentraciones de

tropas, Ejército de Tierra, Marina, Aviación, bases navales y arsenales.

6. Telecomunicaciones mundiales: puntos de tránsito de comunicaciones electrónicas, centros de distribución de comunicación por Internet, nodos de datos.

7. Centros educativos: Harvard y el MIT, en el área de Boston.

8. Centros culturales: Hollywood, estadios deportivos.

9. Monumentos y otros símbolos de identidad nacional.

«Osama Bin Laden tiende a volver sobre objetivos ya considerados o atacados con anterioridad», decía el documento, destacando que algunos objetivos posibles reunían «valores múltiples».

La Casa Blanca simplemente reunía muchos valores, tanto en el aspecto político como en el de símbolo de identidad nacional. Bush vivía y trabajaba en un auténtico hipocentro.

El Consejo de Seguridad Nacional volvió a reunirse el martes 25 de septiembre en la Casa Blanca. El presidente abrió la sesión. «No podemos definir el éxito o el fracaso en función de la captura de Osama Bin Laden».

Tenet informó sobre la Alianza del Norte.

—Están dispuestos a ir. No son pastunes pero son antitalibanes. No podremos retenerlos. Atacarán tanto objetivos de Al Qaeda como talibanes porque están todos mezclados.—Un equipo de la CIA estaba a punto de marcharse—. Los animaremos a que vayan a los objetivos. Cuentan con equipos de comunicación para mandarnos información. Les daremos dinero. Tenemos que decidir si vamos a pagar las armas que nos van a suministrar los *soviéticos.*

La Alianza dèl Norte controlaba una parte del cuadrante nororiental del país.

—Es una base de operaciones en potencia—dijo Tenet—. Tenemos que presionar tanto desde el norte como desde el sur. Mantendremos reuniones con líderes de distrito. Tenemos que cerrar las fronteras y asegurarnos de que los árabes no huyan.

—¿No queremos pagar las armas *soviéticas*?—preguntó Powell.

—¿Sirve para hacer avanzar la misión?—preguntó Bush.

—Sí—dijo Tenet.

Bush dijo que se pagaran.

—Hay pocos cambios en el punto de vista del jefe de puesto —dijo Rice, en referencia a las ideas que se desprendían del telegrama de Islamabad—. ¿Es preciso cambiar la lista de objetivos?

—Bien, vamos a atacar frontalmente los emplazamientos de misiles tierra-aire (SAM)y la defensa antiaérea—dijo Tenet. El director de la CIA participaba directamente en la discusión militar porque eran sus hombres los que estaban preparados para acudir al terreno, mientras que el Pentágono se rezagaba—. ¿Existen otros objetivos talibanes que queramos atacar en el norte?

Seguía siendo una pregunta sin respuesta. Una vez que Estados Unidos agotara el conjunto de objetivos de la defensa antiaérea talibán, las operaciones quedarían paralizadas, sin hombres sobre el terreno para el reconocimiento de objetivos y la transmisión de coordenadas exactas. En el sur de Afganistán había espacio suficiente para empezar a situar contingentes de tierra, aunque no era una situación óptima. En el norte, por el contrario, tendrían que explorar otras formas de aproximación, puesto que Uzbekistán todavía no se había comprometido respecto a la autorización para instalar bases.

—¿Podemos establecer bases en las zonas de la Alianza del Norte?—preguntó Cheney. Otra posibilidad era lanzar la acción desde Tayikistán, que se había avenido a apoyar a Estados Unidos. Pero la vía aérea desde allí hasta el norte de Afganistán era traicionera y había que cruzar una elevada cadena montañosa.

—Tenemos un plazo límite con Uzbekistán, a las 16:00—dijo Franks—. Si no lo conseguimos, habrá que renunciar al norte, dejarlo para más adelante y ocuparnos ahora del sur. En el sur habrá que operar desde portaaviones en el océano Índico—dijo Franks, en referencia a la estrategia llamada *hoja de nenúfar*, consistente en la utilización de portaaviones a modo de trampolín sobre el océano.

Revisaron los comentarios que unos arabistas habían hecho sobre el nombre que el Pentágono había dado a la operación. *Operación Justicia Infinita* recibió críticas inmediatas por su insensibilidad hacia la fe musulmana, según la cual solo Alá puede administrar justicia infinita. Se dio carpetazo al nombre. Rumsfeld dijo que había pensado en *Libertad Duradera.*

Pero Rumsfeld consideraba el problema de la imagen del Pentágono una preocupación menor en comparación con la importancia de la puesta a punto de los servicios del Ejército, que había comenzado y se estaba ejecutando en esos momentos mientras se trataba de dirigir la guerra. Los escépticos decían que Rumsfeld no podía transformar el Ejército y participar en la guerra. Pero Rumsfeld opinaba que, cuando se libraba una guerra de otra clase, la guerra transformaba a los soldados.

Dijo que estaban cambiando las Fuerzas de Operaciones Especiales de modo que desempeñaran un papel general. Que no tendrían un destino geográfico concreto al mando de un comandante en jefe, es decir, no estarían limitadas a un terreno de operaciones en particular.

Tenet vio que las transformaciones no se limitaban al Pentágono; la CIA también pensaba con otra mentalidad. «Y el Ejército y nuestros agentes secretos trabajan hombro con hombro—añadió—, con transparencia entre ellos, eliminando conflictos y considerándose recíprocamente en un contexto general». Eliminar conflictos significaba evitar que las fuerzas se atacasen unas a otras.

Rumsfeld preguntó si querían o necesitaban un libro blanco. Podría sentar un precedente imponente. Suponiendo que quisieran lanzar un ataque militar contra los terroristas o contra un Estado patrocinador del terrorismo, podrían crear la expectativa de que, a continuación, se elaboraría un libro blanco. Eso quizá no fuera posible. Las decisiones de Seguridad Nacional sobre la acción militar tenían que tomarse con frecuencia basándose en las mejores pruebas disponibles, y en su caso pudiera ser que no hubiera las suficientes para la sala de un tribunal. Podrían encerrarse en una trampa ellos mismos.

Mientras los servicios de espionaje estadounidenses y de los países aliados empezaban a desvelar el rastro de los ataques del 11 de septiembre, las pruebas eran circunstanciales y parcialmente fragmentarias, aunque había algunos datos contundentes. El peligro de elaborar un libro blanco que presentase pruebas era que podía condicionar a la gente a considerar la guerra contra el terrorismo como una operación de imposición de la ley, dentro del modelo del sistema judicial, con sus parámetros de pruebas, responsabilidad gubernamental sobre el peso de las pruebas y aportación de pruebas sin lugar a duda razonable.... requisitos que ciertamente no podrían cumplirse.

Powell quería una especie de libro blanco, si era posible. Tenía que tratar con Estados europeos y árabes cuyos líderes solicitaban acusaciones y pruebas palpables.

Volviendo a la cuestión de la guerra, Rumsfeld dijo:

—Necesitamos un comienzo amplio y un final, centrado en Al Qaeda, no en Osama Bin Laden... La cosa no terminará cuando presentemos su cabeza en una bandeja, y entonces no sería un fracaso si no logramos presentarla.

El presidente preguntó por la participación internacional en la primera fase de la operación.

—Verá, no estamos en condiciones de definir el papel de las operaciones especiales de nuestras propias fuerzas—contestó Rumsfeld—. ¿Cómo vamos a hablar del papel de los demás antes de definir el nuestro?

—Tenemos que planificar pensando en que las cosas tal vez no salgan bien—dijo Bush, y preguntó cuál sería el panorama si los talibanes no se dividieran—. Tenemos que imaginárnoslo, pensar en cómo mantendríamos la presión sobre ellos hasta lograr el cambio, aunque las cosas no salgan como queremos.

Cuando, más tarde, comentó el motivo en una entrevista, Bush, el eterno optimista, quería tomar en consideración panoramas malos. Dijo: «Creo que mi cometido consiste en adelantarme al momento. Supongo que cualquier presidente puede empantanarse tanto en las circunstancias de un momento que sea incapaz de seguir siendo el estratega que teóricamente debe ser o de dar ideas estratégicas al menos. Y yo soy de los que prefieren asegurarse de haber pensado en todos los riesgos. En este caso, no cabe duda de cuál es la compensación. Pero cualquier presidente está constantemente analizando, tomando decisiones basadas en el riesgo, sobre todo en la guerra, riesgo que se acepta en relación con el... con lo que se puede alcanzar». Contaba con asesores «que han visto la guerra, que han vivido situaciones de guerra en las que el plan no salía como estaba planeado».

Tanto si procuraba adelantarse al momento como si aceptaba riesgos o buscaba el consenso, dijo: «Creo que es simplemente instintivo. Yo no actúo según el libro de instrucciones, actúo visceralmente».

Tanto él como los demás iban descubriendo rápidamente que no había libro de instrucciones para esa guerra.

En la reunión, Rumsfeld dijo: «Verá, como parte de la guerra antiterrorista, ¿no tendríamos que estar haciendo algo en otras zonas, aparte de Afganistán, de modo que el éxito o el fracaso y el avance no se midieran solo por Afganistán?».

Iba haciéndose más y más patente que el secretario de Defensa no quería que el triunfo dependiera de Afganistán. Había pocos objetivos. ¿Qué podían lograr, en realidad?

Pero Bush seguía centrándose en Afganistán. Recordó: «Sin duda, algunos hablaron de Irak. Pero en ese momento, eso no entraba en la discusión. Quiero decir, no me hacía falta ningún informe». El presidente añadió que Rumsfeld quería demostrar que la guerra antiterrorista era general. «Rumsfeld quería asegurarse de que el Ejército permaneciera activo en otras regiones. Mi argumento era que el grado de dificultad tenía que ser relativamente bajo para asegurarnos la continuidad del éxito en la primera batalla».

La mayor preocupación de Cheney seguía siendo la posibilidad de que Bin Laden u otros terroristas adquiriesen y utilizasen armas de destrucción masiva. Nada apuntaba a que Al Qaeda contara con dispositivos nucleares, pero existía la preocupación por las armas biológicas y químicas.

—¿Podemos identificar con suficientes garantías objetivos afganos relacionados con la guerra biológica y química?—preguntó Cheney—. Tendría que ser de gran prioridad.

—Necesitamos una estrategia convenientemente pensada, pero también necesitamos caer sobre él antes de que él caiga sobre nosotros. Contar con objetivos adicionales.

—Hay que dar marcha atrás con mi viaje al Lejano Oriente —dijo Bush. El presidente tenía programado un viaje a Shanghai para asistir a la cumbre de la Cooperación Económica Asia-Pacífico (APEC) en octubre, y después visitar Pekín, Tokio y Seúl. Estas tres últimas visitas tendrían que ser canceladas—. Tengo que estar aquí.

Esa misma mañana, más tarde, Bush recibió al primer ministro japonés Junichiro Koizumi en la Casa Blanca. En reunión privada, Bush le dijo a Koizumi que el problema del terrorismo también afectaba a Japón. «En esta nueva guerra—dijo Bush—bloquear la financiación es tan importante como tirar una bomba. Ayudar a Pakistán es tan importante como enviar tropas». Iba a ser reflexivo y paciente porque las consecuencias serían enormes. «Estamos furiosos, pero no somos estúpidos».

26/9

10

Hacia las 4:00 de la madrugada siguiente, hora de Washington, miércoles 26 de septiembre, un fornido hombre de cincuenta y nueve años, con alegre cara redonda y gafas, se encontraba escondido en la parte trasera de un helicóptero Mi-17 de fabricación rusa, propiedad de la CIA, que se disponía a realizar el esfuerzo de ascender 4.500 metros para salvar el puerto de Anyomán en dirección al valle de Panshir, en el noreste de Afganistán. Allí eran las 12:30.

Gary comandaba la primera ofensiva importante de la guerra antiterrorista del presidente George W. Bush. Lo acompañaba un equipo paramilitar de agentes secretos de la CIA con instrumental de comunicaciones que les permitiría establecer vínculos confidenciales directos con la central. Tenía entre las piernas un gran maletín metálico con correa que contenía tres millones de dólares en moneda estadounidense, en billetes de cien dólares no consecutivos. Siempre se reía cuando, en una película o programa televisivo, algún personaje presentaba un millón de dólares en un maletín pequeño. Simplemente, no cabría.

A lo largo de su carrera, Gary había introducido un millón de dólares en la mochila para poder moverse con libertad y entregárselo a otras personas en otras operaciones. Había aceptado los tres millones como de costumbre. La diferencia estribaba en que, en la presente ocasión, podía distribuir el dinero a discreción.

Gary había sido durante treinta y dos años agente en la Dirección de Operaciones de la CIA, la clase de agente secreto que muchos pensaban que había dejado de existir. En los años setenta había sido oficial de caso, encubierto, en Teherán, y después en Islamabad. Había reclutado, perfeccionado, pagado y dirigido a agentes que informaban desde dentro de los gobiernos anfitriones. En los años ochenta, desempeñó el cargo de jefe de puesto en Kabul. La embajada estadounidense de Kabul estaba cerrada a causa de la invasión soviética, de modo que operaba desde fuera de Islamabad. En los años noventa, sirvió como subjefe de puesto en Arabia Saudí, después como jefe de un puesto exterior secreto que operaba contra Irán. Entre 1996 y 1999 fue jefe de puesto en Islamabad, y más tarde, en Langley, subdirector de la División de Operaciones de la CIA en Oriente Próximo y el sur de Asia.

El 11 de septiembre, Gary estaba casi en la puerta, a semanas de la jubilación, en el programa de noventa días de transición a la jubilación de la Agencia. Otro agente le sustituía como jefe de la división. Su esposa estaba encantada.

Gary tuvo que dar media vuelta y entrar de nuevo el sábado en que el presidente Bush estuvo reunido todo el día con el gabinete de guerra en Camp David, el 15 de septiembre. Ese día, había recibido una llamada de Cofer Black, el jefe del Centro Antiterrorista de la Agencia, pidiéndole que se presentara en la central.

Black le dijo:

—Sé que está a punto de retirarse. Pero queremos mandar a un equipo inmediatamente. Usted es la persona que lógicamente debería ir.—Gary no solo tenía experiencia, sino que además hablaba pastún y dari, las dos lenguas principales de Afganistán.

El equipo estaría formado por un reducido grupo de agentes y operativos paramilitares de la CIA seleccionados de la supersecreta División de Actividades Especiales de la Dirección de Operaciones.

—Sí, iré—dijo Gary. Cuando desempeñaba el cargo de jefe de puesto en Islamabad, había hecho varias incursiones encubiertas en Afganistán, donde se había reunido con líderes de la Alianza del Norte aportando, normalmente, doscientos mil dólares en metálico: una bolsa de dinero sobre la mesa. Conocía a Ahmed Sha Masud. Masud había mantenido la unión de los señores de la guerra, y su asesinato pretendía sin duda desligar a la opositora Alianza del Norte de ese conglomerado y liderazgo.

—Adelante—le dijo Black a Gary—, convenza a la Alianza del Norte de que colabore con nosotros, lo que no tendría que ser muy difícil, dadas las circunstancias y el hecho de que Masud acaba de ser asesinado por los mismos que atacaron Nueva York y el Pentágono. Prepare el terreno en Afganistán para recibir a las fuerzas estadounidenses, para que les designen un lugar por donde entrar y efectuar las operaciones.

La situación de la Alianza del Norte tras el asesinato de Masud no estaba clara. El equipo de Gary sería el primero en entrar. Sin respaldo. Lo mínimo de equipos de búsqueda y rescate a su disposición para sacarlos de allí si algo se torcía.

Cuatro días después, el 19 de septiembre, Black le pidió que volviera a la oficina. El grupo, llamado oficialmente Equipo de Enlace del Norte de Afganistán, recibió la palabra en clave «Jawbreaker» ('Rompemandíbulas'). Se desplegarían al día siguiente, partiría hacia Europa y después hacia la zona, para entrar en Afganistán lo más rápido posible.

El equipo Rompemandíbulas tenía otro cometido. El presidente había firmado una nueva orden de espionaje: guantes fuera.

—Tienen una misión—dijo Black—. Busquen a Al Qaeda y acaben con ella. Vamos a eliminarla. Busquen a Bin Laden, atrápenlo. Quiero su cabeza en una caja.

—¿Habla en serio?—preguntó Gary. Black tenía cierta tendencia a la exageración, y Gary conocía la contención presidencial respecto a las órdenes directas de ejecución y asesinato inmediatos. Era el hombre que había dicho a los efectivos de la CIA, los equipos rastreadores de Bin Laden GE / SENIOR, que no podían tender una emboscada a Bin Laden porque se consideraría asesinato.

—Completamente—dijo Black. La nueva orden era clara; repitió que sí, que quería la cabeza de Bin Laden—. Quiero traerla aquí y enseñársela al presidente.

—Bien, más claro no puede estar—replicó Gary.

Gary salió de Washington al día siguiente, y el equipo se le unió en Asia. La espera para obtener los visados y permisos para entrar en Uzbekistán y Tayikistán fue enloquecedora.

En el helicóptero, pasaron dos horas y media de preocupación sobrevolando Afganistán. Un hombre de la CIA de Tashkent, en Uzbekistán, estaba en contacto por radio con la Alianza del Norte y transmitió que el equipo se dirigía hacia allí. Pero el enlace radiofónico no era seguro y, aunque el territorio que sobrevolaban estaba teóricamente controlado por la Alianza del Norte, cualquier talibán o miembro de Al Qaeda con un misil Stinger o un arma Z-23 antiaérea podría abatir al Mi-17 desde la cima de una montaña.

La CIA había adquirido el fiable helicóptero ruso hacía más de un año por un millón y medio de dólares. El Mi-17 era un caballo percherón, no un aparato de bellas líneas, pero proporcionaba buen cobijo. Estados Unidos había puesto los suyos al día con aviónica mejorada, visión nocturna y una capa de pintura igual a los de la Alianza del Norte.

Puesto que el aparato tendría que elevarse 4.500 metros para salvar las montañas, Gary había compactado el equipo, las armas y demás bultos para aligerar la carga. Llevaban grandes cantidades de alimentos porque no sabían con qué condiciones se encontrarían o si tendrían que vivir de la tierra.

El equipo Rompemandíbulas estaba formado por diez hombres: Gary, su experimentado segundo, un joven oficial de caso de la Dirección de Operaciones que había estado cuatro años en Pakistán y hablaba farsi y dari perfectamente, un agente experto en comunicaciones de campaña que había trabajado en destinos difíciles, un antiguo SEAL de la Armada, otro agente paramilitar, un médico veterano de la Agencia, dos pilotos y un mecánico del helicóptero. La diferencia de edad entre ellos alcanzaba los treinta años, cada cual era de una complexión física y una estatura distintas. Iban vestidos con ropa de campaña y gorras de béisbol.

El equipo Rompemandíbulas tomó tierra en una pista de aterrizaje a poco más de cien kilómetros al norte de Kabul, en el centro del territorio de la Alianza del Norte, hacia las tres de la tarde, hora local.

Les recibieron dos oficiales de la Alianza del Norte y unas diez personas más. Cargaron la impedimenta en un camión grande y les condujeron a una residencia, a unos 1.600 metros de distancia, que Masud había habilitado en una pequeña aldea. La aldea estaba acordonada, con un puesto de control en cada extremo. Los oficiales de la Alianza estaban nerviosos y querían que el grupo se pusiera a cubierto.

Les habían preparado como cuartel general un edificio rústico de suelo de cemento cubierto con moqueta falsa. El tejado consistía en tres troncos atravesados cubiertos de cajas de embalar, más una capa de barro. El aire estaba infernalmente seco y no había forma de librarse de la porquería. El retrete era un agujero en el suelo donde podrían orinar y acuclillarse.

Hacia las seis de la tarde ya habían puesto en marcha el sistema blindado de comunicaciones. Gary mandó un cable confidencial pidiendo repuestos. Con la alegría de haber llegado sanos y salvos, y teniendo presente el encargo de Cofer Black sobre la cabeza de Bin Laden, añadió una frase solicitando cajas de cartón de uso industrial, hielo seco y, si fuera posible, picas.

La primera reunión de Gary, esa misma noche, fue con el ingeniero Mohamed Arif Safari, jefe de los servicios de espionaje y seguridad de la Alianza. Arif había discutido con su comandante Masud oponiéndose a que recibiera a los dos hombres que lo habían asesinado, que se habían presentado como periodistas con cartas credenciales. No obstante, como era él el encargado de la seguridad y puesto que el asesinato había tenido lugar en su despacho, se encontraba inmensamente presionado para contribuir a la unión de la Alianza.

Arif reconoció a Gary, lo había visto el anterior mes de diciembre, durante la reunión que había mantenido con Masud en París en calidad de subdirector de División. Arif pareció tranquilizarse. «Usted estaba allí», le dijo.

Gary asintió y puso un paquete de dinero encima de la mesa: medio millón de dólares, en diez fajos de treinta centímetros de grosor de billetes de cien. Tenía la impresión de que sería más impactante que los habituales doscientos mil, la mejor forma de decir: «Estamos aquí, venimos en serio, aquí tenéis dinero, sabemos que lo necesitáis».

«Queremos que ustedes lo utilicen—dijo—. Compren alimentos, armas, lo que sea necesario para intensificar su presencia militar». También sería para operaciones de espionaje y para pagar a informadores y agentes. Había más dinero disponible... mucho más. Gary no tardaría en solicitar a la central de la CIA diez millones de dólares en efectivo, suma que recibió.

Arif dijo que la Alianza del Norte les daba la bienvenida.

El plan, dijo Gary, consistía en preparar el camino para las fuerzas militares estadounidenses. «No sabemos cómo ni cuántos vendrán, pero pensamos en las Fuerzas Especiales, ya sabe, unidades pequeñas, hombres que efectúen operaciones de apoyo para ustedes y para su Ejército, que coordinen sus fuerzas con las que vengan de Estados Unidos para atacar al Ejército talibán. Tenemos que coordinarlo todo».

Arif dijo que le parecía perfecto.

En la Casa Blanca, el presidente y Rice mantenían una conversación en privado sobre el momento en que podría empezar la acción militar.

—Tengo que tener sentido de la oportunidad, del momento en que de verdad vayamos a estar listos para ponernos en marcha—le dijo Bush—. Porque tengo que seguir preparando al pueblo estadounidense. Ha sufrido una experiencia espantosa. No puede dejar de saber de nosotros, sin más. Tengo que saber cuándo va empezar algo.

Le preguntó a Rice si le parecía que estarían preparados a principios de la semana siguiente... el lunes o el martes.

—Verdaderamente, no lo sé—replicó ella cautelosamente. En su fuero interno, no le parecía probable que fueran a estar preparados en cinco o seis días. Pero creía que no le correspondía a ella decirle al presidente si era probable o factible. Ella era coordinadora. Si insistían mucho, daría su opinión después de que el presidente hubiera oído la de los demás, pero no antes. Para ella, sería hablar prematuramente, y no tenía la menor idea de lo que dirían Rumsfeld y Franks. Rumsfeld sobre todo solía sorprenderles mucho—. Es una pregunta que debería hacer a todo el grupo—le dijo Rice.

En una entrevista, el presidente recordó ese día. «Uno de mis cometidos es ser provocador—dijo—, en serio, provocar a la gente a que... forzar la toma de decisiones, y asegurarme de que todo el mundo tenga claro hacia dónde nos dirigimos. Era una cuestión de flujo y reflujo rítmico, y estaba empezando a decepcionarme un poco... Sencillamente, no acababa de redondearse todo con la rapidez que esperaba. Y quería forzar la cuestión sin comprometer la seguridad».

En ese momento comprendió la cautela del Ejército. «Es muy importante tener en cuenta la forma de equilibrar el deseo militar de cubrir todas las contingencias al menos una vez, a veces dos: los militares son relativamente reacios a arriesgarse, como deben ser; al fin y al cabo, son vidas humanas lo que tienen entre manos... frente a la necesidad de, por las razones que sea, entrar en acción».

Había una serie de pensamientos que le impulsaban a ser provocador con su gabinete de guerra. «La idea de atacar al enemigo, una orden que no he dado nunca, es y sigue siendo una decisión significativa de la presidencia. Y yo quería estar seguro de que todos comprendían que estábamos preparándonos para atacar y que necesitaba una aclaración de sus puntos de vista». Dijo que quería preguntar: «¿Alguien tiene alguna duda?».

«Solo puedo dejarme guiar por el instinto. Verá, soy un producto de la guerra de Vietnam. Es muy delgada la frontera entre dirigir hasta el último detalle del combate y el establecimiento de la táctica por una parte—cosa que no deseaba hacer—y procurar estar seguro de que se procede, no con apremio, sino avanzando deliberadamente.—Le preocupaba que Estados Unidos pudiera perder poder de incisión—. Mi trabajo consiste en procurar que la hoja esté bien afilada.

»El instinto me decía que empezaba a cocerse una especie de ansiedad. Y quería asegurarme de que nuestra coalición supiera que somos duros.—Algunos aliados le alababan por su contención inicial, y el presidente añadió sarcásticamente—: Tenemos una coalición de pueblos que... les encanta la idea de que Estados Unidos no haya entrado inmediatamente en acción».

Todavía tenía presente la visita a la Zona Cero de la ciudad de Nueva York. «Esas personas mirándote a los ojos, esos rostros cansados. "Vete a por ellos". Y vamos a ir a por ellos, no hay vuelta de hoja». En ese aspecto, no acusaba presión pública. «Por otra parte, mi cuerpo, mi reloj, es solo, como quiera llamarlo, instinto... Yo provoco.

»El presidente y el consejo de guerra tienen que ser contundentes, evidentemente, pero sin precipitarse».

De modo que la provocación iba a ser una herramienta. ¿Llegó a advertir o a explicarles a Rice y a los demás miembros del gabinete que estaba tanteando, planeando ser provocativo?

«No, desde luego. Soy el comandante... comprende, no tengo que dar explicaciones... no tengo que explicar por qué digo lo que digo. Eso es lo interesante de ser presidente. Es posible que otras personas tengan que explicarme a mí por qué dicen una cosa, pero yo no creo que deba darle explicaciones a nadie».

Una serie de asuntos apremiantes estaban llegando al punto crítico la mañana del miércoles 26 de septiembre, cuando el Consejo de Seguridad Nacional se reunió.

Tenet habló de algunas operaciones secretas. La CIA había logrado algunos resultados en el extranjero: la captura o secuestro de sospechosos de terrorismo en otros países. Varios servicios de espionaje de otros países estaban cooperando o se les había comprado para poner bajo custodia a sospechosos de terrorismo.

En la mayoría de los casos, los sospechosos fueron entregados a la policía local o en oficinas de otros representantes de la ley. Era una forma efectiva de inmovilizar e interrogar definitivamente a sospechosos de pertenecer Al Qaeda. Tenet albergaba grandes ambiciones respecto al programa de ejecución del plan, con la detención de cientos de sospechosos de terrorismo, si no más, y su consiguiente retirada de la circulación. La mayor parte de los puestos de la CIA en el extranjero contaba con listas e información sobre los sospechosos de pertenecer a Al Qaeda en sus respectivos países. En algunos, como Egipto, Jordania o determinados estados africanos donde las libertades civiles y los procesos reglamentarios no eran cuestiones de peso, los servicios de espionaje estaban más que dispuestos a satisfacer las peticiones de la CIA. La libertad de movimientos de los terroristas en el extranjero estaba a punto de concluir.

—Estamos investigando un asunto en Sudán—dijo Tenet—. Estamos investigando un asunto en Bulgaria, estamos investigando un asunto sobre iraquíes y estamos investigando un asunto sobre Hezbolá, la organización terrorista apoyada por Irán, y Sudamérica.

Tenet aclaró que el programa no solo era general sino también amplio. Los objetivos serían otros grupos terroristas, además de Al Qaeda.

El presidente, satisfecho a todas luces, preguntó:

—¿En qué momento podremos hablar de estas cosas abiertamente?—Era, en potencia, otro punto delicado que podía anunciarse públicamente.

Las operaciones eran conflictivas y un gran número de países se oponía apasionadamente, violentamente incluso, a cualquier forma de publicidad que demostrara que se acostaban con la CIA estadounidense o que recibían dinero de ella. Cuando hubiera docenas e incluso cientos de detenciones efectivas, podría darse a conocer la cifra total.

Tenet anunció que el primer equipo paramilitar de la CIA había entrado en Afganistán.

—Estamos desplegando algunos pequeños aviones no tripulados—dijo Tenet refiriéndose a los aviones «zánganos», Depredator, que estaban armados—. Hemos establecido algunos contactos. Apremiamos a las fuerzas locales a que señalen algunos pequeños objetivos. Hemos conseguido algunos datos en tiempo real que proporcionan información sobre objetivos y tenemos preparadas operaciones de búsqueda y rescate para sacar gente de allí si surgen problemas.

»Estamos en contacto con tres líderes del norte. Tenemos cien objetivos sobre los que vamos a trabajar.—En cuanto a la región del sur, dijo—: En el sur tenemos contacto con las tribus... se empiezan a abrir accesos. Utilizamos mensajes parecidos a los que dimos en el norte sobre lo que nos proponemos hacer.—Eso significaba declarar firmemente que Estados Unidos no tenía ambiciones territoriales en el país ni intención de permanecer indefinidamente en Afganistán.

»Como saben, los británicos tienen fuentes en el sur—prosiguió Tenet—. Estamos emparejados con ellos y vamos a unir algunos hombres nuestros a los suyos. Vamos a poner en marcha formas de incentivar la deserción y la rendición de los milicianos talibanes del sur.—Dijo que trabajando a medias con los británicos, se aseguraban que ni las operaciones ni los agentes de ambas naciones se pisaran unos a otros—. Tenemos fuentes, contactos en el sur, que vamos a tratar de integrar para que todo funcione con la efectividad de una operación única.

»Y por eso, naturalmente, tenemos que entender y coordinar las relaciones entre lo que estamos haciendo en el norte y lo que estamos haciendo en el sur—añadió Tenet. Era una cuestión de importancia con incertidumbres de largo alcance.

Powell dijo que estaba trabajando en el acceso por Uzbekistán y Tayikistán.

—Ahora hemos establecido contacto con el presidente de Tayikistán—dijo Powell—, y nos ha dado prácticamente cuanto queremos. Quiere trabajar directamente con nosotros, no a través de intermediarios, y quiere que mantengamos la confidencialidad.

Tocó el tema de Omán.

—Hoy entra un mensaje—dijo, una solicitud para establecer bases—, pero soy pesimista al respecto.

El problema era en parte que Gran Bretaña estaba desarrollando maniobras militares en Omán y ocupaba el espacio, como aparcamientos en campos de aviación y demás, dijo Powell.

—En cierto sentido, la pregunta es si esto es motivo o excusa para retrasar la respuesta a nuestra petición. Pero estamos trabajando en ello.—Los omaníes no habrían dado señales claras de no estar interesados en cooperar, pero acoger maniobras virtuales británicas no parecía una razón especialmente válida para rechazar a Estados Unidos... sobre todo habida cuenta que Gran Bretaña había prometido apoyo en la guerra de verdad que daba sus primeros pasos en Afganistán. Quizá se les escapara algo o se estuviera extrapolando en exceso la postura de Omán.

Rice había llamado a David Manning, consejero de Asuntos Exteriores de Blair. Manning le había asegurado que no permitirían que ningún ejercicio se interpusiera en el camino de la llegada de fuerzas estadounidenses al campo de operaciones.

Powell dijo que Sudán, notorio paraíso de terroristas, parecía estar colaborando con la CIA.

—Hemos tenido una buena reacción por su parte en cuanto a la OE del sistema de financiación de terrorismo.—La orden ejecutiva de congelar los activos de las redes de terrorismo—. Esperamos obtener una resolución favorable respecto al terrorismo por parte de la OCI—añadió Powell en referencia a la Organización de la Conferencia Islámica, organismo representativo de los intereses de 57 naciones musulmanas.

—Me preocupa un poco nuestra gente de las embajadas de Indonesia y Malaisia—dijo Tenet. Se habían recibido amenazas. La presencia de Al Qaeda en dichos países era formidable.

—Recibido—dijo Powell. El Departamento de Estado ya había publicado un aviso general sobre Indonesia respecto a la posibilidad de que elementos extremistas estuviesen elaborando planes contra instalaciones estadounidenses allí. Un sentimiento antinorteamericano había empezado a extenderse recientemente desde la minoría islámica militante hacia el público y el Gobierno en general. El antiguo presidente Abderramán Wahid había llamado públicamente a Estados Unidos «nación terrorista». El actual vicepresidente había dicho que los ataques del 11 de septiembre ayudarían a Estados Unidos a «limpiarse de sus pecados».

—Quiero hablar más de ayuda humanitaria a Afganistán—dijo el presidente—, y quiero saber las opciones que tenemos para conseguir que las cosas funcionen en el sur.

Defensa anunció que estaba ocupándose del asunto de la ayuda, y Tenet dijo que estaba trabajando con ahínco en las opciones del sur.

—Quiero asegurarme de que nuestra política de declaraciones sea correcta—dijo Bush. ¿Habían dicho lo que estaban haciendo o lo que pensaban hacer? Estaba claro que muchos miembros del gabinete, incluido Tenet, pensaban que los talibanes y Al Qaeda estaban tan unidos que prácticamente eran inseparables. Pero el ultimátum de Bush a los talibanes todavía estaba encima de la mesa.

—Verán—dijo Rice—, vamos a ceñirnos a lo que les pidió usted a los talibanes en su discurso de la otra noche. Si el pueblo afgano quiere derrocar a los talibanes, estupendo. Pero lo que les hemos pedido a los talibanes es lo mismo que se pidió en el discurso del presidente sobre Al Qaeda.

—Sí—dijo el presidente—, tenemos que ceñirnos a lo que pedimos.

—Tenemos que subrayar lo que el presidente ha pedido—dijo Powell—. Si convertimos el derrocamiento de los talibanes en una meta, necesitaremos un nuevo plan de campaña y nos encontraremos con la cuestión de en qué sentido reaccionará Pakistán.—El secretario de Estado, incómodo con un cambio de régimen gratuito, añadió—: Si lo dijo el presidente, ahí es donde tenemos que estar.

—Si rechazan nuestras exigencias y acogen a Al Qaeda, como están haciendo, y no respondemos, parecerá que no hablamos en serio—terció Rumsfeld. Subrayó lo de «como están haciendo». Rumsfeld quería una actuación contundente. ¿Cuánto tiempo podía quedarse un ultimátum encima de la mesa? No quería que los talibanes se escondieran tras una ficción. Estaban protegiendo a

Bin Laden y a su red. El presidente había dicho que los que protegieran a los terroristas lo pagarían.

—Así es, Don—dijo Rice—, pero todavía no hemos llegado ahí.—Recordó al grupo dónde se encontraban—. Nuestro mensaje en este punto es seguir cumpliendo lo que pidió el presidente, de lo contrario, compartirán ustedes el destino de Al Qaeda.

El problema era que Bin Laden y su red permanecían incólumes en su santuario quince días después de los ataques.

El gabinete de guerra llevaba días bailando en torno a la cuestión básica: ¿Cuánto tiempo podían esperar, después del 11 de septiembre, a que Estados Unidos reaccionara «cinéticamente», como solía decirlo, contra Al Qaeda de manera invisible? El público tenía paciencia, al menos lo parecía, pero todo el mundo quería acción. Una operación militar completa, por tierra y por aire, sería una demostración esencial de seriedad para Bin Laden, Estados Unidos y el mundo. El presidente intervino.

—¿Alguien tiene dudas respecto a que debamos empezar el próximo lunes o martes?—preguntó. Más tarde, mantendría que la pregunta había sido una provocación intencionada.

Sus palabras quedaron flotando en el aire. ¿El lunes? ¿El martes? Estaba forzando las cosas demasiado, gruñendo casi, ¡gggrrr!

Powell se sorprendió un poco. Sabía como cualquiera el tiempo que se necesitaba para trasladar fuerzas y ponerse a punto para una operación militar a gran escala. La concentración de tropas en 1990-1991, antes de la Guerra del Golfo, había costado cinco meses y medio hasta el momento del primer bombardeo. Armitage creía que el Departamento de Defensa estaba muy deficientemente preparado en esos momentos. Había llegado hasta el punto de expresar en privado la opinión de que Rumsfeld le estaba dando al «Viejo»—como se refería al presidente—gato por liebre sobre el momento en que estarían preparados y la cantidad de efectivos que podrían mandar.

—Si el Ejército está preparado—les dijo Powell al presidente y a los demás—, deberíamos ir.—Puso énfasis en el condicional «si».

Tenet quería más tiempo: para situar más equipos en la zona, trabajar con las tribus, repartir por ahí más dinero de la acción encubierta, evaluar mejor las necesidades de las tribus, desarrollar un sistema de envío de armas, comenzar la acción de los equipos de las

Fuerzas Especiales. Pero entonces, ante la perspectiva de una acción militar al cabo de cinco o seis días, Tenet le dijo al presidente:

—Cuanto más tiempo tenga, mejor para mí, pero estoy listo si tiene que ser la semana que viene.

Powell dijo:

—Sea cuando sea, tenemos que comunicárselo al pueblo... tenemos que elaborar un plan de notificación a los líderes mundiales y otros más de modo que no se enteren por la prensa.—No quería tener que solucionar otro conjunto de enredos diplomáticos en plena guerra.

Rice, Hadley, Powell y Armitage se ofrecieron a trabajar en el plan de notificar y llamar a los líderes extranjeros clave en varios niveles, en algunos casos, solo horas antes de que comenzara la acción militar.

—Necesitamos una valoración sobre hasta qué punto estamos bloqueados—dijo Tenet—, porque desde el momento en que empecemos, es probable que se produzcan respuestas, y tenemos que estar preparados.—La acción militar estadounidense podía desatar un ataque terrorista en represalia.

—Estoy de acuerdo con usted, George—dijo el presidente—, tiene toda la razón. Nos hace falta esa valoración. Y la necesitamos en los próximos días.—Bush añadió que los objetivos de Afganistán iban a ser los sistemas de defensa antiaérea, los campos militares de aviación, las pistas y otros objetivos militares fijos—. Y lo que viene a continuación requiere una valoración de nuestros compatriotas, tanto sobre lo que está pasando en el terreno como sobre lo que vemos. Defensa y la CIA tienen que seguir desarrollando objetivos.—Después lanzó otra idea que no había comentado ni siquiera con Rice, otra provocación—. Y el Ejército de Tierra puede que entre simultáneamente y puede que no.

Era un cambio potencialmente significativo, porque la promesa que implicaba la decisión presidencial sobre el ataque militar era que la acción aérea y las tropas de tierra actuaran simultáneamente: nada de misiles de crucero contra tiendas de campaña, como con Clinton.

Pero iba quedando claro que tenían un problema relacionado con la necesaria estructura de bases, para la acción simultánea.

—¿Estamos preparados para empezar la semana que viene? —insistió Bush.

—El comandante en jefe estará listo para entonces—dijo Shelton—, pero la cuestión son los BYRC—se refería a la Búsqueda y Rescate en Combate, los equipos de helicópteros que teóricamente tenían que situarse en las inmediaciones de las operaciones de combate, pendientes del rescate de pilotos y tripulaciones abatidos. Los aparatos de búsqueda y rescate en combate podrían tener bases secretas posiblemente en Pakistán o en los estados del Golfo. Ninguno de los países del norte, Turkmenistán, Uzbekistán o Tayikistán, había aceptado acoger a las unidades de búsqueda y rescate para el necesario bombardeo del norte.

Shelton y gran parte de los cargos militares mantenían la inamovible doctrina de que las operaciones de combate no podían comenzar sin la búsqueda y el rescate plenamente organizados. Dichas unidades eran el salvavidas de los que volaban en misión de combate, y se suponía que los mandamases militares se volcarían en asegurar que todo estuviera en su lugar. Y no era solo por la vida de los pilotos y las tripulaciones. Todo hombre abatido tras las líneas enemigas es un rehén en potencia. Cualquiera que hubiera pasado por una crisis de rehenes, desde los cincuenta y dos estadounidenses retenidos en Teherán en 1979-1980 hasta los retenidos en Líbano a mediados de los años ochenta, conocían el impacto potencial de los rehenes estadounidenses en la política exterior.

El impacto político de los rehenes podía ser mayor incluso. La crisis de los rehenes en Irán había dañado a la presidencia de Jimmy Carter y, sin duda, había sido un factor en su derrota para un segundo mandato. Las imágenes del desastre en el desierto iraní se habían convertido en símbolos de la impotencia de Carter. A mediados de los años ochenta, la implicación excesivamente emocional del presidente Reagan en el destino de media docena de ciudadanos estadounidenses, retenidos como rehenes en Líbano, desencadenó el discutible plan de cambiar armas del Ejército estadounidense por los rehenes, así como el escándalo Irán-Contra.

Shelton dijo que él y otros todavía estaban trabajando en las unidades de Búsqueda y Rescate en Combate.

—Dígame algo el viernes—dijo el presidente. El Pentágono disponía de dos días.

Rumsfeld no había respondido directamente a la pregunta del

presidente sobre comenzar la acción militar la semana siguiente. La abordó indirectamente, sacando a relucir uno de sus temas predilectos, la preocupación porque el objetivo de la guerra fuera excesivamente limitado todavía y pudiera ser interpretado como centrado principalmente en Afganistán.

—Ya saben—dijo—, sería importante contar con otras operaciones especiales en otra parte del mundo al mismo tiempo. Tendríamos que hacer algo en la zona—Fuerzas Especiales en Afganistán—, pero si no es posible, ya saben, podemos hacerlo en otra parte.—Sus equipos podían caer sobre cualquier selección de paraísos terroristas y conmocionar o sabotear grupos terroristas.

Había otros que pensaban que Rumsfeld estaba ansioso por poner al Ejército en acción en cualquier parte.

—Estoy de acuerdo—dijo el presidente reconfortantemente—. No podemos esperar eternamente, pero tampoco podemos precipitarnos. Podremos pasar sin Ejército de Tierra.—Bush dijo que su voluntad se pondría de manifiesto porque al primer ataque aéreo le seguirían el segundo y el tercero. Sería un bombardeo continuo.

—Bien—dijo Rumsfeld—, si no localizamos nuevos objetivos, el segundo ataque y los siguientes serán pequeños.

Rice comprendió la decepción de Rumsfeld. No podía decirse que tuvieran ni una gran red de tendido eléctrico que derribar. Afganistán estaba en el siglo XV. Una vez barrido el primer objetivo, se quedarían pateando arena.

—Mire—contestó el presidente—, nuestra estrategia consiste en sembrar el caos, crear un vacío, obligar a los malos a moverse. Si los ponemos en movimiento, los detectamos y podemos disparar contra ellos.

—Bueno, ya sabe—replicó Rumsfeld—, ese efecto ya lo ha conseguido nuestra concentración militar.—Los campos de Al Qaeda estaban vacíos, los terroristas se habían dispersado.

Retomaron la cuestión de la defensa nacional y los puntos vulnerables de oleoductos y puertos. Cuanto más ahondaban en la cuestión de la defensa del país, más aumentaba el número de puntos débiles. Nada estaba a salvo.

—No cabe duda de que es necesario preocuparse de la defensa de la patria—dijo Bush—, pero no podemos permitir que eso nos impida entrar en acción.

»En tal caso, la estrategia que tenemos es la misma que antes —resumió el presidente—. No pestañeemos. En la del viernes [la reunión del Consejo de Seguridad Nacional], denme su valoración definitiva y háganme saber dónde nos encontramos. El viernes quiero un resumen informativo sobre las medidas que nos aseguren mantener la boca cerrada—quería que todos pensaran en lo que habría que hacer «en caso de que se produzcan ataques aquí».

Cheney había pasado tiempo en la CIA tratando de imaginarse la importancia de los contactos de la Agencia en el sur de Afganistán. De momento, la estrategia se encaminaba a ganarse a algunas tribus del sur. Pero cuanto más ahondaba y más preguntas se hacía, más débil le parecía. Los contactos no eran tan buenos y no eran con las tribus clave. La CIA utilizaba información de mapas británicos de hacía décadas.

Puesto que la Alianza del Norte era el apoyo más poderoso, con verdaderos combatientes en el terreno, quizá fuera conveniente inclinar la estrategia hacia el norte en vez de hacia el sur. Eso significaría ir a por los talibanes con rigor, en vez de intentar dividirlos. Quizá fuera recomendable intentar simplemente decapitar al liderazgo talibán.

11

Hacia las tres de la madrugada, hora de Washington, del 27 de septiembre—mediodía en el valle de Panshir, en Afganistán—, el jefe del equipo Rompemandíbulas, Gary, se sentó con el general Mohamed Fahim, jefe de las fuerzas de la Alianza del Norte, y el doctor Abdulá Abdulá, ministro de Exteriores de la Alianza. Puso un millón de dólares sobre la mesa y les dijo que podían emplearlo como mejor juzgaran. Fahim dijo que él contaba con unos diez mil combatientes, aunque muchos estaban mal equipados.

—Al presidente le interesa nuestra misión—dijo Gary—. Quiere que sepan que las fuerzas estadounidenses van a venir y necesitamos su cooperación, y él se toma todo esto con un interés personal.—Había establecido el sistema de comunicación blindado con Washington y, exagerando, dijo—: Todo lo que escribo a casa, lo ve [el presidente]. De modo que esto es importante.—Sin exagerar, añadió—: Esto es el escenario del mundo.

—Damos la bienvenida a sus hombres—dijo Fahim—. Haremos cuanto podamos.—Pero tenía preguntas que formular—. ¿Cuándo empieza la guerra? ¿Cuándo vienen sus hombres? ¿Cuándo dará comienzo la ofensiva de Estados Unidos de verdad?

—No lo sé—dijo Gary—, pero pronto. Tenemos que estar preparados. Hay que desplegar fuerzas. Tenemos que coordinar las cosas. Quedarán ustedes impresionados. Nunca han visto cosa parecida a lo que vamos a descargar sobre el enemigo.

En Washington, Rice empezó el 27 de septiembre, jueves, con profundas preocupaciones, no solo respecto a lo que podrían descargar sobre el enemigo, sino también respecto al momento. Tras sondear a algunos de los colegas de la plana mayor, estaba claro que abundaban las dudas. Cuando el presidente dijo que quería una decisión el viernes, al día siguiente, pareció que todo el mundo se cuadraba y decía: «Sí, señor», pero ella sabía que había dudas.

Rice había quedado con Cheney para ir a Langley más tarde ese día, a una reunión informativa en la central de la CIA sobre la Alianza del Norte. Había mucho en juego, con la Alianza.

Tenet y algunos expertos les enseñaron mapas de ALTO SECRETO de Afganistán con pequeñas chinchetas de colores que indicaban las posiciones y los contingentes de la Alianza. La Alianza contaba con entre diez mil y treinta mil hombres. A Rice le pareció una horquilla enorme, y no los veinte mil de los que se había hablado.

Había huecos, huecos significativos, reconocían los expertos de la CIA. Pero en esos momentos, el equipo Rompemandíbulas estaba sobre el terreno junto con la Alianza, y llegarían más equipos en respuesta a sus peticiones. No había forma fiable de determinar el núcleo de combatientes sin una mirada sobre el terreno por parte de los paramilitares y expertos de operaciones de la CIA. Enseguida podrían decir algo. Pronto llegarían informes del primer equipo.

Rice comprobó que la CIA estaba organizada, y que los años de labor encubierta y financiación habían merecido claramente la pena.

El sur, plaza fuerte de los talibanes, era otro cantar. La CIA no contaba más que con doce fuentes. Había pocas pruebas de combatientes de la oposición.

Cheney y Rice subieron a dar una vuelta por el nuevo centro que se estaba montando para rastrear las operaciones terroristas.

—El presidente la llama al teléfono—le dijeron a Rice.

—¿Dónde estás?—le preguntó Bush.

—En la Agencia—dijo ella. Se estaba informando sobre la Alianza del Norte.

—¿Cuándo vuelves?—le preguntó con cierto apremio.

—En cuanto usted quiera—contestó ella riéndose.

—¿Qué voy a oír mañana?

Rice dijo que no estaba segura, pero que lo descubriría. En el centro de operaciones había mucha gente.

—Le llamo tan pronto como llegue al coche.

Eran sobre las 18:45, hora punta todavía, cuando Rice llamó al presidente por el teléfono blindado de su coche.

—¿Mañana voy a oír lo que creo que voy a oír?—le preguntó.

—Ya sabe, señor presidente, hacen cuanto pueden para disponerlo todo—le dijo—. Pero recuerde que es difícil.

—¿Por qué? Eso no es aceptable—aulló Bush.

Rice empezó a explicarle que se enfrentaban a un círculo vicioso. Sin espionaje, no se podían identificar los objetivos de modo efectivo y preciso. La labor de espionaje era problemática porque no habían conseguido introducir suficientes personas sobre el terreno. La conversación terminó al cortarse la comunicación por el teléfono blindado.

Volvieron a llamarse, pero la conexión era defectuosa.

—Voy hacia la Casa Blanca—dijo Rice—. Iré a verle tan pronto como llegue.

El presidente quería hablar.

—¿Qué me cuentas? ¿Qué está pasando?

—Señor presidente—dijo ella—, sus expectativas y las de los militares probablemente no estén sincronizadas. Es posible que no estén completamente preparados.

El teléfono fallaba.

—Señor presidente, estoy en la calle E. Le llamo.

Cuando llegó a la Casa Blanca, corrió a su despacho. El merodeador del teléfono ya estaba al aparato. Le repitió lo que le había dicho desde el coche, que el Ejército no estaba preparado del todo.

—¡Es inaceptable!—insistió Bush—. ¿Qué es eso?

Rice dijo que subiría a la residencia y se lo explicaría con detalle. Subió y le expuso los múltiples problemas. Era un hueso duro de roer para el Pentágono: sin nada que pudiera considerarse infraestructura en la zona, sin bases, débiles todavía en espionaje sobre el terreno en esos momentos, objetivos escasos y el tiempo empeorando. Otro problema, como bien sabía Bush, era que la Búsqueda y Rescate en Combate para los pilotos no estaba en posición.

—Creo que la clave para el viernes es imaginarnos el camino a seguir, no tomar una decisión—le aconsejó Rice.

El presidente recordaba después esa serie de acontecimientos.

—Estoy dispuesto a empezar—dijo—. A veces, me siento así: fiero. Por otra parte, su trabajo [de Rice] es aguantar parte de esa fiereza, de modo que... la modere un poco. Y lo hace muy bien.

Dijo que, simplemente, era fiero por naturaleza.

—Iba poniéndome más impaciente. A veces soy impaciente. Además, me siento a gusto así..., entre otras cosas, con Condi puedo improvisar, no tengo que ensayar. En eso consiste su trabajo, en absorber mi... en ayudarme, sabe, en decirme, por ejemplo, «Bien, señor presidente, valoro su punto de vista, y creo que seguramente debería pensarlo un poco de este modo».

Al marcharse de la residencia, Rice llamó a Rumsfeld.

—Don—le avisó prudentemente—, creo que mañana tienes que estar en condiciones de decir al presidente cómo es el verdadero planteamiento en lo que al calendario se refiere, porque creo que sus expectativas no coinciden con lo que estás en condiciones de decir. Creo que con eso le bastará, pero es importante que ahora tenga una visión clara de verdad del lapso de tiempo del que estamos hablando.

—Creo que eso puedo hacerlo—contestó Rumsfeld.

La plana mayor se reunió sin el presidente aquella noche, más tarde. Cheney dijo que había hablado con el emir de Qatar.

—He estado activo—dijo Powell—, le he marcado dos veces. —Eso significaba un aviso diplomático—. Estamos trabajando en el tema.

Cheney dijo:

—El presidente quiere evitar toda programación o limitación artificial respecto a la acción militar. Hagámoslo bien. No metamos la pata por estúpidos propósitos de relaciones públicas.

Rice estaba de acuerdo.

—Como sabrán—dijo Cheney—, las operaciones aéreas sin apoyo del Ejército de Tierra podrían dar idea de debilidad.—Por otra parte, tampoco querían obligar a «los muchachos» a hacer una u otra cosa por el impacto en las relaciones públicas—. Hagámoslo porque es elegante.

—Habíamos quedado en mirar algún plan de operaciones especiales fuera de Afganistán—dijo Powell.

—Sí—replicó Rumsfeld—, estoy en ello.

A pesar de la presión que había ejercido Rumsfeld, no tenía nada que mostrar en materia de Defensa respecto a planes.

Powell dijo que los suyos habían mantenido una segunda reunión con los uzbekos para conseguir autorización para utilizar su territorio. Tenían una pregunta: «¿Qué hacemos si su acción nos pone en peligro?».

Era una buena pregunta, pero quedó sin respuesta.

Powell dijo también que estaban a punto de llegar a un acuerdo sobre una resolución del Consejo de Seguridad de Naciones Unidas que, en esencia, adoptaría la orden ejecutiva presidencial de congelar los activos del terrorismo en todo el mundo.

Powell también informó de que se iba a celebrar una reunión al día siguiente en Alemania de países donantes de dinero para la reconstrucción de Afganistán. Eso tenía que ser una parte visible de la estrategia de la coalición, un incentivo para que el pueblo afgano se liberase. Tenían que saber que había un dinero destinado a reconstruir su país si estaban dispuestos a hacer lo que había que hacer.

Rumsfeld dijo que el general Franks estaba dispuesto a aceptar oficiales de enlace de los gobiernos de la coalición en su cuartel general de Tampa, en Florida.

Los demás parecieron estar de acuerdo en que era un primer paso hacia la aportación de fuerzas por parte de los miembros de la coalición. Franks veía lo que se les ofrecía y lo que realmente podía ser útil.

Shelton dijo:

—Vamos a disponer de un par de C-17 dentro de dos semanas para el reparto aéreo de ayuda humanitaria, radios y mantas, y lo vamos a hacer en conjunción con nuestra campaña militar.

—Se requiere un importante esfuerzo humanitario—dijo Rice—. Tenemos que desarrollar una campaña humanitaria y cogerle el ritmo la semana que viene.—Parecía decepcionada. La plana mayor, aparte de Powell, se mostraba más interesada en la guerra que en la ayuda humanitaria en la que el presidente había puesto el énfasis—. Tenemos que obtener de nuestro presidente la promesa, con toda claridad, de que se va a realizar un esfuerzo importante para ayudar al pueblo afgano.

—A mí me sigue preocupando la cuestión de los BYRC—dijo Shelton refiriéndose a las Operaciones de Búsqueda y Rescate—. Franks dice que las operaciones especiales estarán listas en diez días a partir del pistoletazo de salida.—Pero, sin autorización para instalar bases en la zona, los equipos de operaciones especiales no podían ir a ningún sitio. Por lo visto, el Ejército de Tierra tendría que esperar.

—Miren—dijo Rice—, tenemos que concretar la cuestión de las Fuerzas de Operaciones Especiales y la Búsqueda y Rescate en Combate. ¿Con qué contamos? ¿Qué vamos a hacer? —Siguió hablando un rato.

Después retomaron otro problema. Al Yasira, los estudios árabes de televisión de Qatar, había abierto las compuertas a la propaganda de Bin Laden y emitía sus discursos íntegramente, y las redes de televisión estadounidenses los captaban, aunque solo parcialmente.

La cuestión era conflictiva, porque por una parte querían cosas de Qatar, pero, por otra, no les gustaba la libertad de que gozaba Al Yasira.

—En cuanto a los uzbekos—dijo Cheney con impaciencia—, nuestra delegación no está suficientemente madura. Nos hace falta un empujón por la zona con una persona de alto nivel.—John R. Bolton, el subsecretario de Estado para el control de armas y seguridad internacional, estaba en negociaciones con los uzbecos—. El presidente podría llamar, necesitamos una llamada presidencial a Karimov. Necesitamos que alguien intervenga y lo solucione.

Era un disparo a Powell, que estaba al cargo de la cuenta uzbeka.

El viernes 28 de septiembre era el día fijado por el presidente para tomar la decisión sobre el comienzo del bombardeo a principios de la semana siguiente. John McLaughlin fue designado para presentar a Bush el informe diario para el presidente en materia de espionaje, así como para ocupar el puesto de Tenet ese día. McLaughlin tenía una memoria increíble y era famoso por su facilidad para digerir gran cantidad de material y presentar asuntos culminantes.

Un año antes, cuando el gobernador Bush era el candidato republicano a la presidencia, McLaughlin fue enviado a Tejas para dar el resumen informativo de rutina, de una hora de duración, al candidato. Pidió comenzar con un chiste. «Solo si es bueno», replicó Bush.

McLaughlin le contó que había ido a Rusia de incógnito, que había salido a hacer turismo y se había detenido en el lugar donde se había efectuado el primer disparo de la revolución rusa. El guía había dicho: «Ese disparo singular fue el más poderoso que jamás se haya disparado. Salió y siguió destruyendo directamente durante setenta años».

Bush soltó una risita. McLaughling apenas había empezado el informe cuando el candidato empezó a hacer preguntas. El resumen duró horas. A McLaughlin le pareció que Bush sabía escuchar y que no intimidaba. Cuando volvió a la Agencia, comentó: «Si este tipo sale elegido, más vale que el informador se prepare para ser interactivo».

En el Despacho Oval, el viernes por la mañana, McLaughlin repasó las amenazas. Parecía haber muchos planes en marcha; Al Qaeda tenía en mente ataques de mayor envergadura.

—¿Por qué cree que no ha ocurrido nada?—preguntó Bush. Se hablaba mucho, había tantos datos SIGINT, tantas advertencias.

—La seguridad es importante—replicó McLaughlin—. Lo que estamos haciendo es importante.—Detener a gente en la calle, congelar cuentas de manera que el tipo que iba a comprar pasaportes falsos para el equipo no pudiera hacerlo. McLaughlin dijo también que ya se notaba la diferencia tras la decisión presidencial de autorizar a la CIA a pasar a la ofensiva: cambiaba el equilibrio de sus esfuerzos de la defensa al ataque.

—¿Cuándo cree que debería comenzar la acción militar?—preguntó Bush bajando la voz instintivamente.

—Señor presidente—dijo McLaughlin—, eso depende de usted. Yo solo puedo darle mi opinión personal.

—Es lo único que le pido.

—Bien, basándome en lo que veo ahora y en la situación en que estamos, yo nos daría un par de semanas más para trabajar con las tribus y evaluar sus necesidades, pensar en la forma de hacerles llegar armas, empezar a enviar Fuerzas Especiales. Yo nos daría dos semanas más.

—Gracias—dijo el presidente.

Cuando el Consejo de Seguridad Nacional se reunió esa mañana, a Rice le preocupaba que no fuera a terminar felizmente.

—Tenemos que evaluar de nuevo el calendario de las operaciones militares—dijo el presidente sin preámbulos—. El miércoles dije que había que tomar la decisión el viernes—ese mismo día—. Es posible que necesitemos más tiempo—dijo.

A Rice le sorprendió que aliviara un poco la presión.

—Estoy preparado para hablar de eso—dijo Rumsfeld, pero esperó su turno.

Tenet dio un punto de vista un poco distinto de su segundo, McLaughlin.

—Tenemos que hacer algo la semana que viene—dijo—. La gente de la zona se mantiene al margen. Emprender la acción la semana que viene ayudaría.—Citó las divisiones en el servicio de espionaje de Pakistán—. Algunos están a favor de Bin Laden, otros se le oponen.—El jefe del servicio era claramente partidario del *mulá* Omar y de los talibanes—. Tendría sentido atacar la semana que viene. Quiero conocer el plan de apretar el botón porque habrá represalias, llegan muchas amenazas del extranjero.—Estaban comprobando sistemáticamente la capacidad militar de los talibanes vía satélite.

—Nuestra embajada en Chile recibió un paquete bomba—dijo Powell. El gran paquete, dirigido al embajador de Estados Unidos y entregado por una compañía de mensajería chilena, contenía explosivos suficientes para herir gravemente a quien lo abriera. Guardias de las instalaciones de la fortificada embajada, considerada la más segura del mundo, se lo notificaron a la policía, y un escuadrón de artificieros se trasladó al lugar—. Recibimos una pista informativa y lo hicimos detonar—informó Powell. Nadie había reivindicado la acción y no parecía vinculada al 11 de septiembre.

Pasaron a la cuestión de los problemas en Indonesia y Filipinas, donde había focos importantes de Al Qaeda. ¿Qué capacidad tenía Estados Unidos para influir en que los gobiernos de esos países hicieran más y mejor antiterrorismo? La imagen era confusa.

—Hemos redactado un anuncio para el presidente en relación con el esfuerzo humanitario que acompañará nuestras operaciones. También tenemos un mapa de la ADI, que hemos remitido al Pentágono, de las zonas más necesitadas de ayuda humanitaria

—dijo Powell. La ADI es la Agencia para el Desarrollo Internacional, que coordina los programas gubernamentales estadounidenses de ayuda al extranjero.

Cientos de vidas pendían de un hilo, y el sufrimiento potencial de decenas de miles de personas podía aliviarse si se conseguía hacer llegar la ayuda.

Uzbekistán había decidido aceptar a un equipo de reconocimiento de quince hombres del Ejército estadounidense, que llegaría para ver las posibilidades y la viabilidad de situar la base de Búsqueda y Rescate en Combate en ese territorio. También se había pensado en conseguir que los uzbekos dieran permiso para que los equipos de las Fuerzas Especiales operasen allí. Los uzbekos pedían garantías de seguridad. Les preocupaba la defensa de sus fronteras.

El secretario dijo que quería una declaración nítida sobre lo que los demás, incluida la diplomacia, tenían que decir a propósito de lo que se iba a hacer.

—Y de la forma en que el pueblo puede ayudar—puntualizó el presidente.

Hadley dijo que ya estaban trabajando en ello y que tendría el borrador listo ese mismo día.

Rumsfeld dijo que esa misma tarde, Franks y él comprobarían la posición en que se encontraban.

—Hay un aeropuerto uzbeko a unos quince kilómetros del aeropuerto principal. Vamos a mandar allí a nuestro equipo de reconocimiento, y veremos si la pista es apta para los C-5—los enormes aviones de transporte—. Nuestros chicos estarán sobre el terreno dentro de veinticuatro horas y valorarán si el campo es adecuado para nuestras necesidades. Si las pistas están en condiciones, podemos mandar unidades de búsqueda y rescate. En caso contrario, será necesario conseguir permiso para utilizar el aeropuerto principal. Es decir, nos encontramos en fase operativa con los uzbekos.

—Si los uzbekos dicen que no—inquirió el presidente—, ¿qué plan tenemos?

—Si no tenemos búsqueda y rescate en el norte, no se pueden llevar a cabo operaciones aéreas allí—contestó Rumsfeld—, solo en el sur.—Se mantenía fiel a la exigencia del Ejército de que las operaciones no podían iniciarse sin la búsqueda y rescate en su puesto, en los alrededores de las zonas de ataque aéreo.

La acción principal de Tenet se desarrollaba en el norte. En el sur, poco más que nada. En esos momentos, parecía que el bombardeo iba a tener el impacto opuesto: ninguno en el norte, solo en el sur. Sería una descompensación total.

—¿Y la Búsqueda y Rescate en Combate por parte de Rusia? —preguntó el presidente. Putin se había ofrecido.

—Necesitamos un poco de coordinación allí—dijo Rumsfeld.

—¿Y desde Tayikistán?—preguntó Rice.

—Hablaremos de eso con Franks—dijo Rumsfeld—. Si conseguimos poner esto en marcha, dispondremos de unidades de Búsqueda y Rescate en Combate en cuatro o cinco días.

El bombardeo en el norte pendía de un hilo.

Rumsfeld resumió:

—La Búsqueda y Rescate en Combate se posiciona previamente en Ramstein—la base estadounidense de Alemania—. Los uzbekos no han dado el visto bueno a las Fuerzas Especiales. Omán va a proporcionarnos búsqueda y rescate en el sur y estamos buscando ubicación para las Fuerzas Especiales en el sur. Los tres que estamos mirando ahora son de alto riesgo.

El secretario de Defensa dio por fin su respuesta:

—Si tenemos las valoraciones hechas en Uzbekistán dentro de veinticuatro horas y el campo de aviación es adecuado, dentro de cinco días podríamos estar listos para marchar, lo cual significa el jueves como pronto. El sábado sería más factible.

—Se podría empezar por el sur y dejar el norte para después —dijo Bush—. ¿Estamos preparados para ir al sur?

Rumsfeld consultó la lista de objetivos: un total de setecientos.

—¿Cuántos están en el sur?—preguntó Bush.

—Eso lo sabremos hoy—dijo Rumsfeld desviándose. No estaban clasificados por situación norte y sur.

Entonces Rumsfeld sacó uno de los temas predilectos del presidente. Dijo que tenían dos C-17 preparados para volar con 37.000 raciones de alimentos para los afganos.

—Será muy cercano al ataque, quizás un día después.

Shelton dijo:

—Estaremos preparados el lunes para hacerlo coincidir con el

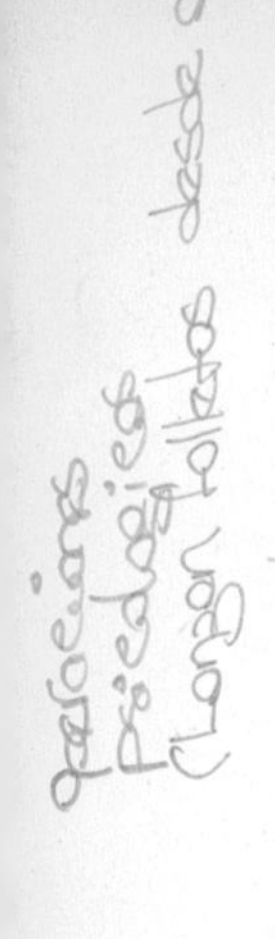

ataque.—Quería decir que se podían lanzar bombas y alimentos al mismo tiempo.

—Vamos a soltar OPSI desde el aire—dijo Rumsfeld. Se refería a las llamadas «operaciones psicológicas». Lanzarían folletos explicando que Estados Unidos estaba allí para liberar al pueblo afgano de las fuerzas invasoras de Bin Laden y Al Qaeda, que no se trataba de una guerra contra el Islam. Les recordó que en las operaciones especiales del norte no tenían bases.

Empezaba a perfilarse como objetivo la zona norte de alrededor de Kabul. Según la información, parecía el lugar donde Al Qaeda podía estar fabricando armas químicas o biológicas (más tarde, los servicios de espionaje estadounidenses descubrieron que era una planta de fabricación de fertilizante agrícola).

Rumsfeld dijo que las operaciones especiales inmediatas no eran posibles.

—No podemos hacerlo en el norte, y en el sur no disponemos de objetivos verdaderamente buenos todavía.—No se iban a mandar tropas de tierra tan pronto.

—Miren—dijo el presidente, dando a entender que acataba con resignación el criterio militar—, podemos dejar las operaciones especiales para más tarde. ¿Hay algún problema de coordinación?

—Estamos negociando con el Departamento de Estado las autorizaciones necesarias, y la cooperación ha sido positiva. Nuestras relaciones con la comunidad de espionaje son buenas—replicó Rumsfeld.

Cheney parecía preocupado.

—Me inquieta la conexión entre lo que estamos haciendo aquí y la defensa de la patria estadounidense.—Al vicepresidente le angustiaba la posibilidad de otro ataque y de las represalias, cuando el Ejército atacara.

—Dick—dijo Bush—, no puedo estar más de acuerdo.

—Hoy tenemos una reunión informativa al respecto—dijo Rice.

—Me preocupa la amenaza de la GB—dijo Cheney, refiriéndose a la guerra biológica.

Varios de los presentes se preguntaron si el vicepresidente sabría algo o si habría relacionado cosas que a ellos se les habían pasado por alto. Era un lector concienzudo de informes de espionaje y sabía conectar datos. Pero, al parecer, no había nada específico.

El general Myers, retomando la cuestión de Afganistán, dijo:

—Estamos preparados para situar Fuerzas Especiales en el terreno con las fuerzas de la CIA.

—¿Es la primera vez que lo haremos?—preguntó Bush.

—Hace tiempo que no lo hacemos—contestó Myers. En los Balcanes, el Ejército y la CIA habían llevado a cabo operaciones secretas para detener a personas acusadas de crímenes de guerra. En esas operaciones, la CIA recogía información y las Fuerzas de Operaciones Especiales del Ejército actuaban. Ahora, el plan consistía en que la CIA y las Fuerzas Especiales trabajaran hombro con hombro. Lo cual significaba abrir mucho terreno nuevo—. No tenemos gran experiencia en ello, en realidad—admitió Myers—. Empezaremos por poco y llegaremos a más.

Iniciaron el debate acerca de las reglas de combate: instrucciones específicas que recibirían las fuerzas estadounidenses con la descripción de las circunstancias en las que podrían atacar, bombardear y disparar. ¿Cuánta libertad de acción podía darse al Ejército? ¿Qué esfuerzo deberían hacer para evitar ataques sobre no combatientes?

Al final acordaron unas reglas que limitaran los daños colaterales a un nivel bajo. El general Franks tendría que pedir permiso para atacar un objetivo con previsión de daños colaterales moderados o elevados. No obstante, la excepción era que si Bin Laden o los líderes de Al Qaeda se ponían a tiro de la CIA, disparasen sin pedir permiso. Tenet tenía esa autoridad en la nueva orden de espionaje que Bush había firmado, pero había manifestado que quería la aprobación de Franks.

Myers les recordó que les faltaban diez días para disponer de las bases necesarias para las Fuerzas Especiales.

Después, el grupo examinó la posibilidad de utilizar un portaaviones, situado cerca de Pakistán, como escalón intermedio.

—La reunión de esta tarde es muy importante—dijo Bush, refiriéndose a una reunión de Seguridad Nacional que incluiría otras—. Tendremos que preguntar: «¿Estamos haciendo todo lo posible?».

—No tenemos que dar pistas fuera de las reuniones sobre el calendario—dijo Rumsfeld. No podían producirse filtraciones sobre el momento en que comenzaría la acción militar—. Si queremos cerrar la boca—añadió—, cerrémosla ahora para no dar ninguna pista.

El presidente, en pleno revoltillo emocional, trató de hacer un resumen.

—No quiero que la política se mezcle en esto—dijo—. No quiero que los asuntos públicos conduzcan las operaciones militares. Pero aumentará la angustia en el país. Trataremos de ponerle remedio la semana que viene. Utilizaremos números sobre lo que hemos hecho en la guerra contra el terror. No vamos a precipitarnos en las operaciones militares, pero hay que presionar mucho a Tommy para que se prepare. Tenemos que hacer algo. Sabremos más de los uzbekos durante el fin de semana. Lo evaluaremos el lunes, y los objetivos tienen que conformarse con nuestros objetivos militares. Objetivos militares, de defensa aérea, de defensa propia, de Al Qaeda.

—Cuando ataquemos, habrá que asumir que algo nos salpicará—dijo Powell—, y el país volverá a preocuparse.

—Seguiremos reuniéndonos así una temporada—dijo Bush—. Es mejor que los demás retomen el ritmo normal.—Les recordó que ellos, el gabinete de guerra, todavía estaban en alerta y debían estar preparados para reunirse o actuar en cualquier momento—. Lo que hagamos en Afganistán es una parte importante de nuestro esfuerzo. Es importante ser serios, y servirá de muestra a otros países, para que sepan lo serios que somos respecto al terrorismo.—Nombró a Siria e Irán como patrocinadores del terrorismo desde hacía tiempo—. Muchos creen que Sadam está implicado—dijo—. De momento, no nos ocuparemos de eso. Si lo sorprendemos implicándose, actuaremos. Probablemente él esté detrás de todo esto, al final.

Con esas palabras, el presidente se marchó de la reunión. Rice lo acompañó hasta el Despacho Oval.

—Creo que la reunión ha sido buena de verdad—le dijo—. No estaba segura de que fuera a salir tan bien.

El presidente se rió.

—Que se pongan a trabajar—dijo—, y el lunes volveremos a tomarles la temperatura.

El presidente comentó más tarde los motivos por los que se había retirado. «Ahí está la influencia de Rice, ¿sabe? ¿Quién dice que no es poderosa? Soy una persona realista, y siempre existe un equilibrio entre forzar a las personas y forzar una operación». También dijo que en ese momento sabía que podrían empezar al cabo de una semana o diez días.

«Una de las cosas interesantes de ser presidente es que no recibes mucho correo, curiosamente. Lo único que puedo decirle es que confío en mi instinto. Sencillamente, sabía que en algún momento, el pueblo estadounidense iba a decir: "¿Dónde está? ¿Qué estás haciendo? ¿Dónde están tus dotes de mando? ¿Dónde están Estados Unidos? Eres poderoso, haz algo".—Creía que su cometido consistía en educar al público sobre el carácter de la guerra—. Supongo que eso, sumado a lo que me dice el instinto sobre la angustia, es la reacción, cuando se ve a la gente desvincularse de su comandante en jefe en Vietnam».

El antiguo piloto de cazas F-102 de la Guardia Nacional del Aire de Tejas dijo: «Lo que yo sentía es que era una guerra que nunca se había explicado bien, y que el Gobierno había dirigido hasta en el último detalle. Recuerdo que mis amigos pilotos me lo decían en el Thud Ridge—el mal reputado camino que los cazas estadounidenses tomaban para ir a Hanoi—. Solo podían volar un tiempo limitado, y el enemigo sabía cuándo se acercaban.

A última hora de la mañana el presidente se reunió con el rey Abdalá de Jordania. Jordania estaba proporcionando una cooperación fantástica en lo relativo a espionaje, y recibía millones de los fondos de la CIA para acciones encubiertas como ayuda para las redadas de sospechosos de terrorismo. Los comentarios privados de Bush al rey reflejaban la dualidad de sus impulsos.

—Nuestra nación está un poco triste todavía—le dijo el presidente al rey—, pero estamos enfadados. Hay cierto nivel de deseo de sangre, pero no permitiremos que influya en nuestra reacción. —Destacó que el Servicio de Espionaje paquistaní, el ISI, tendría que empezar enseguida a purgar a sus elementos protalibanes—. Somos constantes, pacientes y vemos con claridad—dijo Bush—, pero muy pronto tendremos que empezar a exhibir cabelleras.

A las 13:05, ampliación de la reunión del Consejo de Seguridad Nacional.

—El propósito es centrarse en lo que estamos haciendo para prepararnos para otro ataque—dijo Bush.

Ashcroft dijo:

—Estamos pensando en un sistema nacional de vigilancia de vecindario.—Los ciudadanos avisarían o informarían de conductas extrañas o sospechosas de terrorismo.

—Procure no provocar una reacción antiárabe en este país —dijo el presidente. Tres hombres árabes hablando podrían desencadenar denuncias.

—Queremos dar el mensaje de que es posible detectar a cualquiera que esté haciendo algo malo—dijo Ashcroft.

—La meta es provocar desbarajuste—dijo Tenet—. Queremos cambiar el perfil de lo que hacemos para proporcionar seguridad en puntos críticos. Echarlos fuera, frustrarles los planes, mostrar un perfil de seguridad diferente. Algo que no hayan visto hasta ahora, contra lo que no hayan podido hacer planes, con lo que no cuenten. Porque el fin es provocar desbarajuste.

El registro sistemático de personas, desde los sacerdotes hasta las señoras mayores, en los aeropuertos, por seguridad, podía dar un mensaje a los terroristas: te vistas como te vistas, por muy poco sospechoso que parezcas, nadie es inmune a un registro.

12

Los Bush habían invitado a unos amigos suyos del este de Tejas a pasar el fin de semana del 29 al 30 en la Casa Blanca. La señora Bush iba a llevarse a las mujeres al Kennedy Center y los hombres iban a jugar al póquer en la Casa Blanca. Pero las amenazas a la Casa Blanca eran muy numerosas y Bush llamó para cancelar la cita. «El presidente recibe cientos de amenazas al mes—dijo el presidente Bush más tarde—, pero se habían disparado» después del 11 de septiembre. El fin de semana con sus amigos se dejó para finales de octubre.

Tenían varias formas de enfrentarse a las amenazas, y una consistía en negarlas. El presidente dijo que su esposa jamás creaba un segundo frente en casa y nunca protestaba. «Sabía lo de las amenazas—dijo—, pero nunca hizo preguntas tales como "¿Cómo puedes quedarte aquí?" o "¿Cómo puedes pedirme que me quede aquí, con esa amenaza?"—Según el presidente, tampoco preguntó nunca "¿Por qué me has metido en este lío?"—Entiende que tiene una función que cumplir: su trabajo consiste en transmitir seguridad al pueblo estadounidense».

Sin embargo, durante mi entrevista con el presidente en Crawford, en agosto de 2002, quedó patente que la huella emocional que la guerra había dejado en los Bush era más fuerte de lo que aparentaban.

Cuando la señora Bush se unió a nosotros, avanzada ya la entrevista, el presidente se dirigió a ella y le dijo que me había contado lo siguiente:

—En ningún momento tuviste miedo, nunca me preguntaste por qué no nos marchábamos de la Casa Blanca. Nunca te preocupó.

La versión de la señora Bush difería bastante.

—Sencillamente, tenía miedo—dijo, apretándose las manos con fuerza sobre el regazo—. Era tanta la incertidumbre respecto de todo lo que sucedía, cada paso, cada uno... ¿comprende?, a partir, claro está, del 11 de septiembre y de lo que sentía la gente. Estaba preocupada, ¿comprende? Estaba segura de que habría una especie de represalia inmediatamente. Creo que era eso lo que me daba miedo. Sin duda, eso era, supongo, lo que se desprendía con mayor claridad de las amenazas, en aquellos momentos.

»Estaba nerviosa, inquieta—añadió con cautela.

—¡Ah, pues no me di cuenta en ningún momento!—dijo el presidente—. Pero creo que te prestaba atención en esos momentos—añadió riéndose.

—No quería hablar mucho de ello—replicó la señora Bush—. Me despertaba en plena noche. Sé que tú te despertabas. Quiero decir que me despertaba en plena noche y sabía que estabas despierto.

—No me acuerdo. ¿Me despertaba?—preguntó mirándola.

Ella afirmó rotundamente con un gesto de la cabeza.

—Sí—admitió el presidente.

—No le quedaba otro remedio—tercié.

—Así es—dijo el presidente—. Inmediatamente después de los ataques, pues claro, estaba emocionalmente afectado.

—¿Cuántas noches duró?

—No muchas—contestó el presidente.

Naturalmente que se despertaba por la noche. Una buena parte de Washington se despertaba al oír la Patrulla de Combate Aéreo zumbando por el cielo toda la noche con su inconfundible rugido lejano. Yo también me despertaba y no vivía en la Zona Cero. Bush se dirigió a su esposa.

—Si estabas nerviosa...

—Bueno—contestó ella—, es que a ti no te lo decía.

—Eso es cierto, no me lo decías—replicó.

—Quiero decir que no se me habría ocurrido contártelo—contestó ella, consciente de que parte de su cometido consistía en transmitir seguridad.

Los Bush tenían otra forma de enfrentarse al amenazador entorno.

—Supongo que, en cierto modo, la situación era fatalista, y si sucedía, pues sucedía—dijo la señora Bush, y el presidente añadió:

—Si algo tiene que suceder, sucederá. Por lo tanto, no hay necesidad de esconderse de los terroristas.

Aquel sábado, 29 de septiembre, el presidente y su esposa estaban en Camp David. El presidente se reunió por la mañana con el Consejo de Seguridad Nacional mediante una videoconferencia blindada.

—Tenemos que centrarnos en las amenazas exteriores—dijo Tenet, una vez iniciada la reunión. La nación estadounidense no era el único objetivo de Al Qaeda. Querían atacar bases militares y embajadas en el extranjero. Había cientos de objetivos importantes y Estados Unidos tenía que cerrarlos.

Powell dijo:

—Tenemos la resolución de las Naciones Unidas. Eso es positivo.—El Consejo de Seguridad de Naciones Unidas había aprobado la resolución propuesta por Estados Unidos según la cual todos los países miembros debían cortar los vínculos financieros, políticos y militares con los grupos terroristas y congelar sus activos. Dijo que los españoles estaban dispuestos a enviar tropas, y algunas naciones africanas estaban de acuerdo en tomar medidas.

Dijo también que Jesse Jackson, el líder negro y eterno candidato a la presidencia, que había participado en negociaciones de rehenes y de paz con Siria, Kuwait y Yugoslavia, había anunciado que no iría a Afganistán, lo cual era un alivio habida cuenta lo que pensaban hacer allí.

Powell seguía trabajando con Uzbekistán, pero ofreciera lo que ofreciese, siempre lo rechazaban por insuficiente, estaba fuera de alcance. Los uzbekos querían, para comenzar, su ingreso inmediato en la OTAN, cosa que Estados Unidos no podía ofrecer y era un tema muy delicado respecto a Rusia como mínimo. Tal como Powell lo expuso, los uzbekos querían un tratado bilateral de defensa mutua, *amor*, cooperación y apoyo económico. Querían pruebas de que el *amor* sería permanente, una especie de declaración de «¿Estarás aquí mañana?». Estaba redactando un borrador.

Powell negociaría con el ministro uzbeko de Asuntos Exteriores y con el Ejército, y después el asunto pasaría a Karimov, quien lo rechazaría aunque solo fuera por demostrar que él era el único que tomaba decisiones.

¿Por qué iban a decir amén los uzbekos? Tenían malas relaciones con los rusos y su actitud parecía ser «cualquier cosa menos los rusos», aunque al mismo tiempo parecían temerosos de distanciarse de Rusia. Querían derecho a poderse jactar de ser amigos permanentes de Estados Unidos. Estados Unidos era rico y los uzbekos querían, por ejemplo, cincuenta millones de dólares en préstamos del Banco de Importación y Exportación de Estados Unidos. Por último, tenían su propia rebelión fundamentalista en el Movimiento Islámico de Uzbekistán, que quería expulsar a Karimov. Dicho movimiento tenía un paraíso operativo en Afganistán, de modo que Karimov estaría encantado de que derrocaran a los talibanes. Powell dijo que, aunque el baile continuaría, en ese momento los uzbekos estaban de acuerdo con la Búsqueda y Rescate en Combate.

El secretario de Estado dijo que en Pakistán, su otra gran preocupación, «Musharraf tiene la situación controlada». Las protestas contra Estados Unidos habían movilizado a menos gente de lo que se esperaba, pero el «Día de la Solidaridad», declarado por el Gobierno y destinado a impulsar los sentimientos nacionalistas, también había atraído a poca gente.

Había una gran preocupación por la embajada de Estados Unidos en Indonesia, se temía una reacción violenta ante cualquier acción militar en Afganistán.

Hadley dijo:

—Superamos el aniversario de la segunda Intifada, pero no fue bonito.—Habían muerto seis palestinos, más docenas de heridos, durante las protestas del fin de semana dedicado al aniversario del último capítulo del conflicto palestino-israelí.

—Tenemos que identificar lo que el Pentágono quiere de cada país—dijo Powell. Rumsfeld había insistido en tomar parte o aprobar todos los debates con el Departamento de Estado sobre esos temas.

—¿Cómo advertir a los estadounidenses de que no vayan a Afganistán en estos momentos?—preguntó Bush.

—Los avisos ya están publicados—dijo Powell.

Rumsfeld informó de la llegada de un equipo a Uzbekistán para evaluar los campos de aviación.

—Las unidades de Búsqueda y Rescate en Combate está bien en el sur. No podemos utilizar Fuerzas Especiales en el norte. Vamos a desarrollar esa idea en el sur más ampliamente.

—Es posible que tengamos ocasión de hacerlo más tarde en el norte—intervino Powell.

—Forcémoslo—les dijo Bush. Estaba decepcionado. El plan de ataque parecía «clintonesco»—. No nos demos por vencidos en la cuestión del norte, desarrollemos una opción para las Fuerzas Especiales en el norte. ¡No nos demos por vencidos!

Rumsfeld tenía noticias terribles:

—La lista de objetivos no puede imponer grandes daños a la gente sobre la que queremos imponerla.

Dijo que gran parte de los objetivos eran del Ejército talibán: radares de detección temprana, campos de aviación, sus pocos aviones. Iban a atacar los campos de Al Qaeda, prácticamente vacíos. De los cientos de objetivos, cincuenta o sesenta podían contener diversas dianas en un solo campo, como el gran complejo de granjas de Tanark, al sur de Kandahar. Eran objetivos estratégicos.

—Todavía tenemos trabajo que hacer respecto a los objetivos. Podríamos poner de relieve que nuestra primera acción consiste en reunir una gran cantidad de información y enviar ayuda humanitaria—dijo Rumsfeld. Le preocupaba que se inflasen las expectativas. Pero enseguida se corrigió a sí mismo: «Queremos evitar que se discuta sobre nuestra acción militar». Quizás el silencio fuera lo mejor.

El general Myers insistió en lo mismo. Durante la guerra fría e incluso la Guerra del Golfo de 1991, el Ejército había orientado los ataques hacia objetivos fijos, como centros de comunicaciones, estaciones de radar de detección temprana, comandancias y puestos de control, activos del Ejército tales como aviones, tanques, almacenes de provisiones y armas, e incluso la infraestructura económica, como plantas energéticas y puentes.

—Tenemos un ejército muy poderoso contra objetivos fijos. Pero no tanto contra objetivos móviles. No vamos a derrocar el régimen con esta lista de objetivos—dijo.

Rice pensaba que era cierto que no iban a derrocar el régimen sin tropas terrestres. Ahí estaba el verdadero problema, pero estaba segura de que encontrarían la forma de hacerlo.

Dieciocho días después del 11 de septiembre, se estaba preparando la respuesta, la acción, pero no la estrategia. Era la peor pesadilla de Powell: bombardear y mantener la esperanza. El recuerdo de Vietnam estaba en el aire.

—Tenemos que cumplir nuestras expectativas—dijo el presidente—. Tenemos que pensarlo hasta el lunes. Tenemos que ponernos en situación de definir el éxito después de la primera tanda de acciones.—No podían parecer débiles.

—Es posible que podamos hacerlo mañana, en los debates de televisión—dijo Rumsfeld.

—Tenemos que hacerlo—insistió Bush—. Forma parte de la credibilidad de nuestro esfuerzo general. Esto no lo vamos a ganar mediante una guerra convencional, se trata de una guerra de guerrillas.

Ahí radicaba el problema. Estados Unidos nunca se había puesto en la tesitura de ganar una guerra de guerrillas. La discusión se centraba casi exclusivamente en los bombardeos aéreos. Había un equipo de diez hombres de la CIA sobre el terreno, el equipo Rompemandíbulas, y ninguna perspectiva de situar allí Fuerzas Especiales en breve.

Myers habló de algunas cosas que funcionaban.

—La Agencia para el Desarrollo Internacional está coordinando la ayuda humanitaria con Franks. Tenemos preparadas unidades PCA y SCYAA.—Se habían desplegado aparatos de Patrulla en Combate Aéreo y Sistemas de Control y Aviso Aéreo para reconocimiento y posible interceptación—. Nuestros representantes tienen que imponer país a país lo que necesitamos de cada uno.

El presidente dijo que, puesto que los africanos querían cooperar, «quizá deberíamos pedirles que nos ayuden a defender nuestras embajadas».

La relevancia que concedían a un tema tan secundario revelaba lo lejos que se encontraban de resolver los principales.

Andy Card y Bush mantenían conversaciones privadas con regularidad sobre el progreso de los planes de guerra.

—Su interés por la táctica raya un poco en lo excesivo—bromeó Card al respecto. Bush parecía mostrar demasiado interés en saber qué clase de aviones hacía cada cosa, si las Fuerzas Especiales podrían entrar en el norte, etcétera—. Son cuestiones interesantes pero la misión no es ésa—le advirtió Card.

Era solo diez meses más joven que Bush, y ambos conocían la historia de los años sesenta y setenta: Vietnam. Ambos tenían, más o menos, la misma experiencia.

—No sea un general, sea un presidente—le dijo Card.

Bush dijo que sí, que era muy tenue la frontera entre dirigir el combate hasta el último detalle y definir las grandes metas. Pero que había muchas cosas que dependían de cuestiones menores.

—Usted tiene que ganar—dijo Card—, pero tiene que permitir que ganen los generales. Si pone trabas a los generales, el impacto de su capacidad para ganar la guerra...

Bush prometió que no, que eso no lo haría.

—No voy a ser general.

Sin embargo, Card vio que era un acto de equilibrio. El presidente tenía que familiarizarse lo suficiente con los detalles, sumergirse lo suficiente en la táctica de modo que en público nunca pareciese ignorante. Eso sería un auténtico desastre. Al mismo tiempo, tanto Bush como Card tenían que evitar implicarse en exceso en los pormenores de la táctica militar.

La plana mayor se reunió el domingo 30 de septiembre sin el presidente.

Tras una breve discusión sobre la resolución de la OTAN relativa al Artículo 5, según la cual los ataques contra Estados Unidos del 11 de septiembre eran un ataque contra todos los países de la OTAN, Rumsfeld retomó la cuestión del libro blanco. Powell había dejado caer la idea hacía tres días, al decir en la National Public Radio: «Se publicará la información».

—Creo que es un mal precedente tener que dar argumentos en público—dijo Rumsfeld—, porque es posible que nosotros no contemos con información suficiente cuando nos toque, y eso desequilibraría la posibilidad de adelantarnos a las amenazas que puedan acecharnos.—Adelantarse iba a ser necesario, y seguramente antes mejor que después. Fue una de las primeras ocasiones en que se habló de una idea cuya importancia aumentaría en el transcurso del año.

Rumsfeld siguió con el libro blanco. Uno de sus argumentos predilectos era que los primeros informes siempre eran erróneos.

—Si utilizamos el libro tenemos que limpiarlo de todo exceso de verborrea. Si se publica, no debería hacerlo el presidente ni el secretario de Estado. Hay que pasaportarlo—añadió con desdén—a algún rincón del FBI o la CIA, tratarlo como un primer informe, con un titular que inste a la precaución. ¿Es que tendremos que exponer los argumentos cada vez?

—No es un precedente tan grande—replicó Powell—. Hay muchas pruebas, y la mayoría objetivas. Inicialmente se puede decir que es preliminar. Algunos de nuestros aliados más próximos nos han pedido información de esa clase. Llevamos un tiempo trabajando en ello, no es un trabajo que se pueda hacer a toda prisa. —Conciliatoriamente, Powell añadió—: Todo lo que usted ha apuntado es aceptable. Tenemos que ser capaces de hacerlo. Los aliados están esperándolo, da relevancia a nuestro caso y será en beneficio nuestro.

Rumsfeld y Powell se pasaban la pelota el uno al otro como no lo habrían hecho en presencia de Bush. La verdadera preocupación de Rumsfeld era que la publicación de un libro blanco desencadenara una reacción negativa: que los entendidos y los expertos en política exterior declarasen que los argumentos no eran convincentes. En tal caso, ¿qué harían? ¿Suspender el ataque?

—Es en gran medida un caso histórico—dijo Rice—. Está perfectamente establecido en lo sucedido en las acciones llevadas a cabo por Al Qaeda con anterioridad. Incluso hubo acusados, así como escritos de acusación de particulares. Todo eso no me preocupa tanto.

Rumsfeld preguntó, impertérrito:

—¿Por qué no recurrimos al informe utilizado por Paul Wolfowitz?—Su segundo había ido a Europa a informar a los ministros de Defensa de la OTAN de unas pruebas que apuntaban a Bin Laden.

—El informe de Paul fue parte del problema—dijo Powell—. No daba suficientes pormenores.

—Mire—dijo Card—, añada una advertencia al principio que diga que no creemos que realmente sea necesario hacerlo. Servirá para contrarrestar el precedente.

—Mándelo a mi canal—dijo Tenet—. La gente necesita saber más detalles.

Myers informó de que la búsqueda y rescate en Uzbekistán llevaría más de los cuatros días previstos en principio. El equipo de valoración estimaba que conforme la pista de aterrizaje solo podría acoger aviones de transporte C-17, más manejables, y no los enormes C-5. En esos momentos, el campo de aviación solo podía permitirse un C-17 cada vez, lo cual aumentaba las estimaciones de la puesta a punto de la Búsqueda y Recate en Combate hasta doce días. Situar la base fuera de Tayikistán, por encima del noreste de Afganistán, era una alternativa, pero también presentaba problemas: habría que sobrevolar altas montañas para entrar en Afganistán. Los soviéticos habían perdido mucha fuerza por descender por esa ruta.

—Me preocupa tener que acceder a Tayikistán a través de Rusia—dijo Rumsfeld.

—No es eso lo que estamos haciendo—replicó Rice—. A mí no me preocupa tanto. Lo único que necesitamos de los rusos es que acepten, y han dicho que aceptarán. Negociaremos con ellos directamente.—No podían consentir que la estrategia del norte se viniera abajo, porque en el sur no tenían estrategia. La cosa era estrategia en el norte o nada.

—Tayikistán ha ofrecido cuanto necesitemos, y no han pedido nada a cambio—dijo Myers. El Mando Central de Franks iba a enviar un equipo de enlace para hablar con Rusia de la Búsqueda y Rescate en Combate—. Van mañana y hablarán con ellos—dijo Myers—. Contamos con pequeños contingentes de soldados estadounidenses para ir con la CIA y con la Alianza del Norte. No tenemos ninguna capacidad para efectuar operaciones especiales en el norte en este momento, aunque consigamos autorización para situar a las Fuerzas Especiales en el norte. Naturalmente, no podemos iniciar nada hasta que la Búsqueda y Rescate en Combate esté preparada, de modo que hablemos de situarla convenientemente.

—No será hasta mediados de mes—dijo Rumsfeld; dos semanas por lo menos.

—¿Por qué necesitamos la Búsqueda y Rescate en combate? —preguntó Powell.

—Para los bombarderos y los TAC aéreos—contestó Myers, en referencia tanto a los aparatos tácticos de bombardeo en vuelo alto como a los de vuelo bajo.

Rice creía que en verdad había pocas formas de cometer un error grave en la operación. Que capturasen a un piloto era una de ellas. No sería solo como los rehenes de Carter en Irán o los de Reagan en Líbano; si Bin Laden o Al Qaeda tomaban rehenes, cambiarían las condiciones del debate, les daría una importancia inmensa.

Rumsfeld estaba insatisfecho con los objetivos.

—Para lo que valen esos objetivos—dijo—, yo no iría sin Búsqueda y Rescate en Combate.—Perder a un piloto por esos objetivos de cabañas de barro y escaso valor militar no tenía sentido. Por un objetivo que tuviera auténtico valor, sí, es posible que considerase la posibilidad de asumir el riesgo. Pero así no.

—La Búsqueda y Rescate en Combate puede retrasar las operaciones aéreas doce días si no encontramos la forma de acelerarla—dijo Rice. Sabía que al presidente le parecería inaceptable.

—Estamos sopesando la posibilidad de trabajar en el envío de aviones a Uzbekistán durante veinticuatro horas al día. También estamos tanteando Dushanbé [la capital de Tayikistán], aunque es incómodo—dijo Myers.

—¿Y qué hay del sur?—preguntó Rice.

—La Búsqueda y Rescate en Combate está bien—dijo Myers—. Va a salir de Omán, sea por aire sea de guardia. También estamos buscando un puesto avanzado donde repostar, sobre Pakistán. Queremos ser discretos—y añadió entonces lo que todos querían oír—. Lo resolveremos.

—¿Para cuándo estará preparada para actuar?—preguntó Rice. El presidente quería atacar al cabo de seis días: el sábado.

Myers dijo que los ataques del sábado no se alterarían por eso. Pero significaba llevar a cabo operaciones aéreas solo en el sur, sin Fuerzas Especiales ni en el norte ni en el sur. Eso era solo un cuarto de hogaza. Dijo que iban a trasladar el portaaviones estadounidense Kitty Hawk, no con su habitual dotación de aeronaves de ataque, sino con Fuerzas de Operaciones Especiales a bordo para tomar posiciones en la costa de Pakistán.

—Eso nos proporcionará cierta capacidad de maniobra—dijo Myers, en referencia a las Fuerzas Especiales en el sur.

El Kitty Hawk se encontraba en Japón. Powell, quien sabía cuánto tiempo se necesitaba para mover un portaaviones, sacó a Myers la información de que no estaría situado hasta el 11 de octubre, casi dos semanas más tarde.

Rice volvió al tema de los aliados que pedían participar. Para la guerra, era esencial contar con el máximo posible de aliados dotados de fuerzas militares. La coalición tenía que tener verdadero poder. No quería dejarlos a todos compuestos y sin lugar a donde ir.

—Los australianos, los franceses, los canadienses, los alemanes, todos quieren ayudarnos—dijo—. Están dispuestos a lo que sea por ayudar. Los australianos tienen Fuerzas Especiales en Tampa —el cuartel general de Franks—. Deberíamos intentar utilizarlos.

—Preparemos un documento al respecto—dijo Rumsfeld para marear la perdiz.

Powell sonrió a Rice como diciendo:

—¿Ves con lo que tengo que lidiar?

Rumsfeld se repuso.

—Queremos incluirlos, si ello es posible.

Pero Rumsfeld no quería incluir otras fuerzas por quedar bien. Un batallón alemán o una fragata francesa podrían interferir en sus operaciones. La coalición tenía que encajar bien en el conflicto, no al contrario. No podían inventarse papeles. Quizá no necesitaran una fragata francesa.

Tenet habló de Alemania. Estaba claro que la trama del 11 de septiembre, al menos algunos aspectos de la misma, se habían urdido en células de Hamburgo, entre las que se contaba la del secuestrador aéreo Mohamed Atta.

—Lo mejor que pueden hacer los alemanes es organizarse con sus propios problemas de terrorismo interno y los grupos que sabemos que están allí—dijo. Le preocupaba que hubiera otras tramas urdiéndose en Alemania.

En respuesta a Rice y haciendo gala de mayor comprensión, Myers dijo:

—Redactaremos un documento sobre lo que planeamos pedirle a cada uno. Vamos a prepararlo procurando mantener la amplitud de miras. Comprendemos que se trata de un asunto político.

A Card no le cuadraban las cuentas.

—Por lo que oigo aquí, deduzco con preocupación que el calendario está lejos de lo que espera el presidente—dijo.

—Lo sé—dijo el general Myers.

—Tenemos que explicarle al presidente que habrá que esperar entre ocho y diez días para iniciar las operaciones aéreas en el norte—dijo Rice. ¿Tendría sentido atacar solo en el sur?

—Podríamos bombardear el martes sin Búsqueda y Rescate en Combate—dijo Powell—. ¿Cuándo estará lista la búsqueda y rescate?

Myers dijo que tenían la intención de estar dispuestos el jueves y, por lo tanto, que podrían bombardear el norte el sábado, seis de octubre. Faltaban 6 días para entonces, mejor que las diversas estimaciones de Rice.

Rice dijo que el presidente tendría que comprender que si empezaban a moverse en el sur, se produciría un gran lapso de tiempo hasta poder empezar a bombardear en el norte.

—Necesitamos un poco de claridad.

Hadley preguntó si querían mandar una delegación importante a los uzbekos.

—Ahora no—dijo Powell. Si la cuestión era situar Fuerzas Especiales en la zona, tenían que esperar.—No podemos realizar operaciones de Fuerzas Especiales fuera de Uzbekistán hasta que tengamos la Búsqueda y Rescate en Combate en su puesto. Tan pronto como la tengamos, pasaremos a considerar realmente la situación en general. No carguemos las tintas ahora.

—Consideremos nuevamente Tayikistán, porque quizá sea la única forma de hacerlo posible—dijo Rice—. Tal vez al final del día no podamos confiar en los uzbekos.—No estaba claro ni mucho menos que los uzbekos fueran a permitir que las operaciones de las Fuerzas Especiales partieran de su territorio. Una cosa era permitir la búsqueda y rescate, y otra autorizar Fuerzas de Operaciones Especiales, operaciones netamente ofensivas.

Rice pensó en sus tiempos de rectora en la Universidad de Stanford, cuando el Cuerpo de Ingenieros del Ejército celebró una sesión informativa sobre preparación para terremotos. El informador había dicho que, durante un desastre, lo primero que había que hacer era determinar «las condiciones de habilitación», el factor del que más dependía el avance. Quizá fuera despejar las carreteras, o quizá proporcionar asistencia médica. Pues bien, la plana mayor había estimado por fin que sus «condiciones de habilitación» se centraban en Uzbekistán. Sin ese país, no habría bombardeo en el norte. Bombardear en el sur, donde no había fuerzas de tierra significativas de oposición a los talibanes no tenía sentido.

Powell intentó resumir. Fue una declaración notable, que se centraba en su propio cometido y denigraba al Ejército, intencionadamente o no.

—La fase 1 es la diplomacia.

»La fase 2A es colocar a Tenet en el terreno, equipos paramilitares de la CIA.

»La fase 2B son algunas operaciones militares. Es posible que tengamos que hacerlas sin Búsqueda y Rescate en Combate. Apuntar a objetivos que no nos compliquen las cosas con los árabes ni con los europeos. Háganlo en el sur, ayudará a que George consiga algunas cosas.

»La fase 3, hacer un audible—quería decir cambiar las señales en el último segundo como un *quarterback* en la línea de contacto—. Ir a por objetivos de oportunidad. Y es posible que las Fuerzas Especiales no entren en el lugar hasta al cabo de un tiempo. Ahí estamos, no hay más.

En los análisis de Powell, las operaciones militares no eran más que una parte de las tres fases—la 2B—, y había que diseñarlas de tal modo que evitaran problemas diplomáticos con los árabes y con los europeos.

Rumsfeld podía haber estallado, pero no dijo nada.

Tanto si el resto estaba de acuerdo con Powell como si no, lo que había dicho no carecía de realismo. A Hadley, el proceso le parecía lleno de improvisación, «Ven con lo puesto». Iban determinándolo al tiempo que se avanzaba.

Tenet dijo:

—Hay que evitar que parezca una invasión de Estados Unidos. Ese mensaje es más importante incluso en el sur, para conseguir que los pastunes se levanten. Los del norte se están preparando... están recibiendo mucho dinero.—Conocía la importancia crítica del dinero.

—¿Tenemos armas suficientes en el norte?—preguntó Rice.

—Hemos recibido una valoración desde el terreno—contestó Tenet—. Tenemos que mirarla.

—¿Cómo afrontaremos las acciones de Al Qaeda? Tenemos que pensar en lo no convencional, en cómo responderán a nuestras acciones—dijo Card.

Ninguno de ellos tenía la menor idea, en realidad, ni convencional ni no convencional. No estaban preparados para lo que había tenido lugar el 11 de septiembre y se asomaban con incertidumbre al camino por recorrer.

Rice dijo que el presidente necesitaba más información. También estaba indeciso, como ellos.

—¿Cómo van a ser las primeras 24, 48 y 72 horas de esta operación? Tenemos que volver a hablar de ello con el presidente. Este grupo tiene que ser informado al respecto.—Había que informar del plan militar. Pero antes, tenían que imaginarse en qué iba a consistir.

Después de la reunión, Rice habló con Powell.

Le preguntó, con una sonrisa, si obtener la asistencia de los aliados, de lo cual se estaba encargando ella, no era competencia del secretario de Estado.

Powell se rió.

Rice informó al presidente de que «nos vamos acercando, pero todavía no hemos llegado».

El presidente le preguntó cuál era el problema.

Ella se lo resumió centrándose sobre todo en la cuestión de la Búsqueda y Rescate en Combate. «Quizá convenga forzarlo un poco el lunes».

Rice comprendía a Rumsfeld y el Pentágono. Les había tocado un hueso duro de roer. El Ejército no podía presentarse así como así y empezar a bombardear. Necesitaban bases. Después del 11 de septiembre, todos los países necesarios les habían concedido autorización para sobrevolar el espacio aéreo. Ésa era la parte fácil. Pero a la hora de pedir permiso para situar comandos de elite de las Fuerzas de Operaciones Especiales en los territorios, la cosa se ponía ardua. Además, no había objetivos importantes, y, para un presidente dispuesto a que los bombardeos fueran algo más que un simple espectáculo, la situación era un callejón sin salida. El Pentágono no podía prever cómo serían las primeras veinticuatro o cuarenta y ocho horas hasta tener en la mano la autorización para instalar bases. Rice pensaba que el asunto no solo parecía terrible, sino que lo era.

13

En la esquina nororiental de Afganistán, Gary, el jefe del equipo de la CIA, mandó a varios hombres a la región de Takar, el frente entre la Alianza del Norte y las fuerzas talibanes. Se fueron al norte, a unos cien kilómetros al este de Konduz. Encontraron a los contingentes de la Alianza del Norte bien disciplinados, con ropa y armas limpias. Pero llevaban los fusiles con el seguro puesto, señal de que no se trataba de una zona en pleno combate. Las tropas formaban y realizaban ejercicios. Había estructura de mando, pero no había suficientes soldados ni armamento pesado para enfrentarse a los talibanes, ocultos bajo tierra en el lado opuesto. La situación militar era estática, como en la guerra de trincheras de la Primera Guerra Mundial.

Gary sabía que en la central de la CIA creían que los talibanes serían un enemigo tenaz, y que cualquier ataque de Estados Unidos movilizaría a los simpatizantes en Afganistán y en la zona, sobre todo en Pakistán. Se concentrarían en torno al *mulá* Omar.

Pero él no lo veía de la misma forma. Creía que un fuerte bombardeo sobre las líneas talibanes—«material de primera», como decía él—provocaría el quebrantamiento del movimiento y el panorama cambiaría. El 1 de octubre mandó a la central una valoración SECRETA.

—En este caso—decía—el hundimiento de los talibanes sería rápido, el enemigo quedaría reducido a un pequeño grupo nucleico de partidarios del *mulá* Omar durante los primeros días o semanas de una campaña militar.

—¡Sandeces!—casi se oyó decir a través de las paredes de la Dirección de Operaciones cuando los expertos y los veteranos manifestaron sus discrepancias abiertamente. Sin embargo, Tenet llevó el telegrama a Bush.

—Quiero más como esto—dijo el presidente.

A las 9:30 del lunes 1 de octubre, Bush se reunió con el Consejo de Seguridad Nacional.

Tenet informó de que el equipo Rompemandíbulas se encontraba sobre el terreno con la Alianza del Norte y esperaba contar con un segundo equipo en breve. «En el sur no van bien, no están progresando tanto». El sur seguía estando a una distancia insalvable. La estrategia afgana seguía en el limbo.

Era el primer día que el general Myers actuaba de jefe del Estado Mayor Conjunto. Ofreció un informe detallado sobre el estado del campo de aviación de Uzbekistán.

—Se pueden efectuar cinco vuelos diarios, solo a la luz del día, solo con aparatos C-17. Creen que podrían dar cabida a dos aparatos a la vez, pero no pueden acoger a los C-5. Tardaremos doce días en estar completamente preparados en Uzbekistán. Serían seis u ocho días si pudiéramos operar durante doce horas al día. Y llegaríamos más lejos si fueran veinticuatro. Estamos llevando a cabo un despliegue de personal para que sea las veinticuatro horas del día. Necesitamos 67 vuelos para contar con vuelos suficientes que completen la dotación necesaria de Búsqueda y Rescate en Combate.

Se necesitarían 67 envíos de C-17 para transportar al personal, el equipo y los helicópteros, y disponer completamente la búsqueda y rescate.

—Es decir, ¿eso retrasaría las operaciones especiales?—preguntó el presidente.

Efectivamente, y retrasaría el bombardeo en el norte porque no dispondrían de búsqueda y rescate.

—En el sur estamos preparados para atacar con bombarderos y misiles de crucero—dijo Myers—. Llevaremos a cabo operaciones especiales más adelante, este mismo mes. Como base de operaciones, emplearemos los portaaviones a modo de «hoja de nenúfar», pero necesitamos una base en Omán para cargar el portaaviones.

Las maniobras británicas en Omán todavía no permitían el establecimiento de la base estadounidense. Powell dijo que procuraría acelerar los trámites en Omán. Quizá los británicos estuvieran dispuestos a acortar las maniobras y permitirles entrar antes.

El presidente dijo que hablaría con Tony Blair.

—Pero aunque logremos quitar de en medio las maniobras británicas, todavía nos falta el consentimiento de Omán—advirtió Powell. Ese detalle no suponía un gran obstáculo, puesto que el Ejército norteamericano había llevado a cabo actividades desde Omán durante más de dos décadas, desde el intento fallido de rescatar a los rehenes en Irán, en 1980. Pero cada paso de más requería un tiempo precioso.

—Miren—dijo Bush—, tenemos que buscar otras soluciones para hacerlo. ¿No podemos cargar un portaaviones de Fuerzas de Operaciones Especiales en otro lugar? ¿Por qué tiene que ser en Omán?

—Lo estudiaremos—prometió Myers.

—¿Su gente cree que es necesario ejecutar alguna acción militar en estos momentos?—preguntó Bush a Tenet.

—Sí. Podemos trabajar en el sur, dirigir hacia el norte a los B-52; sería un complemento para la guerra de guerrillas.

—Lo revisaremos todos los días—dijo el presidente—. Creo que nos hace falta algo para el fin de semana o poco después. Los objetivos del norte podrían ser la segunda fase.—Discutieron sobre cuánto podrían adentrarse los bombarderos en el norte de Afganistán sin el apoyo de la Búsqueda y Rescate en Combate. La respuesta fue que algunos objetivos quedarían sin cubrir.

—No es perfecto—dijo—, pero ya es hora de ponerse en movimiento. ¿Vamos a hablar con Tommy hoy?

Rice dijo que el general Franks llegaría el miércoles por la tarde.

—Será el miércoles, por vídeo—le corrigió Rumsfeld.

«En la guerra es imposible hacerlo todo a la perfección—recordó el presidente más tarde—, y, por lo tanto, procuramos acercarnos a la perfección cuanto sea posible.—Pensaba que tenían que haber empezado a bombardear ya—. Por lo que a mí respecta, el momento había llegado. Estaba completamente preparado para anunciar a la nación mediante el lenguaje corporal y de palabra, si fuera necesario, que nuestras tropas estarían tan protegidas como era posible, pero que había llegado el momento de pasar a la acción contra el enemigo».

Aquella tarde, Tenet mandó al Pentágono a Hank, su jefe de operaciones especiales antiterroristas, a reunirse con Rumsfeld, Wolfowitz y Myers. El jefe de base de Tenet en Islamabad, Bob, también estaría presente a través del circuito blindado de vídeo.

Bob dijo que esperaba que el impacto de los bombardeos y el temor a los mismos hicieran que los talibanes moderados abrieran negociaciones. Un alto en la ofensiva sería deseable entonces para tales negociaciones. Le preocupaba la guerra civil entre el norte y el sur. Bombardear intensamente en el norte posibilitaría que la Alianza del Norte, el general Fahim y los demás, los autóctonos de Tayikistán y Uzbekistán, realizaran grandes progresos. En el sur, los pastunes lo considerarían desfavorablemente. En última instancia, los pastunes considerarían el progreso en el norte como un ataque contra ellos. De la misma forma, un alto en el bombardeo daría tiempo a las tribus pastunes del sur a hacerse fuertes sobre el terreno.

Rumsfeld dijo que, por lo que a él se refería, no habría ningún alto en los bombardeos... y menos aún para dar paso a cierta clase de negociaciones. Tiempo. Altos en los bombardeos olían a Vietnam. Ni hablar.

«¿Tienes algo que hacer hoy?», le preguntó Rumsfeld a la portavoz del Pentágono, Torie Clarke, cuando la llamó por teléfono a su casa hacia las seis, el martes 2 de octubre. Ese mismo día, más tarde, dijo él, ellos, ella incluida, viajarían a Oriente Próximo y al sur de Asia y visitarían Arabia Saudí, Omán, Uzbekistán, Emiratos Árabes Unidos, Bahrein y Qatar. Volverían el viernes por la noche o el sábado por la mañana.

Esa mañana, en la reunión del Consejo de Seguridad Nacional, Rumsfeld dijo:

—Quiero dar el último informe a las 14:30 de hoy, y luego, cerraremos la boca.—Lo decía literalmente. Se daba por hecho que nadie más diría nada públicamente—. ¿La Búsqueda y Rescate en Combate estará preparada en el sur?

—Estará preparada—contestó Myers.

Rumsfeld dijo que tenían una solución para bombardear el norte.

—Podemos atacar objetivos en el norte sin el apoyo de Búsqueda y Rescate en Combate, con B-2 y misiles de crucero.—Los B-2 son bombarderos Stealth que los radares talibanes no podían localizar, de modo que no serían atacados. Los pilotos y las tripulaciones solo correrían peligro si los aparatos sufrían un accidente o una avería... riesgo que estaba dispuesto a aceptar. Los misiles de crucero, sin tripulación, no presentaban problemas.

—Es ir a por ello sin el arma óptima—dijo—, pero si lo hacemos, cubriremos todos los objetivos en los primeros cinco días.

Las armas óptimas habrían sido los bombarderos tácticos, porque volaban más bajo y podían avistar objetivos directamente. Sin los identificadores láser de objetivos de las Fuerzas Especiales sobre el terreno, los bombarderos de vuelo alto podían ser una desventaja.

El plan nunca se había parecido tanto a como lo habría hecho Clinton: seguro, menos que óptimo, un compromiso. Nadie lo dijo, pero cundió cierta insatisfacción.

—Utilizaremos los misiles de crucero TAC Air B-1, B-2 y B-52 en el sur—dijo Rumsfeld, y, solo para aclarar las cosas, añadió—: Llegaremos a todos los objetivos con las armas adecuadas en el sur. En el norte, llegaremos a los objetivos pero sin las armas adecuadas.

»En el norte no podremos emplear Fuerzas Especiales. En el sur, hay un interrogante sobre las operaciones especiales. El tema depende de Omán, y tenemos que resolverlo.

Al presidente le gustaba la idea de utilizar el Kitty Hawk como plataforma para operaciones especiales.

—Psicológicamente, demuestra que es otra clase de guerra, y por tanto haremos las cosas de otra manera.

—Desde el momento en que Omán dé luz verde para las operaciones especiales—les dijo Rumsfeld—, todavía necesitaremos diez días. Pero ya saben que los objetivos no son tan impresionantes como para necesitar fuerzas especiales en este momento. De todos modos, es una pena que no podamos llevar a término operaciones especiales al mismo tiempo que las aéreas.

Pensaba mantener los pormenores de las operaciones tan en secreto que la prensa y el público no tuvieran que llegar a saber lo que era menos que óptimo, no adecuado e incluso desafortunado.

Tenet dijo que la CIA estaba desplegándose en el norte y buscando vías de entrada en el sur.

—Hemos enviado Fuerzas Especiales desde el norte, llegarán hoy. Estamos buscando formas de entrar en el sur —dijo Rumsfeld. Sus equipos de Fuerzas Especiales estaban en zonas de maniobras fuera de Afganistán, no en el país, todavía. Era una constante fuente de frustración.

—Los primeros objetivos serán la defensa aérea y algunos objetivos y campos militares. Después de los dos primeros días, esperamos que surjan algunos objetivos más. El primer día se lanzará la ayuda humanitaria, toda en el sur, con aparatos C-17, desde una altura de 5.400 metros.—Así estarían fuera del alcance de las defensas antiaéreas talibanes que hubieran sobrevivido al primer ataque, aunque seguía habiendo cierta preocupación por la posibilidad de que derribaran un avión.

El presidente, centrado como siempre en el componente de relaciones públicas, pidió al Departamento de Defensa que trabajase con Hughes en los «temas» que se harían públicos en el anuncio de la acción militar.

Rumsfeld cursó una orden de ALTO SECRETO de quince páginas ese mismo día a los jefes de servicio, comandantes en combate y subsecretarios: «Campaña Antiterrorista: Guía Estratégica para el Departamento de Defensa de Estados Unidos».

Aunque en los demás departamentos se hablara mucho de lo que quería el presidente, él tenía la intención de que en el suyo no se dijera palabra. La guía, que tenía categoría de orden, afirmaba que el presidente había decretado una guerra global contra el terrorismo, lo cual significaba exactamente eso, no solo contra Al Qaeda o Afganistán. En un apartado sobre los «medios», Rumsfeld decía que «todas las herramientas de poder nacional» serían utilizadas en la guerra contra el terrorismo global. El departamento tendría que prever múltiples acciones militares en múltiples terrenos.

El centro de atención eran las organizaciones terroristas, los Estados patrocinadores del terrorismo y los patrocinadores no estatales, entre ellos las organizaciones financieras del terrorismo. Otro centro de atención importante eran las armas de destrucción masiva. Especificaba que el departamento se fijaría como objetivos «organizaciones, estados que cobijaran, patrocinaran, financiaran, sancionaran o ayudaran de cualquier otra forma a esas organizaciones o a sus partidarios estatales a adquirir o fabricar armas de destrucción masiva».

Armitage, segundo de Powell, no tenía interés en aparecer en los debates televisivos. Cuando la Casa Blanca le llamó a principios de semana y le pidió que cubriera los turnos, rechazó la oferta cívicamente. Pero le presionaron.

La Casa Blanca quería contrarrestar las acusaciones de que Estados Unidos no conseguía todo lo que quería de Arabia Saudí y de Pakistán debido a las presiones políticas de dichos países.

Armitage fue a ver a Powell y le transmitió el requerimiento de la Casa Blanca.

—Mire, no es mi cometido—le dijo a su jefe.

—No, estoy otra vez en hibernación—contestó Powell. Quizá porque estaba forzando la publicación de un libro blanco con las pruebas acumuladas contra Bin Laden—. Tenemos que sacar la historia adelante, así que vaya y hágalo—le dijo a Armitage.

El 3 de octubre, Armitage apareció en el *Good Morning America* de la ABC y en el *Live This Morning* de la CNN. A la pregunta de la CNN de si había algún desacuerdo entre Estados Unidos y Arabia Saudí, respondió: «Bien, toda nación tiene su público político propio, pero no sé de ninguna dificultad importante con el reino de Arabia Saudí». En la ABC dijo que le «animaba bastante que la actividad antiestadounidense en Pakistán fuera relativamente baja».

El mensaje se transmitió con diligencia: los saudíes estaban cooperando y Pakistán estaba bajo control.

El miércoles 3 de octubre, en el interior de Afganistán, Gary fue en busca de un campo de aviación para proporcionar suministros al territorio de la Alianza del Norte. El equipo encontró uno en una zona llamada Golbahar que había sido utilizado por Gran Bretaña en 1919. Le pidió a Arif, jefe del espionaje de la Alianza, que nivelara una parte para convertirla en pista de aterrizaje, y le entregó otros doscientos mil dólares. Compró tres jeeps por diecinueve mil dólares y desembolsó veintidós mil más para un camión cisterna y combustible de helicóptero. Arif prometió que comprarían el camión en Dushanbé y se lo llevarían al equipo de la CIA a la montaña, pero nunca llegó.

El equipo de Gary realizó reconocimientos de las fuerzas talibanes y de Al Qaeda y consiguió las coordinadas geográficas exactas: lecturas precisas GPS (Sistema de Posicionamiento Global). Muchos fundamentalistas paquistaníes habían acudido a unirse a los talibanes. Gary sacó lecturas GPS de su ubicación.

Los bombardeos estadounidenses con armas de precisión llegarían. Se sentía seguro, pero había vivido los cinco meses y medio de gestación de la Guerra del Golfo y sabía que la preparación pormenorizada requería mucho tiempo. Los bombardeos parecían lejanos todavía, a meses de distancia, quizá; no había recibido aviso de nada a través de su blindado sistema de comunicaciones con la central de la CIA. En las comunicaciones por cable empezó a pedir suministros de ayuda humanitaria para el pueblo afgano: alimentos, mantas y medicinas.

La plana mayor se reunió a las 9:30, el miércoles.

Wolfowitz, el segundo de Rumsfeld, dijo:

—Tenemos autorización para la Búsqueda y Rescate en Combate, la hemos recibido hoy de los uzbekos y podría estar lista a tiempo.

El general Myers informó de que todavía estaban buscando funciones para los aliados clave.

Powell dijo que tenía que haber un líder en Kabul, tras la derrota de los talibanes, que representase a todo el pueblo afgano. Richard Haass, su director de planificación política, iría a Roma a visitar al antiguo rey, quien dijo que ayudaría en la transición a un Gobierno postalibán, aunque no quería desempeñar ningún papel oficial en el nuevo régimen.

—Hasta Musharraf quiere hablar de Afganistán después de los talibanes—dijo Rice—. Eso tenemos que explotarlo.

—A corto plazo, sería útil no hablar con claridad del futuro de los talibanes—apuntó Cheney—, y explotar las fisuras que hay entre ellos.—En ese momento, todavía había esperanzas de ganarse a los sectores moderados de los talibanes—. Pero a largo plazo... necesitamos que los talibanes se marchen.

Tenet estaba satisfecho. Desde el 11 de septiembre había mantenido que los talibanes y Al Qaeda estaban unidos, que debían ser tratados como un solo enemigo y eliminados. Estados Unidos se había embarcado en cambiar el régimen de Afganistán. La transición hacia esa política—o la puesta en funcionamiento—había sido idea de esa reunión. Amarrar el liderazgo del norte al sur sería esencial para la estabilidad futura. El problema era que todavía no sabían cómo hacerlo.

—El presidente no querrá utilizar tropas para reconstruir Afganistán—les advirtió Card. Bush había dicho repetidamente en su campaña presidencial: «Nada de tropas de combate para reconstruir naciones, el Ejército estadounidense no está para eso». En el segundo de los tres debates presidenciales, afirmó: «Rotundamente no. Nuestro Ejército está para librar guerras y ganarlas». En el tercer debate, cedió un poco: «Puede que existan momentos en que nuestras tropas tengan que actuar de pacificadoras, pero no muchos».

Todos los presentes sabían que estaban entrando en la fase de pacificación y reconstrucción nacional. La lección primordial de los años noventa en Afganistán era: no dejar un vacío. El abandono de Afganistán, cuando los soviéticos fueron expulsados en 1989, había creado las condiciones para el levantamiento talibán y la toma del poder del país, en la práctica, por Bin Laden y Al Qaeda.

En esos momentos parecía que la presencia principal de Estados Unidos en Afganistán, si se expulsaba a los talibanes y cuando esto fuera un hecho, tuviera que consistir en miles de soldados de combate, quizás estadounidenses en su mayoría. Rumsfeld lo sabía. Powell lo sabía. A propósito de ese tema, algunas veces casi se habían fulminado con la mirada mutuamente, con la mesa de por medio. Rumsfeld quería minimizar la cuestión, Powell quería que todos se enfrentasen a la realidad de la cuestión.

Los suplentes se reunieron ese mismo día, más tarde. El tema principal era la reconstrucción después de los talibanes. Estaban de acuerdo en que Estados Unidos fuera quien encabezase los esfuerzos por estabilizar Afganistán después de los talibanes, incluida la ayuda en materia de alimentos, sanidad, educación para las mujeres, proyectos de infraestructura a pequeña escala y la limpieza del país de minas terrestres. ¿Y la estructura política? ¿Y el plan de seguridad? ¿Y el plan para explicárselo a la opinión pública?

En la lista de tareas de Hadley había: plan de acción para las potencias económicas del G-7, el Banco Mundial y otros grupos financieros internacionales; búsqueda de países en los que crear fondos de miles de millones de dólares y anunciarlo públicamente; necesidad de anunciar públicamente una conferencia internacional sobre el futuro político; búsqueda de donantes que aportaran dinero a Naciones Unidas para Afganistán; envío de telegramas pidiendo aliados; búsqueda de aliados clave que se avinieran a colaborar discretamente en la seguridad durante el período postalibán.

En resumen: reconstrucción nacional a gran escala.

Ese día, Hank, el jefe de operaciones antiterroristas especiales, se reunió por primera vez con el general Franks en Tampa, Florida, por primera vez. Frente a unos mapas de Afganistán, Hank expuso la forma en que los equipos paramilitares de la CIA que trabajaran con las diversas fuerzas de oposición podrían conseguir ponerlas en movimiento. Las fuerzas de oposición, principalmente la Alianza del Norte, se encargarían de la mayor parte de la lucha en tierra. Si Estados Unidos repetía los errores de los soviéticos invadiendo con un gran Ejército de Tierra, estarían perdidos.

Los equipos de Fuerzas Especiales de Frank podían entrar a continuación en Afganistán y señalar los objetivos sobre los que caerían con fuerza los bombarderos estadounidenses en sus incursiones. La labor de ubicación de objetivos mediante agentes que proporcionaran información desde la zona supondría contar con datos extraordinariamente específicos y exactos para las bombas de precisión.

Hank, siguiendo instrucciones de Tenet, dejó sentado que los equipos paramilitares trabajaban a las órdenes de Franks, y con ese espíritu y en cierto modo al contrario que otras prácticas recientes, la CIA proporcionaría a Franks y a los comandantes de sus Fuerzas Especiales la identidad de todos sus «activos» en Afganistán, con su capacidad de acción, su localización y la valoración que la CIA hacía de ellos. El Ejército y la CIA trabajarían como compañeros.

Franks estaba de acuerdo con lo fundamental del plan. Desveló que el comienzo de la campaña de bombardeos estaba prevista para cualquier momento a partir del 6 de octubre: a tres días vista.

El dinero hablaba en Afganistán, dijo Hank, y ellos disponían de millones para acciones encubiertas. Por una parte, la CIA podía proporcionar dinero para alimentos, mantas, equipos de invierno y medicinas que lloverían del cielo. Los combatientes de ambos bandos y sus familias, que solían viajar con ellos, pasarían frío y hambre. La ayuda humanitaria favorecería a Estados Unidos.

Los señores de la guerra o subcomandantes que tuvieran docenas o cientos de hombres podrían comprarse por el módico precio de cincuenta mil dólares en efectivo, dijo Hank.

—Si lo hacemos bien, podemos comprar muchos más talibanes que los que tengamos que matar.

—Bien—dijo el general.

Bush fue a Nueva York esa mañana para asistir a una concentración cerca de la Zona Cero y a una reunión con grandes financieros para tratar acerca de la reconstrucción de la ciudad. «Creo en verdad—les dijo a los ejecutivos—que de todo esto saldrá más orden en el mundo: verdadero progreso hacia la paz en Oriente Próximo y estabilidad en las regiones productoras de petróleo».

En cuanto a la amenaza de otros ataques, se mostró menos optimista. «No sé decirles si esos malnacidos atacarán de nuevo».

14

En la reunión del Consejo de Seguridad Nacional del jueves 4 de octubre el general Myers dio buenas noticias. «La Búsqueda y Rescate en Combate en el norte será puesta en pie el lunes en Uzbekistán»; quería decir que estaría lista para partir. «Las Fuerzas Especiales han empezado a entrar en Omán. El Kitty Hawk estará en su puesto el 13 de octubre, lo cual dará tiempo a que las cosas avancen en el sur. No descartaría FOE en el norte». Las Fuerzas de Operaciones Especiales podrían iniciar acciones en tierra pocos días después del primer bombardeo.

En cuanto al Afganistán posterior a los talibanes, Wolfowitz y Rice hablaron de convencer a otros países de aportar dinero para la reconstrucción.

«¿Quién va a gobernar en el país?», preguntó Bush.

«Tendríamos que haber tratado ese tema», pensó Rice. Los peores momentos que pasaba era cuando al presidente se le ocurría una cosa que la plana mayor, sobre todo ella, tendría que haber previsto.

Nadie tenía una verdadera respuesta, pero Rice empezaba a comprender que ésa era la pregunta crucial. ¿Hacía dónde se dirigían?

Esa misma mañana, más tarde, el presidente fue al Departamento de Estado a darle las gracias al personal. Hacia el final de sus comentarios, se desmoronó. «¿Por qué hoy?», se preguntó Ari Fleischer desde la primera fila.

De nuevo en la Casa Blanca, Bush indicó a Fleischer que lo acompañara al Despacho Oval. «Esta mañana recibimos un informe de un caso de ántrax en Florida—dijo—. No sabemos hasta qué punto se ha extendido. No sabemos si hay más de uno. No sabemos un montón de cosas».

Era la primera vez que Fleischer le veía la preocupación en los ojos.

Bob Stevens, un editor de fotografía de sesenta y tres años de edad que colaboraba con el diario sensacionalista *The Sun,* en Florida, estaba muy enfermo por inhalación de ántrax, una enfermedad mortal relacionada desde hacía mucho con posibles armas bacteriológicas. Los primeros avisos decían que se trataba de un caso aislado originado, probablemente, por causas naturales, y las noticias aparecían en las páginas centrales del periódico.

La noticia del ántrax estaba a punto de estallar.

En una reunión privada con el emir de Qatar, Bush demostró hasta qué punto seguía la información transmitida por señales, sobre todo la relacionada con Bin Laden. «Sabemos que Osama Bin Laden llamó a su madre—le dijo al emir—. Un día de éstos, cometerá un error y caeremos sobre él».

En su comparencencia ante el parlamento, el jueves, el primer ministro Blair presentó pruebas de que la red de Al Qaeda de Bin Laden era responsable de los ataques del 11 de septiembre. Su Ministerio publicó un documento no confidencial de dieciséis páginas en Internet, en el que se exponía el caso con el mayor detalle hasta el momento, pero que no desvelaba información extremadamente específica o delicada.

La publicación del informe británico aparecía doce días después de que el secretario de Estado Powell hubiera prometido presentar pruebas públicamente respondiendo a las llamadas de los aliados y líderes extranjeros. Ese mismo jueves, el ministro de Exteriores de Pakistán anunció que Estados Unidos había aportado pruebas suficientes de la complicidad de Bin Laden en el 11 de septiembre para presentar una acusación ante los tribunales. La clara aprobación de un caso estadounidense por parte de un Estado musulmán fue de gran ayuda.

En un día, la cuestión del libro blanco que había puesto en desacuerdo a Powell y Rumsfeld quedó zanjada.

En la séptima página de las once que tenía la MATRIZ DE AMENAZAS ALTO SECRETO/CLAVE del viernes 5 de octubre, había un informe de una fuente de la Agencia de Información de Defensa con la contraseña «Dragonfire», según la cual era posible que los terroristas tuvieran en su poder un arma nuclear de diez kilotones proveniente del arsenal de la antigua Unión Soviética. Podía estar apuntando a la ciudad de Nueva York, añadía la fuente. La sola detonación de un pequeño artefacto nuclear en una ciudad podía matar a muchos miles de personas y originar un pánico inimaginable. Era la imagen de pesadilla que más preocupaba a todos.

Sin embargo, la Matriz de Amenazas tildaba el informe de Dragonfire de «no creíble» porque presentaba errores en detalles técnicos. Resultó que la fuente era un ciudadano estadounidense que dijo haber oído de forma casual a unas personas no identificadas hablando de la posibilidad de un arma nuclear en un casino de Las Vegas. Era completamente falso, pero el ambiente era tal que en la Matriz de Amenazas se amontonaban con regularidad informes como la declaración de Dragonfire. Nadie quería pasar por alto ninguna amenaza.

El presidente se encontraba ese día, más tarde, en el Despacho Oval revisando un discurso del primer ministro israelí Ariel Sharon. Sharon había insinuado que Estados Unidos estaba en el camino de repetir los mismos errores que Munich en 1938, cuando el primer ministro británico, Neville Chamberlain, dejó Checoslovaquia a merced de Hitler.

—No trate de aplacar a los árabes a nuestra costa—dijo Sharon dirigiéndose al presidente norteamericano—. Israel no será Checoslovaquia.

—¿Vamos a responder a eso, no?—le preguntó Rice a Bush.

—Pues claro que voy a responder.

Discutieron sobre una respuesta contundente. Alguien advirtió: «Van a dedicarles un titular que diga: BUSH CANTA LAS CUARENTA A SHARON».

—Señor presidente—dijo Rice—, acaba de llamarle Neville Chamberlain. Creo que es hora de decir algo fuerte.

Más tarde, Fleischer calificó el comentario de Sharon de «inaceptable», al tiempo que los tanques, los helicópteros armados, las excavadoras y las tropas de tierra israelíes entraban en el territorio de Cisjordania controlado por Palestina.

Bush llamó a Nick Calio, el jefe de enlace con el Congreso de la Casa Blanca, al Despacho Oval.

—Nicky—dijo Bush—, lleva esto, llévales esto ahora. No estamos...

Calio tenía una expresión de perplejidad.

—¿Sabes algo de esto?—preguntó Bush. Le enfurecían las filtraciones a los medios de comunicación.

—¿Puedo verlo?—preguntó Calio cuando Bush le pasó una sola hoja de papel. Calio leyó rápidamente, era una nota para Powell, O'Neill, Rumsfeld, Ashcroft, Tenet y Mueller, el director del FBI. Tema: Revelaciones al Congreso. La orden, firmada por Bush, decía que solo los llamados «ocho grandes», los líderes demócratas y republicanos del Senado y el Congreso, y el presidente y los miembros de rango superior de los dos comités de inteligencia, podían recibir información confidencial o conflictiva sobre seguridad.

—No—dijo Calio, y añadió que no lo había visto.

—Bien, tenían que habértelo dicho—dijo el presidente en referencia a Andy Card o al abogado de la Casa Blanca.

(Esa mañana, *The Washington Post* había publicado un artículo en primera plana con el titular: «El FBI y la CIA avisan al Congreso de otros ataques», del que éramos autores Susan Schmidt y yo. El artículo giraba en torno a un informe confidencial que agentes de la CIA y del FBI habían hecho en el Capitolio esa misma semana. Informábamos de las muchas probabilidades que había de que se produjera otro ataque terrorista, y decíamos que un oficial de Espionaje había explicado al Congreso que había un «cien por cien» de posibilidades de que sucediera si Estados Unidos tomaba represalias con fuerzas militares en Afganistán.)

Calio trató de explicarle al presidente que semejante restricción sería un desastre. Sería como cortar el oxígeno a 527 de los 535 miembros del Congreso.

—No me importa. Súbeselo. Esto es lo que va a suceder—ordenó Bush.

—De acuerdo—dijo Calio—, solo quiero decirle que no se sorprenda si...

—No lo defiendo—dijo Bush—. ¿Te das cuenta de lo que eso significa?

Calio asintió.

—Llévaselo, ¿de acuerdo?

—Bien—dijo Calio.

—Es mierda pura y dura—dijo el presidente.

Después, Bush habló con el senador Bob Graham, el demócrata por Florida que presidía el Comité de Inteligencia del Senado. Fue la conversación más larga que Graham había mantenido con Bush, y tuvo que oír un verdadero alud de irreverencias tejanas.

Entonces, Calio asumió fundamentalmente una diplomacia mediadora de intenso estilo del Medio Oeste entre Bush y el Congreso procurando acercar a ambas partes al centro. Por fin, Bush se avino a retirar la orden. Había dado a entender que podía dejarlos a un lado si quería.

Rumsfeld compareció el viernes en una rueda de prensa en Tashkent, Uzbekistán, con el presidente Karimov. Este dijo que Uzbekistán daría autorización a Estados Unidos para sobrevolar su espacio aéreo y utilizar uno de sus aeropuertos para ayuda humanitaria y operaciones de búsqueda y rescate, y que estaba dispuesto a sentar las bases de la cooperación en materia de intercambio de información.

Un periodista preguntó qué ofrecía Estados Unidos a cambio. «No ha habido un intercambio *quid pro quo* específico, si se refiere a eso», contestó Rumsfeld.

Karimov añadió enseguida: «Me gustaría subrayar que, hasta el momento, no se ha hablado de intercambios *quid pro quo*».

Rumsfeld, con un ojo en la carretera, dijo lo que Karimov quería oír. «Estados Unidos tiene interés en unas relaciones duraderas con este país—aseguró a todos—, no centradas únicamente en el problema inmediato».

En la reunión del Consejo de Seguridad Nacional de esa mañana, el general Franks participó a través del circuito blindado de vídeo desde la sede del Mando Central en Tampa.

—Tommy, ¿preparados para empezar?—preguntó Bush.

—Sí, señor; preparados para empezar.

—Necesitamos un resumen de los objetivos—dijo el presidente.

El ataque del primer día sería reducido en cierta medida: unos treinta y un objetivos en total, solamente. Utilizarían cincuenta misiles de crucero, quince bombarderos desde tierra y unos veinticinco de ataque desde los portaaviones. Caerían sobre los campos de entrenamiento de Bin Laden, el sistema de defensa antiaérea y toda concentración de Al Qaeda, si se localizaba alguna.

El Departamento de Defensa estaba afinando la llamada «lista de no atacables», objetivos que teóricamente no había que destruir—plantas energéticas, escuelas, hospitales y, sobre todo, mezquitas—, para demostrar que no se trataba de un ataque contra la población afgana. La lista se debía actualizar a diario.

—Tenemos que hablar de las reglas del combate—dijo Myers, y propuso hacerlo al día siguiente por el circuito blindado de vídeo.

El presidente dijo que había hablado con el líder de la mayoría del Senado, Tom Daschle, con el presidente de la Cámara de Representantes, J. Dennis Master, y con el líder de la minoría del Senado, Trent Lott, de los próximos ataques. Dijo que informaría al líder demócrata de la Cámara, Richard Gephardt.

Cuando hablaron de la congelación de las cuentas terroristas, uno de los instrumentos predilectos de Bush, Powell dijo:

—Hezbolá y Hamás entrarán en la lista de organizaciones afectadas por la guerra financiera contra el terrorismo.

El presidente se puso de uñas.

—Tenemos una campaña a largo plazo contra el terrorismo —dijo—, pero lo primero es lo primero. Llegaremos a lo demás a su debido tiempo.—La espera y el retraso le iban minando. En esos momentos, había que concentrar toda la energía en Al Qaeda y Afganistán. Después de sacarse del pecho el último sentimiento de frustración, les recordó que sí, que no estaba retrocediendo—. Me he comprometido a hacer un esfuerzo general en la guerra contra el terrorismo.

Powell dijo que algunas organizaciones de ayuda internacional estaban preocupadas por el envío de alimentos a los talibanes y querían saber cuáles eran los pueblos que no controlaban.

Wolfowitz dijo que la entrada en Uzbekistán era buena. Ya habían llegado sesenta y siete aviones cargados con los suministros necesarios, y que estarían preparados el 7 de octubre, cuando esperaban que comenzasen los bombardeos. Dijo: «Tenemos 33.000 personas en la zona. El 10 de septiembre teníamos 21.000». Por lo tanto ya se habían desplegado 12.000, aunque no había todavía ningún militar estadounidense en el interior de Afganistán.

En la central de la CIA, Hank había colgado un cartel en la puerta de su despacho, por fuera, tomado de un anuncio de reclutamiento publicado por el explorador británico Ernest Shackleton para su expedición a la Antártida en 1914.

Decía: «Se precisan oficiales para viaje arriesgado. Poco salario. Frío crudo. Largos meses de oscuridad total. Peligro constante. Dudoso regreso a salvo. Honor y reconocimiento en caso de éxito».

En el interior, Hank estaba a punto de despachar el mensaje más importante de su carrera. Con el visto bueno de Tenet y Cofer Black, iba dirigido a una docena de puestos y bases de Pakistán, Tayikistán y Uzbekistán, que administraba «activos» y fuentes secretas en Afganistán. Entre ellos contaban con algunos aliados de tribus y de la Alianza del Norte. El mensaje era también para el equipo Rompemandíbulas de Gary, ubicado en el terreno, y a otros equipos paramilitares de la CIA que estaban preparándose para adentrarse en el país.

El mensaje, de tres páginas, con el título «Estrategia Militar», enumeraba los siguientes puntos:

1. Dar instrucciones a los aliados de las tribus para que retiren inmediatamente del servicio todos sus aviones y que los identifiquen.

2. Dar instrucciones a las tribus para que detengan todos los movimientos militares importantes: que permanezcan en tierra en sus posiciones.

3. El plan futuro será que las fuerzas de oposición [a los talibanes] se encarguen de aislar a las fuerzas enemigas, pero esperar antes de moverse.

4. Dar instrucciones a todos los activos de Afganistán de que empiecen a sabotear operaciones inmediatamente en todas partes. Entre otras cosas, arrojar granadas de mano a los cargos talibanes, crear problemas a los convoyes talibanes, inmovilizar los suministros y municiones de los talibanes en circulación y, en general, convertirse en auténticas pesadillas [sería la primera utilización de fuerza letal concentrada en la guerra de Bush contra el terrorismo].

5. Informar a todos de que grupos paramilitares se adelantarán en el sur y se combinarán con ataques aéreos más específicos.

6. Todos tendrán que definir zonas no atacables: hospitales, escuelas.

7. Todas las facciones tribales deberán identificar y localizar objetivos prioritarios.

8. Los agentes deberán tratar de identificar posibles rutas de escape por las que Bin Laden y sus jefes de Al Qaeda puedan salir de Afganistán: y después llevar a cabo reconocimientos de las rutas para inhabilitarlas.

9. Estar preparados para interrogar y explotar a prisioneros.

10. Evaluar las necesidades de ayuda humanitaria.

Recibieron órdenes de remitir el texto íntegro al general Franks para que la transparencia fuera completa con respecto al mando militar.

Hank cerró el mensaje. «Estamos luchando por objetivos antiterroristas en el marco de Afganistán y, aunque esto suponga metas muy elevadas en un terreno muy incierto y movedizo, también estamos luchando por el futuro de la guerra antiterrorista integrada de la CIA y del Departamento de Defensa en todo el planeta. Aunque cometamos errores al trazar el mapa del nuevo territorio y la nueva metodología, nuestros objetivos están claros y nuestra idea de actuación conjunta es correcta.

Se prepararon folletos para lanzar sobre Afganistán con un dibujo tosco de un tanque militar atascado entre dos pequeños edificios de estilo afgano.

En pastún, dari e inglés el panfleto decía: «Los talibanes esconden su equipo en zonas civiles y ponen en peligro a todos los que viven en los alrededores. Váyanse de todos los lugares donde haya equipo o personal militar».

El sábado por la mañana del 6 de octubre, a las 8:30, el presidente se encontraba en Camp David para asistir a la reunión del Consejo de Seguridad Nacional a través del sistema blindado de vídeo. Estallaron las tensiones sobre la disputada provincia de Cachemira.

—Estamos pendientes de la India—dijo Powell—. Estamos esperando la lectura de las conversaciones de Blair.

El primer ministro británico había prometido hacer varias llamadas para calmar los ánimos sobre el recrudecimiento de la situación con Pakistán a propósito de Cachemira. «Hemos indicado a nuestros embajadores que vayan a las capitales... después decidiremos si es necesario que llame el presidente—y, a modo de eufemismo, añadió—: Queremos que ruede la cabeza de este asunto».

En cuanto a Israel, Powell se refirió a la declaración de Sharon de que Israel no iba a consentir convertirse en Checoslovaquia. «Estos últimos días, Sharon se está comportando irracionalmente», dijo Powell, pensando que podía decir tal cosa sobre el líder israelí con normalidad.

Rumsfeld, que había vuelto de su viaje relámpago, informó de que había tenido bastante éxito como diplomático. Dijo que los saudíes en general eran amables y cordiales, incluso halagadores. El único aspecto negativo era su preocupación por el hecho de Estados Unidos estuviera insatisfecho, y creía que había «aplastado bien» esa idea. Pero, definitivamente, los saudíes necesitaban mayor atención con regularidad.

En Uzbekistán, habían cerrado el trato sobre el acceso.

—Los uzbekos se mostraron más simpáticos al final de la reunión que al principio.

Rumsfeld dijo que necesitaba un aumento del límite para reservas, hasta unos trescientos mil, de los cincuenta mil destinados hasta entonces.

—Necesitamos más altura.

—¿Quiere hacerlo el lunes?—preguntó Bush.

—Sí—dijo Rumsfeld.

A pesar de las ofertas de ayuda recibidas de unos ochenta países, solo Gran Bretaña participaría en la primera oleada de ataques.

—Los bombarderos que tienen que despegar de Misuri están a punto de partir—prosiguió Rumsfeld—. Y los notarán.—Los bombarderos B-2 Stealth que los radares no detectaban y que iban a participar en los primeros ataques en Afganistán se estaban desplegando directamente desde la base aérea de Whiteman, en Misuri, y tendrían que salir quince horas antes o más, con lo cual se corría el riesgo de que dieran la alarma sobre el comienzo de las operaciones.

—Que despeguen—dijo el presidente—. Pruebe a desinformar un poco.

—Diremos a la gente que van cargados de alimentos—dijo Rumsfeld.

—¿Cuándo tiene lugar el lanzamiento de ayuda humanitaria?—preguntó Rice.

—Entre las 2:30 y las 3:30, hora de Washington—dijo Myers—, unas dos horas después del comienzo de la acción militar. Y, para entonces, la amenaza contra los aviones habrá desaparecido.—Esperaban pulverizar en los primeros ataques el pobre sistema de defensa antiaérea de los talibanes.

El presidente dijo que anunciaría los ataques el domingo, en un breve comunicado en la televisión nacional.

—Haremos una declaración, sin duda. Enviaremos una circular a la plana mayor para que la revisen.

—Necesitamos el pistoletazo de salida—dijo Rumsfeld.

—El pistoletazo de salida—dijo Bush—. Está bien pensado. Es lo que hay que hacer.

15

La mañana del domingo 7 de octubre, Karl Rove estaba en su casa, en el noroeste de Washington. Los días pasados desde los ataques terroristas no habían sido los más felices de su vida. Aunque hacía veintiocho años que conocía a Bush y había sido su consejero estratégico, lo habían excluido del gabinete de guerra y de las reuniones del Consejo de Seguridad Nacional. Bush y Cheney habían juzgado imposible contar con el controvertido político en las discusiones de guerra. Dejaría traslucir un mensaje erróneo.

Rove comprendía el punto de vista, pero, al mismo tiempo, la política era un elemento constante de la presidencia, incluso en tiempos de guerra, que no había que pasar por alto. Tanto Bush como Rove creían que la presidencia de Bush sería juzgada en gran medida por su actuación respecto al 11 de septiembre.

Un día, poco después de los ataques, Rove se encontraba en el Despacho Oval y Bush le dijo: «De la misma forma que la generación de mi padre fue llamada a la Segunda Guerra Mundial, ahora la nuestra también recibe la llamada de la guerra». Su padre se había alistado en la Armada como marinero de segunda clase en 1942, el día en que cumplía dieciocho años. A ellos los llamaba el servicio a los cincuenta años cumplidos.

—Estoy aquí por un motivo—dijo Bush—, y es qué juicio se hará de nosotros.

Rove, de cincuenta años de edad, había sido aclamado por muchos, Bush entre ellos, como el artífice de la victoria de 2000. Poco antes del 11 de septiembre, el *Weekly Standard*, revista conservadora bien informada, había publicado un artículo en portada titulado «El empresario Karl Rove, orquestador de la Casa Blanca de Bush». Un dibujo de Rove grande y respetuoso, intelectual y culto, con una cartera presidencial, adornaba la cubierta. Un Bush en miniatura con aspecto de payaso decoraba el bolsillo superior de la chaqueta de Rove.

Ese lunes, el Despacho de Iniciativas Estratégicas que Rove dirigía había mandado una circular de dos páginas con el análisis de los últimos resultados de los sondeos de opinión.

Era el *Estado de Posiciones*, al que dedicaba un estudio metódico.

«La aceptación de la labor del presidente es más fuerte que nunca», los números hablaban de un 84 a un 90 por 100.

«El reciente aumento de la aceptación de la labor presidencial no tiene precedentes ni en tiempos de crisis». Antes del 11 de septiembre, la aceptación de la labor de Bush se encontraba en torno al 55 por 100, y el salto al 90 por 100 en el sondeo de la ABC News y *The Washington Post* «no tiene parangón entre el electorado moderno». En el pasado, las crisis repentinas habían suscitado un aumento inmediato de la aprobación de la labor presidencial. «La duración de dichos aumentos suele ser de entre siete y diez meses solamente», lo cual significaba que los presidentes volvían a sus antiguas medias de aprobación con bastante rapidez.

La aprobación del padre de Bush había sido de un 59 por 100 antes del comienzo de la Guerra del Golfo, pero aumentó al 82 por 100 en el momento crítico del conflicto. Cuarenta y una semanas después, había vuelto al 59 por 100.

Rove llevó la información del sondeo a Bush y le explicó que si la historia servía de guía, les quedaban entre treinta y cuarenta semanas hasta que los porcentajes volvieran a su lugar.

—No me hagas perder el tiempo con eso—contestó Bush fingiendo no prestar atención pero mirando las cifras. Más tarde, Bush recordó la discusión sobre las cifras del sondeo que, según él, podían ser una instantánea que resultara inexacta al cabo de veinticuatro horas—. Mi trabajo consiste en no preocuparme por las consecuencias políticas, y no me preocupo—reiteró el presidente. Eso era trabajo de Rove, y Bush sabía que Rove administraba las cuentas con una intensidad y una entrega a la misión sin precedentes. Definitivamente, era un asunto que otros sabían llevar mejor.

Al mismo tiempo, el presidente observaba minuciosamente su posición política. En eso, como en todos los asuntos, había un marcador de tantos.

Rove también mantenía contactos con el aparato del partido y los líderes conservadores. Recibió un comunicado confidencial, que parecía importante, de uno de los amigos más destacados de Bush, de modo que lo llevó al Despacho Oval.

Roger Ailes, antiguo gurú de los medios de comunicación de Bush padre, tenía un mensaje, le dijo Rove al presidente. Tenía que ser confidencial porque Ailes, flamante e irreverente ejecutivo de los medios de comunicación, era en esos momentos director de Fox News, la red de televisión por cable de signo conservador que contaba con elevados porcentajes de audiencia. Desde esa posición, Ailes no tenía por qué dar consejos políticos. El mensaje implícito era: el público estadounidense toleraría la espera y sería paciente, pero si y solo si estuviera convencido de que Bush empleaba las medidas más contundentes posibles. El apoyo desaparecería si el público no veía una actuación contundente por parte de Bush.

Hacia las ocho y media de la mañana sonó el teléfono de Rove.

—Te aconsejo que estés en el despacho hacia las once—dijo la voz más reconocible desde Camp David—. Van a pasar cosas. ¿Sabes a qué me refiero?—preguntó Bush por la línea telefónica no blindada—. Voy a dirigirme al país esta tarde, de modo que estate presente.

Rove llegó a la Casa Blanca hacia las once. Se quedó por allí con su libreta como buen historiador aficionado y serio que era.

Se acercó a la Sala del Tratado del segundo piso, donde Bush realizaría su anuncio televisado. Miró alrededor. A la derecha se encontraba el cuadro que daba su nombre a la sala: el presidente McKinley supervisando la firma del tratado que puso fin a la Guerra de 1898 entre España y Estados Unidos en esa misma sala. En el cuadro se veía también el rincón donde estaban instaladas la silla y las cámaras para Bush.

A las 12:30, el presidente ocupaba su lugar, dispuesto a dirigirse a la nación. Llegaron profesionales a maquillarle. Cinco minutos después, anunciaron que había una filtración: un medio de comunicación había dicho que el anuncio señalaría el comienzo de la guerra.

—No lo entienden—dijo Bush en voz alta—. La guerra ya ha empezado. Empezó el 11 de septiembre.

Card y Rice conferenciaban discretamente a un lado, y al presidente parecía irritarle no participar en el debate.

—¿De qué se trata?—preguntó en voz alta.

Card le dijo que hablaban del Pentágono.

—Solicitan mayor autoridad.

—Les he dicho que utilicen tanta como necesiten—dijo Bush—, siempre y cuando se ciñan a la regla de mantener los daños colaterales en un nivel bajo.—Los comandantes y pilotos podían disparar a discreción sobre los objetivos siempre y cuando previesen daños civiles mínimos. Cualquier acción que pudiera desencadenar grandes daños colaterales o la sensación de una guerra contra los civiles tenía que pasar primero por la aprobación de Rumsfeld y después por la suya.

A las 12:40, el personal empezó a despejar la Sala del Tratado.

Bush preguntó dónde estaban las cuartillas con el texto de refuerzo para el teleprompter. Se las llevaron. Repasó el texto secamente.

—Los párrafos están mal ordenados—dijo, y pidió cambios de modo que las pausas fueran más naturales. Le dieron un vaso de agua.

—No es la primera vez que hacemos esto—le dijo Bush con impaciencia a un miembro del equipo al que reconoció—. Empecemos de una vez.

Los tensos momentos de la cuenta atrás continuaron y Bush miró alrededor.

—¡El gran Al!—le dijo a un agente del Servicio Secreto con el que había corrido. Le preguntó qué marca había conseguido en una carrera reciente.

Silencio.

El agente dijo que había cubierto una milla en cinco minutos.

—Impresionante—dijo Bush, y añadió que, hacía poco, él había hecho una carrera excelente de tres millas en veinte minutos y seis segundos. La segunda milla había sido la más lenta, pero la primera y la última habían sido buenas, añadió.

Silencio.

—¿Dónde están los técnicos?—preguntó Bush. Las cadenas de televisión acababan de recibir notificación y un cámara y un equipo de sonido que proporcionaría imagen y sonido para todas estaba en camino. Por fin, a las 12:50 aparecieron. Iban con retraso y estaban nerviosos, apurados por empezar a tiempo. Uno de ellos no pudo conectarse del todo.

—Enchúfalo—dijo Bush, señalando la localización.

—Buenas tardes—dijo Bush a las 13:00—. Siguiendo mis órdenes, el Ejército estadounidense ha comenzado a atacar los campos de entrenamiento de terroristas de Al Qaeda y las instalaciones militares del régimen talibán en Afganistán.

Los talibanes no habían aceptado sus peticiones. «Y ahora pagarán por ello». No habló de contingentes de tierra, pero se acercó. «Nuestra acción militar está destinada también a despejar el camino a operaciones sostenidas, generales e implacables para hacerlos salir [a los terroristas] y llevarlos ante la justicia».

El presidente prometió alimento y medicinas para el pueblo de Afganistán. «Ganaremos este conflicto por acumulación paciente de éxitos».

—Sé que muchos estadounidenses tienen miedo hoy—reconoció, y aseguró que el Gobierno en pleno estaba tomando grandes precauciones. Dijo a los hombres y mujeres del Ejército que, en efecto, no sería otro Vietnam—. Vuestra misión está definida, vuestros objetivos son claros, vuestra meta es justa; contáis con toda mi confianza y contaréis con todos los instrumentos necesarios para cumplir vuestro deber.

Leyó una carta que había recibido de una niña de cuarto curso cuyo padre se encontraba en el Ejército. Decía: «Con la misma fuerza que no quiero que mi papá tenga que luchar, se lo entrego a usted».

A las 14:45, Rumsfeld y el general Myers se presentaron en la sala de prensa del Pentágono. En una larga introducción, Rumsfeld presentó los ataques militares como un «complemento» de las presiones diplomáticas, financieras y demás. Expuso seis metas: mandar un mensaje a los talibanes, recibir información de espionaje, desarrollar las relaciones con los grupos antitalibanes como la Alianza del Norte, dificultarles cada vez más las cosas a los terroristas, alterar el equilibrio militar con el tiempo y proporcionar ayuda humanitaria. No dio cifras ni calendarios.

El general Myers desveló algunos pormenores: quince bombarderos en tierra, veinticinco aviones de ataque en portaaviones y cincuenta misiles de crucero Tomahawk por parte de Estados Unidos, más barcos y submarinos británicos. Lo que no dijo es que la lista de objetivos era de solo treinta y uno, todos con previsión de pocos daños colaterales, en zonas remotas. Los objetivos eran la brigada de Al Qaeda, los radares de detección temprana, algunas instalaciones de mando utilizadas por Al Qaeda y los talibanes, aviones militares talibanes, aeropuertos y pistas militares de los talibanes, los campos de entrenamiento de terroristas, vacíos en su mayoría, y varios emplazamientos de misiles tierra-aire.

Un periodista preguntó si Osama Bin Laden estaba designado como objetivo de la incursión.

—La respuesta es: nada de respeto con él—contestó Rumsfeld, aunque destacó que se habían designado como objetivos instalaciones de mando en Afganistán.

Rumsfeld rebajó las expectativas: habló de «la llamada guerra».

Cuando le preguntaron cuántos objetivos habían sido alcanzados, dijo:

—No hay forma de hablar del resultado de esta operación. Había una forma, pero no iba a hacerla pública. La vaguedad era una protección contra posteriores contradicciones, sería como revelar la pequeñez de la operación y sus propias frustraciones.

Otro periodista preguntó:

—¿Corre el riesgo de que lo califiquen de ataque al pueblo afgano en vez de contra objetivos militares?

—Ya saben—replicó Rumsfeld—, en este mundo nuestro, cuando uno se levanta por la mañana, corre el riesgo de que cualquiera mienta y califique malintencionadamente lo que uno hace. Lo que Estados Unidos está haciendo es exactamente lo que he dicho. Defenderse de los responsables de miles de estadounidenses muertos y, actualmente, amenazados, intimidados y aterrorizados en el mundo. Muchas gracias.

Bin Laden dio a conocer su amenaza mediante una cinta de vídeo que fue emitida por Al Yasira. Sentado en un paraje rocoso no identificado, con su chaqueta militar de campaña, sosteniendo un micrófono como un cantante de salón, dijo: «He aquí a Estados Unidos golpeado por la mano de Dios Todopoderoso en uno de sus órganos vitales: los grandes edificios que hemos destruido».

»Dios ha escogido a un grupo de musulmanes a la vanguardia, en la primera línea del Islam, para que destruya Estados Unidos.

Antes de las siete del lunes 8 de octubre, Rumsfeld efectuó una breve comparecencia en los programas matutinos de las cinco redes de televisión para ofrecer una valoración poco reveladora y constreñida. Respecto a los objetivos, dijo en la ABC: «Sabemos que han sido alcanzados con éxito en muchos aspectos».

A las 9:30, en la reunión del Consejo de Seguridad Nacional, Tenet dijo: «La idea en el norte es: los afganos contra Al Qaeda.—La CIA trataba de colaborar en los objetivos del norte—. La idea en el sur está todavía sin resolver. El Predator está volando por el norte».

El general Myers habló del problema de los objetivos. No sabían adónde apuntar. «Los equipos de ataque aéreo están holgazaneando, esperando a que el Predator identifique objetivos emergentes».

Eran momentos increíbles, apenas imaginables en los anales de la guerra moderna. Tras un día de ataques, el poderío aéreo de Estados Unidos era como un gigante inútil desplazándose torpemente por el cielo: «holgazaneando», en boca del militar de más alto rango de la nación, esperando objetivos oportunos.

Rumsfeld tenía buenas noticias: «Todos los aviones han vuelto sanos y salvos—dijo—, incluidos los de ayuda humanitaria».

Las de Myers eran peores: la evaluación de los daños causados por los bombardeos, el análisis crucial de después de la acción sobre los daños infligidos por las bombas y los misiles de crucero. Dijo que muchos objetivos no habían sido suficientemente destruidos. «Hoy volveremos sobre los que se nos pasaron por alto».

Las evaluaciones de los daños causados por los bombardeos recibirían tratamiento de información muy confidencial, y no se contaría mucho a la prensa y al público.

Bush dijo que las últimas interceptaciones de comunicaciones y otros datos revelaban que algunos de los más destacados lugartenientes de Al Qaeda, incluido Bin Laden posiblemente, se encontraban en Tora Bora, una región de cuevas naturales y excavadas de las Montañas Blancas, a lo largo de la frontera con Pakistán, cerca de Jalalabad. Los combatientes talibanes y de Al Qaeda estaban haciendo lo mismo que los muyahidines durante la ocupación soviética: utilizar los búnkers de las cuevas de Tora Bora, accesibles solo en mula, como escondites y depósitos de armas.

—¿Qué orden damos sobre Tora Bora?—preguntó.

La respuesta de Myers atrajo la atención de todos: treinta y dos bombas individuales de novecientos kilos.

—No estamos atacando unos cuantos objetivos militares talibanes—dijo Rumsfeld por lo elevado del previsible daño colateral. Dijo que la pregunta del día siguiente sería la conveniencia de ir a por más objetivos militares talibanes y, en tal caso, cuándo.

—Miren—dijo Bush—, vamos a efectuar una serie de ataques. Después, suavizaremos un poco, haremos el espionaje necesario, veremos qué panorama obtenemos y, después, reiniciaremos los ataques.—De momento, hacía gala de paciencia, satisfecho por haber empezado el bombardeo por fin. Pero más adelante, en una entrevista, el presidente dijo que comprendía que no estaban llevando a cabo grandes hazañas de carácter militar. «Estamos bombardeando arena. Estamos pateando arena», fueron sus palabras.

Todavía estaba tenso por el ántrax. La primera víctima de Florida había muerto y un compañero suyo del mismo edificio se había contagiado. El FBI había iniciado una investigación exhaustivas y el ántrax ocupaba los titulares de las noticias.

La plana mayor se reunió más tarde, ese mismo día. Tenet estaba satisfecho. Musharraf había despedido al jefe de los Servicios de Espionaje, Mahmud, y a varios de sus lugartenientes clave: una clara señal. La bruja mala había muerto. El Servicio de Espionaje de Pakistán había sido el papá complaciente de los talibanes, y el cese de Mahmud significaba que Musharraf se lo tomaba más en serio.

Los franceses tenían treinta aviones dispuestos para acudir a la zona y querían ayuda diplomática estadounidense con Tayikistán y Uzbekistán para instalarse.

Rice dijo: «Comprobaremos la necesidad de esos aparatos con los franceses. Después, hablaremos de cómo facilitarles la tarea por vía diplomática. Me alegro de que Tommy abra diversas puertas a la participación de los miembros de la coalición».

Rumsfeld habló de la delicada cuestión de la valoración de los daños de los bombardeos del segundo día de la ofensiva. «Destruimos once de los doce radares SA-3. Destruimos siete campos de aviación de los ocho señalados. Cayó la mitad de los radares de largo alcance, iremos a por el resto con nuestros aparatos. Machacamos Tora Bora, pero desconocemos los efectos. Tenemos tres torres de radio, efectuamos lanzamientos de ayuda humanitaria. Utilizamos setenta aviones de ataque en 116 incursiones».

El grupo afrontó uno de los problemas más delicados que se planteaban. ¿Cómo podía evitar Estados Unidos que Bin Laden y su red utilizaran armas de destrucción masiva?

Nadie tenía grandes ideas.

—Puede que sean inevitables—dijo Rice—, pero podemos convencer de que no las utilicen a otros que lo apoyarían en ese aspecto, e incentivarlos para que se vuelvan contra él.

Bin Laden ya estaba bastante aislado. No parecía contar con mucho apoyo más que el de los talibanes, y Estados Unidos no había conseguido ponerlos en su contra.

Durante una reunión en el Despacho Oval ese mismo día, se insinuó al presidente que fuera a visitar el Pentágono.

—No voy a ir allí a comunicar que todos los aviones volvieron sanos y salvos—dijo Bush—, porque algún día no volverán todos sanos y salvos.

Tenet empezó la reunión del Consejo de Seguridad Nacional de las 9:30 de la mañana, el martes 9 de octubre, planteando el problema número uno: la falta de objetivos militares en Afganistán después de tres días de campaña de bombardeo. «Hoy nos centramos en el trabajo con el comandante en jefe para proporcionar nuevos objetivos, sobre todo en el norte», dijo. Los paramilitares de la CIA que tenía sobre el terreno en el norte, el equipo Rompemandíbulas, podrían contribuir a identificar «objetivos emergentes» mandando nuevos datos sobre instalaciones y concentraciones de tropas. Los aparatos Predator, aviones sin piloto a bordo, también proporcionaban excelentes imágenes de reconocimiento. «Gracias a los vehículos aéreos sin tripulación vemos

Tora Bora y validamos los mapas proporcionados por la Alianza del Norte».

—Los grupos tribales del sur todavía no se han movido. Mantenemos a la Alianza del Norte en su puesto y está pendiente la cuestión de cuándo darles rienda suelta.

Es decir, en tierra, la situación seguía estática, en parte a instancias del Ejército estadounidense, puesto que todos estaban pendientes del efecto que causaría la campaña de bombardeo.

—En el sur, todavía están tras la barrera. Tenemos algunos hombres en Pakistán: el grupo más activo del sur—dijo Tenet, en referencia a la provincia al sur de Kabul que incluye las ciudades de Gardez y Jost.

Un acontecimiento prometedor que podía comunicar al presidente era el cambio en la jefatura de los Servicios de Espionaje paquistaníes. El nuevo jefe estaba limpiando el servicio de miembros pro talibanes. Era un gran tanto para la CIA y una demostración de agallas por parte de Musharraf. «Así pues, podemos pedirle más información», dijo. Seguía desconfiando de los servicios paquistaníes, no compartía todos sus datos con ellos, y el despliegue de fuentes de la CIA en el sur se estaba efectuando con independencia de Pakistán.

Tenet informó también de que habían comenzado las deserciones entre los talibanes menos militantes. Era una reacción que la CIA había previsto. «Se están produciendo deserciones de comandantes talibanes en el norte». Unos treinta y cinco o cuarenta comandantes talibanes con unos mil doscientos hombres habían desertado el lunes y habían cedido a la Alianza del Norte el control de la ruta de abastecimiento talibán del noroeste de Kabul. La CIA había comprado a los comandantes.

—Las condiciones atmosféricas van a limitar a la Alianza del Norte—dijo Cheney—. Dentro de un mes, estarán aislados, de modo que si pensamos darles rienda suelta en serio, conviene que sea cuanto antes.—Debido a las limitaciones de tiempo, Cheney no estaba convencido de que retener a la Alianza del Norte fuera la estrategia más oportuna. Tenían que hacer algo más que machacar al enemigo poco a poco con bombardeos y deserciones—. ¿Franks está pendiente de los objetivos que facilitarán la movilidad de la Alianza del Norte?

»Convendría animar a la Alianza del Norte a tomar Kabul—dijo Cheney—. A nosotros, como superpotencia, no nos conviene que la cosa quede en punto muerto.—Temía que tanto la defensa del país como el ataque en Afganistán fueran débiles.

—Necesitamos una victoria—dijo Bush.

—La única victoria a los ojos del mundo podría ser tomar la capital—contestó Cheney.

—Daremos rienda suelta a la Alianza del Norte el jueves o el viernes—dijo Tenet—, y Franks va a atacar objetivos en el norte que les faciliten la movilidad.—El director de la CIA casi hablaba en boca del comandante en jefe: un cruce nebuloso de directrices operativas entre la CIA y el Departamento de Defensa que incomodaba a Rumsfeld. Tenet siguió hablando—: No podemos evitar que quieran tomar Kabul... la única cuestión es si pueden o no.

Uno de los presentes preguntó de qué le serviría tomar Kabul a Estados Unidos con respecto a Al Qaeda. Todos estaban de acuerdo en que la capital de Afganistán constituiría un paso adelante simbólico. Quizá la capital no tuviera la misma importancia que en otros países debido al fraccionamiento de Afganistán.

Debatieron sobre la importancia que tenía para Estados Unidos tener en cuenta los deseos de Pakistán, que temía la influencia rusa e iraní en un Kabul controlado por la Alianza del Norte. De todos modos, sería difícil hablar de victoria si los talibanes mantenían el control de la capital durante todo el invierno.

Rice preguntó si la Alianza del Norte recibía asesoramiento militar uniforme. ¿Estados Unidos les decía una cosa, los rusos otra y aún otra diferente los demás protagonistas de la región? Nadie respondió. El grupo comenzó a hablar de Oriente Próximo e Indonesia y de un calendario de ampliación de la lista de terroristas al margen de Al Qaeda para congelar las cuentas de otros grupos terroristas.

Rumsfeld volvió a tratar el tema de las acciones antiterroristas en otros lugares fuera de Afganistán. Nadie demostró interés.

Anunció malas noticias: «Es improbable que lleguemos al norte con Fuerzas Especiales, al menos a corto plazo».

Myers dijo: «En el sur, podríamos tener efectivos terrestres el día 16, el 17 o el 18». Al cabo de una semana, pero ya era algo.

—Tenemos que hacerle comprender al pueblo estadounidense que estamos triunfando sin alardear—dijo el presidente.

—Ahora podemos ser más positivos—dijo Rumsfeld. La mayor parte de los aeropuertos talibanes habían sufrido daños y el Ejército podría llevar a cabo ataques durante veinticuatro horas al día, más o menos.

—Creo que voy a decir que los muchachos han hecho exactamente lo que se les pidió, y que estamos satisfechos con la marcha de las cosas—dijo Bush.

Myers leyó la evaluación de los daños causados por los bombardeos, el marcador de alto secreto. «Hemos realizado setenta incursiones sobre Afganistán. Hay que evaluar dieciséis objetivos de los treinta y cinco del segundo día». Eso significaba que habían podido fallar en casi un 50 por 100 de los objetivos. En la rueda de prensa del Pentágono del lunes no se había revelado ese dato. «Hay que ir a por los aviones de transporte. Tienen un SA-3 todavía en pie, pero no amenaza a nuestras fuerzas». Estados Unidos había barrido dos de los tres emplazamientos de misiles tierra-aire que formaban las defensas antiaéreas talibanes. También lanzaron folletos y 37.500 raciones diarias de ayuda alimentaria en zonas azotadas por el hambre.

—Mañana atacaremos objetivos militares talibanes de poco efecto colateral—dijo Rumsfeld.

—Habrá presiones para intensificar los objetivos con alto nivel de daño colateral—dijo el presidente—. Hasta el momento lo hemos conseguido porque nos hemos centrado en objetivos militares demostrablemente importantes. Es importarte continuar centrados en ellos.

Bush preguntó sobre las cuevas y el ataque a los campamentos del sur. Dijo que iba a pronunciar una conferencia de prensa nocturna dentro de dos días. «Tenemos que pensar en la descripción de la campaña militar, en lo que queremos conseguir». Sopesando algunas ideas, dijo que la siguiente fase de la operación militar convencional se pondría en marcha, pero esporádicamente. «Quizá no vean bombardeos durante un tiempo, pero no vamos a decirles cuándo volveremos a bombardear».

—Tiene razón—dijo Rumsfeld.

—Vamos a atacar cuando a nosotros nos parezca bien, cuando así lo requiera nuestra misión—prosiguió Bush—. Aunque no atrapemos a Osama Bin Laden, lo que estamos haciendo sigue siendo útil.

El presidente dijo que pediría a los niños que contribuyeran con un dólar cada uno a los fondos de ayuda a niños afganos. «El Departamento de Educación intentará patrocinar intercambios entre las escuelas primarias, y queremos hacer un llamamiento a las mujeres musulmanas y llegar hasta ellas». El trato opresivo que los talibanes dispensaban a las mujeres era una de las afrentas más espectaculares del estricto régimen fundamentalista, y Bush quería demostrar que, derrocándolo, las mujeres serían liberadas.

Cheney volvió a la espinosa pregunta que todos esquivaban. «¿Dónde estaremos en diciembre y enero si no damos con Osama Bin Laden, el tiempo empeora y las operaciones se ralentizan?».

—Estamos intentando ganar algo de terreno en otras partes del mundo contra Al Qaeda—repitió Rumsfeld. Seguía pensando que si la campaña antiterrorista se estancaba en Afganistán, siempre podrían hacer algo en otra parte. Seguiría las directrices del carácter mundial de la guerra del presidente contra el terrorismo. En los primeros lugares de la lista de la expansión de las acciones antiterroristas se encontraban Filipinas, Yemen e Indonesia. En Filipinas, una nación de islas predominantemente católica, con ochenta y tres millones de habitantes, los musulmanes insurgentes habían enraizado en el sur, sobre todo el grupo terrorista de Abu Sayyaf, con vínculos sospechosos con Al Qaeda. En Yemen, continuaba aumentando la gran presencia de Al Qaeda, desde el ataque terrorista de octubre de 2000 al destructor USS Cole, y el país también acogía a representantes de Hamás, de la Yihad Islámica palestina y otras organizaciones terroristas. En Indonesia, había musulmanes extremistas por todas partes.

Pero él parecía un tamborilero solitario.

—Estoy pensando mucho en el final—dijo Bush devolviéndolos a todos a Afganistán—. Y si el tiempo nos detiene, ¿estamos donde queremos estar?

—Miren, acciones de presión—dijo Rumsfeld tratando de volver a la discusión sobre los grupos terroristas en el mundo—. Empecemos alguna acción contra ellos en otra parte del mundo. Afganistán no puede ser el único centro de atención.

Cheney replicó: «Si Osama Bin Laden está en una cueva y damos en el blanco, a nadie le importará lo que estemos haciendo en otra parte».

Rumsfeld se zambulló en una discusión sobre lo que se tendría que decir públicamente respecto a la posible utilización de armas estadounidenses de destrucción masiva si el otro bando las utilizaba. La perspectiva era temible, pero había que afrontarla.

—Verá—replicó Cheney—, solo es necesario decir que nos reservamos el derecho a recurrir a todos los medios que estén a nuestro alcance para responder al empleo de armas de destrucción masiva. Es la fórmula de la Guerra del Golfo—lo que se había dicho en la guerra de 1991 contra Irak—, y eso es lo que tenemos que hacer. En última instancia, la utilización de esa clase de armas sería una decisión que dependería del presidente.

El anterior secretario de Defensa y el actual, hondamente preocupados por la guerra nuclear, la biológica y la química, insistieron un rato en el tema. Estados Unidos estaba en guerra contra un enemigo no convencional, y había que contemplar la posibilidad de que Bin Laden dispusiera de armas de destrucción masiva.

—Es posible que no se pueda disuadir a Osama Bin Laden —dijo Cheney.

—Bien—dijo el presidente—, las naciones que patrocinan a Osama Bin Laden, las que le prestan apoyo, quizá tengan alguna influencia sobre él. ¿Convendría mandar mensajes públicos o privados?

Rumsfeld dijo que había que pensar un poco más en todo ello.

La cuestión de la operatividad de las armas de destrucción masiva de Al Qaeda era lo que Rumsfeld solía denominar un «desconocimiento conocido», un dato que sabían que ignoraban, un tema tanto posible como importante, pero del que no tenían datos definitivos. Helaba la sangre por sí solo. Pero, de todos modos, era menos preocupante que los «desconocimientos desconocidos», las cuestiones que Estados Unidos ignoraba que ignoraba, las posibles sorpresas desagradables.

Bush volvió a la discusión sobre problemas conocidos.

—Tenemos que pensar en la forma de conseguir alguna victoria antes de que empiece a nevar. Y tenemos que pensar en Kabul.

—¿Queremos tomar la ciudad?—preguntó Powell—. ¿Queremos resistir en ella? Si es así, ¿qué vamos a hacer con ella?

—Ya sabe que los rusos nunca la tomaron—dijo Rice. El comentario casi insinuaba que era motivo suficiente para tomar la ciudad, puesto que los soviéticos verdaderamente se habían equivocado en todo.

—Tal vez fuera mejor que Naciones Unidas se ocuparan de Kabul—dijo el presidente.

—Sí, lo mejor sería que Naciones Unidas se ocupase de Kabul—confirmó Powell—. De todos modos, si la Alianza del Norte la toma antes, no la soltará.—Masud, el comandante asesinado de la Alianza del Norte, había dicho que jamás ocuparía Kabul en solitario, pero Powell no creía que su sucesor, Fahim Khan, tuviera inclinaciones disciplinadas ni diplomáticas.

Rumsfeld dijo que el tiempo seguía siendo bueno en el sur. Para salir del atolladero, el presidente puso fin a la reunión con una nota optimista. «Las tropas más débiles están en el norte, de modo que la Alianza del Norte puede apoderarse de la zona», dijo.

A las 13:15, Rumsfeld y Myers se presentaron en la sala de prensa del Pentágono. Rumsfeld anunció que Estados Unidos había atacado varios campos de entrenamiento de terroristas de Al Qaeda y había destrozado gran parte de los aeropuertos, radares antiaéreos y lanzamisiles talibanes. «Creemos que ahora estamos en condiciones de atacar más o menos las veinticuatro horas del día, como queremos».

Myers no dio el mismo informe que había dado en el Consejo de Seguridad Nacional: el de los dieciséis objetivos, de treinta y cinco, que tenían que ser evaluados. Dijo: «Las fuerzas estadounidenses han atacado trece objetivos hoy».

Mostró filminas de Afganistán con imágenes de los objetivos del primer día y del segundo. «Los ataques iniciales han sido positivos y hemos causado daños o destruido el 85 por 100 de los treinta y un primeros objetivos». Hablaba con imprecisión. En términos militares, la diferencia entre «causar daños» y «destruir» es como la que existe entre la noche y el día, de la misma forma que un coche que «sufre daños» en un accidente puede seguir funcionando.

—Sin embargo, señor secretario, usted dice que se está quedando sin objetivos—dijo un periodista—. ¿Qué otras cosas va a seguir atacando?

—Bien, digamos que hemos comprobado que es necesario volver a atacar algunos de los objetivos ya atacados—contestó Rumsfeld. Era más revelador que lo que había dicho Myers.

—En segundo lugar—dijo—, no somos nosotros quienes nos estamos quedando sin objetivos, sino Afganistán.

Hubo risas. Era cosecha de Rumsfeld. Sin embargo, quedaba abierta una cuestión: ¿cómo se gana una guerra si no se puede atacar al enemigo?

Otros periodistas insistieron en temas de concentración de tropas de bombardeo, provisión de soporte aéreo cercano y cualquier otro de apoyo directo a las fuerzas preparadas para avanzar de la Alianza del Norte. Tanto Rumsfeld como Myers respondieron con cautela, sin comentarios sobre cuándo o si las fuerzas de tierra estadounidenses podrían desplegarse, y cómo apoyarían a los grupos antitalibanes. En determinado momento, Myers explicó su punto de vista sobre la nueva guerra.

—Verán, si tratan de cuantificar lo que estamos haciendo hoy en términos de guerras convencionales anteriores, cometen un gran error—dijo—. Eso son «ideas antiguas» que no les facilitarán el análisis de lo que estamos haciendo... Es lo que llevamos tratando de decirles desde hace tres días. Este conflicto es diferente.

Al responder a una pregunta sobre la responsabilidad que podría tener Estados Unidos si los talibanes eran derrocados, Rumsfeld se recató. «No creo que nos genere la responsabilidad de calcular qué clase de Gobierno debería tener ese país—dijo, y añadió—: No conozco a nadie tan listo que, no siendo de un país, sea capaz de decirle la clase de ajustes que tendría que hacer para gobernarse a sí mismo».

No quería que Estados Unidos se comprometiera a reconstruir una nación.

El miércoles 10 de octubre, el Consejo de Seguridad Nacional se reunió en la Casa Blanca, en la Sala de Situación, a las 9:30.

El presidente sacó a colación el tema de cuánta información confidencial y secreta se podía compartir con el Congreso. «Para Don y Colin, es importante informar a sus respectivas comisiones—dijo—. Los informes de operaciones que estamos dando al Congreso son de *nivel coronel*. Tenemos que subirlo».

Aplacarían a los legisladores mandándoles a Rumsfeld y a Powell, pues ambos sabían hablar con franqueza sin dar ningún dato crucial. «Quiero satisfacer al Congreso sin renunciar a la información secreta», dijo Bush. En el sentido práctico, era imposible. La información confidencial contaba la historia de lo que estaba sucediendo, que es lo que quería el Congreso.

Se habló de Siria, bien documentada como Estado partidario de Hezbolá. Siria había condenado los ataques del 11 de septiembre.

—Siria tiene que ponerse en contra de toda forma de terrorismo—dijo Powell.

Los demás estaban de acuerdo, y Rumsfeld añadió: «No podemos permitir que Siria nos ayude con Al Qaeda y después sentirnos obligados a asediarlos con respecto a su apoyo a otros terroristas.

—Tenemos que colocar a alguno de los nuestros en Al Yasira —dijo Bush—. Confeccionemos un programa diario de comparecencias, hagamos informes para la prensa. Necesitamos gente que les pase información.

Rumsfeld leyó su informe diario, más o menos rutinario, sobre la guerra.

—Realizamos sesenta y cinco vuelos—dijo, aunque se habían previsto setenta—. Objetivos militares con bajo nivel de daños colaterales. Empiezan a salir objetivos emergentes. No tenemos todos los helicópteros ni transportes, y tampoco los cazas.—Tanto Rumsfeld como Myers habían dicho el día anterior que Estados Unidos dominaba el cielo de Afganistán y que a los talibanes solo les quedaban unos pocos y pobres agentes.

—Asegurémonos de no atacar ninguna mezquita—dijo Bush.

—Tenemos algunas cuevas más y estamos trabajando en Tora Bora—el conjunto de cuevas de dificilísimo acceso del este, dijo Rumsfeld.

Franks dijo que tenía un equipo A de doce hombres de las Fuerzas Especiales esperando a desplegarse en Afganistán.

—Trabajaremos con el DCI para introducirlos—dijo Rumsfeld. Rechinaba los dientes por el lento progreso de la introducción de los equipos de las Fuerzas Especiales. El tiempo climático era la excusa del momento. Había vendido al presidente la idea de introducir hombres en tierra, y no se lo había servido todavía.

—Por el tiempo que hace—dijo el presidente—ahora es el momento de entrar en el norte. Todavía quedan opciones en el sur para después, pero tenemos que ir al norte.

Rumsfeld hizo un comentario general sobre la política de Estados Unidos en el subcontinente asiático.

—Tenemos que evitar dar la imagen de que nos estamos acercando a Pakistán—dijo. La alianza antiterrorista con Pakistán causaba preocupación en su rival la India.

Powell estaba de acuerdo. «Siempre que hablamos de Pakistán tenemos que hablar también de la India».

Rumsfeld dijo: «El Departamento de Defensa y la Agencia para el Desarrollo Internacional están bien enlazados. Queremos asegurarnos de que damos de comer a quien queremos».

—Destinamos 170 millones de dólares al año—dijo Powell.

—¿Solo para campos de refugiados?—preguntó Bush.

—Tanto en la frontera como en Afganistán—contestó Powell. Más de dos millones de afganos habían huido de sus hogares en el transcurso de las dos últimas décadas, y muchos vivían en campos de refugiados en las zonas fronterizas de Pakistán e Irán. A diario seguían huyendo más por la frontera desde el comienzo de los bombardeos.

Rumsfeld dijo un aforismo de los suyos: «Haz el mal y no te sucederá nada». Hacer el bien es arriesgado. Podían esperar dificultades y críticas por la ayuda humanitaria. Las críticas dirían que no era suficiente, que estaban dando de comer a quienes no debían, pero no tenían que dejarse amilanar por ello.

—Habrá un momento en que tendremos que hacer algo visible en alguna otra parte del mundo—dijo Rumsfeld por quinta o sexta vez. Era una cuestión que llevaba días queriendo debatir, pero los demás no tenían ganas.

Cuando volvieron a hablar de la localización de nuevos objetivos, el presidente advirtió de nuevo: «Aseguraos bien de que no empezamos a bombardear mezquitas».

—¿Por qué solo puede volar un Predator a la vez?—preguntó. Le había impresionado la cantidad de datos de puro espionaje que el Predator había proporcionado. Era una herramienta útil de bajo riesgo... y solo costaba un millón cada aparato, una ganga, en lo que a maquinaria militar pesada se refería.

—Vamos a intentar que vuelen dos simultáneamente—dijo Tenet.

—Tendríamos que tener cincuenta iguales—dijo Bush.

Powell retomó entonces la estrategia militar general.

—Tenemos que procurar la consolidación del norte y el este antes del invierno—dijo—. Apoderarnos de Mazar-e-Sharif, controlar las fronteras y los valles.

—Ya he pedido que miren eso—dijo Tenet. La CIA indicaba que también Kabul podía caer antes del invierno, y Tenet sabía que sería un reto político mucho más difícil que apoderarse de Mazar—. La Alianza del Norte querrá tomar Kabul, y será difícil de controlar—advirtió de nuevo—. Necesitamos un pastún no talibán que coopere con la Alianza del Norte en Kabul. Y deberíamos relacionarlo con la ayuda humanitaria.—Tenet dijo que los alimentos «incentivarían» a algunos a cooperar. Pero utilizar los alimentos como palanca no entraba en el espíritu de la ayuda humanitaria generalizada que el presidente imaginaba.

Cheney parecía incómodo e indicó que quería mantener al presidente al margen de esas discusiones, desmentirlo casi. «La amplia cuestión de la estrategia tiene que decidirla el presidente —dijo Cheney—. Seremos juzgados por los resultados concretos que obtengamos en Afganistán. Necesitamos que la junta de la plana mayor enfoque el tema y acuda después al presidente». La junta de la plana mayor era el lugar apropiado para esa clase de temas tácticos, y no el presidente.

El presidente dijo más tarde que le preocupaba que no se mantuvieran centrados en la cuestión. «Creo que tenemos que ocuparnos primero de lo primero». Afganistán era lo primero y más importante.

En la reunión, Rumsfeld dijo sobre Afganistán:

—Tenemos que atar las cosas de tal forma que Omar y Osama Bin Laden no escapen. Queremos mantenerlos *embotellados.*

—¿Embotellados?—Powell casi se burló—. Pueden escaparse en un Land Rover.

Powel había aprendido esa amarga lección años antes, cuando era jefe de la Junta de Jefes de Estado Mayor, durante la invasión norteamericana de Panamá, en diciembre de 1989. Estados Unidos se tiró días tras la pista del «hombre fuerte» panameño, Manuel Noriega. Afganistán era ocho veces más grande que Panamá y sus regiones fronterizas eran remotas y sin ley. Pensar que Estados Unidos podía mantener a alguien «embotellado» era absurdo.

El presidente no estuvo de acuerdo con el punto de vista de Rumsfeld. «Parte de nuestra estrategia es mantener a UBL en movimiento, obligarle a que se mueva—dijo—. Si Bin Laden estuviese huyendo no podría estar conspirando y planeando. No contamos con atraparle el primer día. Queremos desplazarle de su santuario seguro. Por eso está huyendo».

Tras la reunión del Consejo de Seguridad Nacional, Bush hizo el corto trayecto desde la avenida de Pensilvania hasta la sede del FBI. Compareciendo con Powell, Ashcroft y Mueller, desveló una lista de los veintidós «terroristas más buscados», complemento de la popular «Los diez más buscados». «Ha llegado el momento de trazar la línea en la arena contra los malvados», dijo mientras se desplegaban fotografías de los rostros de los nombrados. En lo más alto de la lista estaban Osama Bin Laden y dos de sus lugartenientes clave: los egipcios Dr. Ayman Zawahiri y Mohamed Atef.

Bush se quedó con una versión clasificada que incluía fotos, pequeñas biografías y perfiles de la personalidad de los veintidós hombres. Cuando volvió a su escritorio del Despacho Oval, introdujo la lista de nombres y las caras en un cajón, al alcance de la mano. Era su propia y personal tarjeta marcador para la guerra.

16

Steve Hadley le expresó a Rice su preocupación sobre la situación en Afganistán.

—De verdad, no creo que estemos controlando el asunto como deberíamos. O al menos, yo no lo controlo como me gustaría. Me ha caído encima. Voy a ir con los otros segundos a ver a la CIA y a sentarnos con George y su gente.

Rice fue con ellos a Langley aquel mismo jueves a última hora. Tenet y alguno de los suyos lanzaron al aire algunas observaciones.

Tanto Irán como Rusia habían apoyado durante años a la Alianza del Norte con millones de dólares. Irán era probablemente quien más había colaborado, dando dinero para apoyar a miles de soldados de las tropas de la Alianza del Norte. Ambos países seguían manteniendo relaciones activas con la Alianza. No parecían poner impedimentos a que Estados Unidos y la CIA hubieran entrado en contacto con la Alianza, pero no existía ningún mensaje coordinado al respecto.

Irán ejercía una gran influencia sobre Ismail Khan, el señor de la guerra shií tayiko que controlaba el territorio que rodeaba Herat, en el oeste de Afganistán, cerca de la frontera con Irán.

Todas las tribus deseaban el apoyo aéreo de Estados Unidos, sus municiones y su comida para movilizarse contra los talibanes y Al Qaeda, pero querían actuar por su cuenta.

Afganistán solo era estable en el marco de una estructura descentralizada. No se trataba de un Estado moderno con un Gobierno central fuerte y era posible que tampoco lo tuviese en el futuro.

Todos, todas las tribus y todos los señores de la guerra, deberían tener un lugar en Kabul en la mesa de un futuro Gobierno.

Tenet no estaba todavía preparado para enviar equipos paramilitares hacia el sur de Afganistán debido a la fluidez de la situación y al hecho de que muchos de los líderes tribales del sur del país mantenían vínculos con los talibanes. No era seguro, así de claro. Además, allí no existía un frente de combate definido como el que había en el norte.

Según uno de los informadores de la CIA, al nuevo jefe del espionaje paquistaní se le había solicitado tanto información como ser presentados a algunos pastún.

—Debemos llevar a cabo operaciones especiales en el sur, necesitamos despojar a los talibanes de sus fuerzas de combate. Necesitamos conseguir que los pastún se pongan de nuestro lado y necesitamos apaciguar a los paquistaníes—resumió Tenet.

Los expertos de la Agencia recalcaban una y otra vez que el nuevo Gobierno o Administración de Kabul debería ser imparcial con todas las facciones y tribus. El simbolismo de las etnias tayika y uzbeka (el grueso de la Alianza del Norte) en Kabul sería un verdadero problema para los paquistaníes y los pastunes.

—¿Es necesario derrotar a los talibanes?—preguntó Rice.

Sí, de lo contrario seguirían siendo un punto de confluencia para elementos terroristas.

—Teníamos una estrategia antiterrorista, ahora necesitamos una estrategia política—dijo Tenet—. Debemos explicar a las tribus del sur cuál es el escenario político. Necesitamos una visión. Necesitamos dejar claro que estamos ahí pensando a largo plazo.

En cuanto a lo que debería haberse conseguido cuando llegara el invierno, Tenet y sus expertos ofrecieron una respuesta dividida en cuatro partes: 1. Ocupar el norte. 2. Reabastecerse desde Uzbekistán. 3. Tener Kabul bajo la estructura discutida. 4. Crear un corredor seguro para que los suministros llegaran al sur a través de Paktia, que comparte una frontera de doscientos cuarenta kilómetros con Pakistán.

Estados Unidos podía conseguir que los paquistaníes se encargaran de comunicar la estrategia política a los pastunes. Las fuerzas antitalibanes podían dirigirse hacia el sur, sujetar a la fuerza al enemigo, rodearlo y acabar con él. Los analistas de la CIA recomendaban seguir atacando objetivos. Gracias a la ventaja tecnológica de la que disponía el Ejército norteamericano, resultaría más fácil encontrar algunos objetivos en invierno. Podrían incluso ser capaces de inducir más deserciones recortando la movilidad del enemigo y localizándolo.

Los informadores de la CIA reiteraron la importancia de ofrecer incentivos a los pastunes para que retiraran su ayuda a los talibanes. ¿Cuál sería el mensaje?

—Retiraos y comeréis. Si no os retiráis, no comeréis—dijo alguien. Una propuesta muy cuestionable. Si la situación en el sur se volvía extrema, Estados Unidos podía ser acusado de ser cómplice de la hambruna... la utilización del hambre organizada como herramienta política, un hecho que comprometería el entorno moral norteamericano.

Finalmente quedó claro que no sería necesario. El sur disponía de comida suficiente. La escasez grave de alimentos se localizaba en y alrededor de las zonas controladas por la Alianza del Norte.

A las cinco de la tarde, el Comité de Secretarios se centró en los distintos tipos de amenazas que afrontaba Estados Unidos y en lo que podía hacer para combatirlas. Una preocupación que iba en aumento era la probable existencia de un arma radiológica, pero cuanto más hablaban de ella, más evidente se hacía que no era algo para lo que pudieran prepararse. La probabilidad, el impacto—psicológico y físico—, eran grandes interrogantes, en parte porque, que ellos supieran, jamás se había detonado un dispositivo de ese tipo. Se trataba solo de una posibilidad y, como tal, era preocupante. Naturalmente, el secuestro de un avión de pasajeros para ser utilizado como misil también parecía improbable hasta muy recientemente.

—Esta noche tengo una rueda de prensa—recordó Bush la mañana del jueves 11 de octubre, al inicio de la reunión del Consejo de Seguridad Nacional—. Voy a reformular el conflicto, a sentar las expectativas en el nivel adecuado.—Rebosaba confianza—. Va a ser un conflicto largo, debemos disponer de una estrategia deliberada, intensa y bien pensada. Pediré paciencia al pueblo norteamericano. Vamos a ir a por los anfitriones y los parásitos. Se trata de una guerra muy amplia. Si no capturamos a Osama Bin Laden, no significa que hayamos fracasado.

Powell dijo que la Organización de la Conferencia Islámica había emitido un contundente comunicado de condena a los actos terroristas contra Estados Unidos. El comunicado de la Organización de la Conferencia Islámica, emitido el día anterior, afirmaba que los actos iban en contravención directa de las enseñanzas de las religiones divinas y de todos los valores morales y humanos. El presidente anunció que utilizaría parte de las palabras de la declaración de la Organización de la Conferencia Islámica en las respuestas que diera a la prensa aquella noche.

—La declaración de la Organización de la Conferencia Islámica sugiere que la coalición se mantiene unida—dijo Powell.

En cuanto a la ayuda humanitaria, prosiguió:

—Estamos introduciendo unos cuantos camiones procedentes de Turkmenistán, Tayikistán e Irán. Recordad que las ONG son las responsables de prácticamente toda la distribución de alimentos. Son la red de distribución. Necesitamos coordinarlas entre ellas con el Mando Central.—En una zona de combate como Afganistán, era imprescindible la supervisión militar para que el programa de ayuda siguiera en orden y funcionando sin problemas.

Rumsfeld ofreció su informe diario sobre las operaciones.

—Ayer llevamos a cabo setenta y cinco ataques sobre Afganistán. Estamos buscando nuevos objetivos. Tenemos treinta y uno de sus sesenta y ocho aviones; no encontramos sus helicópteros; tenemos nueve de sus quince transportes de mercancías. Inspeccionamos sus laboratorios de drogas y sus almacenes de heroína y no los atacamos para evitar daños colaterales.

Se trataba de las valoraciones detalladas de daños que, en la mayoría de los casos, se guardaban bajo la clasificación de ALTO SECRETO/CONTRASEÑA, la más elevada posible. Una filtración por parte de fuentes autorizadas sería un revés importante. Se imaginaban los titulares: «Los Estados Unidos destruye solamente treinta y uno de los sesenta y ocho aviones talibanes; no pueden encontrar los helicópteros; evitan los laboratorios de drogas por miedo a los daños colaterales».

Después de la reunión con el Consejo de Seguridad Nacional, la comitiva automovilística del presidente recorrió el breve trayecto que sigue la orilla del río Potomac hasta llegar al Pentágono para asistir a un funeral en conmemoración del primer mes de los ataques terroristas. Bush se dirigió a una multitud de quince mil personas congregada en una plaza de armas cubierta de césped situada junto a la entrada del edificio por el río, adornada con motivos de color negro.

—Nos hemos reunido aquí para ofrecer nuestros respetos a los ciento veinticinco hombres y mujeres que murieron prestando servicio a Estados Unidos—dijo el presidente—. También recordamos a los pasajeros del avión secuestrado, aquellos hombres y mujeres, niños y niñas que cayeron en manos de los malhechores.

Rumsfeld habló sobre los amigos, familiares y compañeros de trabajo que habían perdido.

—Murieron porque, según las palabras de justificación ofrecidas por sus atacantes, eran norteamericanos—dijo Rumsfeld.

Comparando a los terroristas con los regímenes totalitarios derrotados en el siglo XX, que buscaban gobernar y oprimir, Rumsfeld dijo:

—El ansia de poder, la necesidad de dominar sobre los demás... convierten al terrorista en un creyente, no de la teología de Dios, sino de la teología del yo y de las palabras que susurra la tentación: «Seréis como dioses». Al ser su objetivo este lugar y los que aquí trabajan, los atacantes, los malhechores, sintieron correctamente que lo que aquí residía era precisamente lo contrario de todo lo que ellos eran y de lo que defendían.

Finalizados los discursos, desfilaron por unas pantallas de televisión gigantes los nombres de todas las víctimas con la música de «Amazing Grace» de telón de fondo. La emoción pudo finalmente con Rumsfeld, cuyos ojos se llenaron de lágrimas.

A las 15:30, la plana mayor se reunía en la Sala de Situación de la Casa Blanca.

Todos tenían presente el aniversario. Tenet planteó la siguiente pregunta:

—¿Cuáles son nuestros objetivos?—Y entonces inició una prolongada respuesta—. Nos gustaría que los talibanes se derrumbaran como entidad militar.—En segundo lugar, querían que la

Alianza del Norte controlara el territorio septentrional, enlazando las fronteras tayika y uzbeka—. Osama Bin Laden muerto, capturado o huido—añadió, afirmando el objetivo de una forma tan vaga que era como si ya estuviese conseguido—. Pero necesitamos mover todos los hilos simultáneamente. El norte está todavía un poco lejos de obtenerse, no hay razón para dirigirse hacia el sur de Kabul.

Rice tenía aún en la cabeza el anterior informe de la CIA: poco podían hacer, aunque hubiesen querido avanzar hacia el sur. La mayor parte del resumen de Tenet era un refrito. Y demostraba lo poco que se movían las cosas.

—Los pastunes son contrarios a la Alianza del Norte, aunque también podrían ser antitalibanes. No son contrarios a Estados Unidos—dijo Tenet. En otras palabras, sus devociones eran negociables, como las de casi todo el mundo en Afganistán—. Lo único que quieren es controlar su *shura*—dijo, en referencia a un principio islámico de autogobierno—. Necesitamos darles algo más que la consigna «id a matar árabes». Tenemos que incentivarlos.

—La Alianza del Norte no es monolítica. Podría fragmentarse fácilmente. Podrían enfrentarse los unos con los otros, ya saben, separarse, luchar entre ellos. Nuestras ayudas deben ser imparciales.

—Tenemos una dimensión iraní en el oeste y una influencia rusa en el norte—dijo Tenet, con respecto a la Alianza del Norte. La CIA, hasta aquel entonces un socio menor entre los diversos apoyos externos de los que disfrutaba la Alianza, intentaba en aquellos momentos hacerse cargo de la totalidad de la operación y controlarla como socio principal.

Dijo que habían puesto su destino en las manos de afganos tribales que actuarían en el momento, en el lugar y de la manera que les apeteciera. Ellos tenían sus propios conflictos, sus jaques, sus ambiciones y sus juegos de poder interno. Era una fuerza mercenaria que no estaba bajo el mando de Estados Unidos. Era el precio de entrada que se debía pagar desde el momento en que se decidió desde arriba que serían las tribus, y no el Ejército estadounidense, las que llevarían a cabo el grueso de la batalla por tierra.

En cuanto a las facciones de la Alianza del Norte que acataban con rapidez las solicitudes de Estados Unidos, Tenet dijo:

—Cuando el comandante en jefe les dé la orden de actuar, queremos que tomen Taloqan, corten la retirada a Al Qaeda, tomen Mazar-e-Sharif, cierren el hueco en Baghlan—una ciudad clave situada en la carretera que une el norte de Kabul con Konduz— y atrapen a Al Qaeda en el norte.

El equipo Rompemandíbulas llevaba dos semanas en el interior de Afganistán. El siguiente equipo paramilitar de la CIA entraría por Uzbekistán junto con las Fuerzas Especiales y se uniría al líder de la Alianza del Norte, el general Abdurrashid Dostum, al sur de Mazar. En aquellos momentos, había un equipo de las Fuerzas Especiales del Ejército situado en Uzbekistán, listo para desplegarse durante el par de días siguientes y unirse a Ismail Khan, fortificado en Herat, a ciento treinta kilómetros de la frontera iraní.

—El comandante en jefe y la CIA están en desventaja. La gente sobre el terreno son objetivos en movimiento para el comandante en jefe—dijo Rumsfeld.

—¿Están debidamente armados?—preguntó Rice, refiriéndose a la Alianza del Norte. Alguien respondió diciendo que en el escenario de la batalla disponían de pequeño armamento.

—No queremos tomar Kabul. Nuestra prioridad debería ser Mazar-e-Sharif—dijo Powell. De tomar Mazar, se situarían solo a sesenta y cinco kilómetros de Uzbekistán. Gracias a ello sería posible abrir un puente terrestre entre Afganistán y Uzbekistán, una ruta continua por carretera por donde podrían transportarse suministros militares y humanitarios. Lanzar desde el aire la ayuda humanitaria resultaba caro e ineficiente. Sin embargo, el desafío diplomático de mejorar todas las facciones iba a requerir mucho tiempo más—. Construyamos el puente. No tomemos Kabul.

En cuanto a Kabul:

—Dejemos que sean Naciones Unidas las que lo gobiernen o tal vez la Organización de la Conferencia Islámica. Convirtámoslo en un centro de ayuda humanitaria y hagámoslo la sede del «loya jirga»—la reunión tradicional de los líderes tribales afganos de todo el país. Powell tenía una visión grandiosa, extravagante incluso, sobre el futuro de la ciudad—. Esto es Kabul, la ciudad internacional, símbolo de un Afganistán unido—dijo—. Que gobiernen Kabul Naciones Unidas y fuerzas de terceros países.—Powell sabía que Bush era reacio a utilizar tropas de Estados Unidos para la reconstrucción del país.

—¿Cómo le sentaría a la Alianza del Norte que entregásemos Kabul a los pastunes?—preguntó Cheney.

—La entregaríamos a Brahimi y a Naciones Unidas—respondió Powell. Lakhdar Brahimi era el representante especial de Afganistán ante Naciones Unidas.

—¿Podemos mostrar algo del plan que acabamos de trazar aquí antes de que la Alianza del Norte entre en Kabul y se enemiste con los pastunes?—preguntó alguien. Era una pregunta crítica.

Un especialista en operaciones de la CIA que asistía a la reunión y que trabajaba todavía en secreto, sugirió:

—Si conseguimos que los pastunes se apunten al plan, Rusia también lo hará.

¿E Irán?

—Querrán tener algún tipo de papel—dijo.

Estaba el asunto del rey. ¿Deberían utilizarlo, y cómo? El hombre de la CIA dijo que tenerlo como cabeza nominal del Gobierno no funcionaría, pero que podría convocar la loya jirga y actuar como figura decorativa.

Hubo una discusión acerca de si necesitaban en Afganistán alguien de la talla del asesinado Masud. Él podría haber llevado las riendas de cualquier movimiento de la Alianza para tomar Kabul. Podría haber sido una gran baza al tener que imaginar una solución postalibán.

Powell seguía mostrándose escéptico.

—¿Pueden tomar Kabul?

—Sí—dijo el hombre de la CIA.

—Estamos bastante seguros de que pueden llegar hasta Kabul en poco tiempo.—Informó positivamente de dos provincias del sur en las que había «agentes» pagados por la CIA—. Estamos trabajando con ellos desde Islamabad. Es una ruptura administrativa con los talibanes. No sabemos si nos permitirán poner gente allí.

—Tenemos «agentes» trabajando en las provincias de Logar y Nangahar.—La provincia de Nangahar, junto a la frontera paquistaní, era el lugar donde se encontraba situado el paso de Khyber, una puerta estratégica en la carretera que iba desde Jalalabad a Peshawar, en Pakistán.

—Debemos acelerar este movimiento para disponer de autonomía—dijo Tenet—. Necesitamos ofrecer ayuda humanitaria. Aunque no quieran combatir, necesitamos que rompan con los talibanes. Necesitamos ofrecer una visión a esas tribus del sur.

—Algunas de ellas están por la visión y algunas de ellas están por el dinero—dijo sin rodeos—. Debemos ofrecer ambas cosas.— Una visión sobre el mayor bienestar de Afganistán era algo demasiado abstracto, vertiginoso, y un premio excesivamente lejano para mucha gente de las tribus... pero comprenderían y aceptarían alegremente el dinero en metálico. La CIA seguía repartiendo millones. Tenet decía que la Agencia estaba armando a demasiada gente. Los afganos respondían a «las armas y a la sensación de encontrarse en el bando ganador».

Card repitió la pregunta de Powell.

—¿Pueden tomar Kabul?

—Como mínimo, pueden llegar hasta la ciudad—dijo Tenet.

El hombre de la CIA añadió:

—Cuando la Alianza del Norte llegue a las afueras de Kabul, los talibanes marcharán hacia las montañas del sur.—Buenas noticias y una señal de alarma a la vez. Nadie preguntó si tenían un plan para resolver el problema de miles de refugiados.

—Necesitamos una visión de Kabul—reiteró Rice—. Es importante disponer de una visión de lo que queremos en Kabul para, con ello, evitar la enemistad con los pastunes.—De nuevo se lamentaron de la ausencia de Masud, quien había dicho que habría gobernado Kabul desde el exterior con diversas tribus, incluso desde el sur. Fahim, su sustituto nominal como jefe de la Alianza del Norte, carecía de la capacidad política de su anterior jefe militar.

—Miren, no se trata de tomar Kabul para así mostrar resultados el 1 de diciembre. Necesitamos resolver el tema de Kabul, los pastunes, la Alianza del Norte—dijo Cheney.

—Pero la prioridad está en el norte—replicó Powell—. Es necesario hablar de Kabul, decirles cuál es la solución, detenernos en la frontera, internacionalizarla, no dejar el sur relegado, dar al sur un papel en Kabul. Esto tiene más valor que tomar la ciudad. Me da algo de qué hablar con los paquistaníes.

El presidente George W. Bush observa los daños ocasionados en el Pentágono desde un helicóptero el 14 de septiembre de 2001 (Eric Draper/ La Casa Blanca).

Bush y el jefe de personal, Andrew Card, conversan a bordo del Air Force One en la mañana del 11 de septiembre (Eric Draper/La Casa Blanca).

El vicepresidente Dick Cheney en el búnker de la Casa Blanca el 11 de septiembre (La Casa Blanca).

El director de la CIA George Tenet observa al presidente mientras este se dirige a la nación (La Casa Blanca).

Un día después de los ataques, el secretario de Defensa Donald Rumsfeld comparece con el presidente en la zona del Pentágono que resultó afectada (Pablo Martínez Monsiváis/Associated Press).

Bush convoca al Consejo de Seguridad Nacional en pleno en la Sala del Gabinete de la Casa Blanca el miércoles 12 de septiembre. *Sentados a la mesa, de izquierda a derecha*: Tenet, el fiscal general John Ashcroft, Rumsfeld, el secretario de Estado Colin Powell, Bush, Cheney, el presidente de la Junta de Jefes del Estado Mayor Hugh Shelton y la consejera de seguridad nacional Condoleezza Rice. *Sentados junto a la pared*: el subsecretario de Defensa Paul Wolfowitz, el subsecretario de Estado Richard Armitage, la consejera presidencial Karen Hughes, el vicepresidente de la Junta de Jefes del Estado Mayor Richard Myers y el secretario de Prensa de la Casa Blanca Ari Fleischer (James A. Parcell/*The Washington Post*).

Bush dialoga con Powell y Rice en el Despacho Oval (Tina Hager/La Casa Blanca).

Bush con el bombero retirado Bob Beckwith en la Zona Cero. «¡Puedo oíros, el resto del mundo os oye, y la gente que echó abajo estos edificios pronto nos oirá!» (Eric Draper/La Casa Blanca).

En Camp David, el sábado 15 de septiembre, con motivo de una sesión para planificar la guerra que duraría todo el día (Eric Draper/La Casa Blanca).

El director de comunicaciones de la Casa Blanca Dan Bartlett, Fleischer, Hughes y Rice se reúnen con Bush en la Sala del Tratado (Eric Draper/La Casa Blanca).

Armitage (*izquierda*) y Wolfowitz (*derecha*) con el senador Jay Rockefeller, un demócrata de Virginia Occidental (Ray Lustig/*The Washington Post*).

El presidente con Tenet, Card y Rice en Camp David a finales de septiembre, poco después de que el primer equipo paramilitar de la CIA tomara contacto con los líderes de la Alianza del Norte en Afganistán (Eric Draper/La Casa Blanca).

La CIA incluyó esta imagen de Bin Laden en todas las páginas del informe de alto secreto titulado «Hacia la guerra», que se presentó en la reunión de Camp David del 15 de septiembre de 2001 (*The Washington Post*).

El secretario del Tesoro Paul O'Neill, sentado a la derecha de Cheney, se une al gabinete de guerra en la Sala de Situación de la Casa Blanca para discutir los aspectos económicos de la guerra contra el terrorismo (Eric Draper/La Casa Blanca).

El asesor adjunto de seguridad nacional Steve Hadley veía la preparación de los planes de guerra en Afganistán como algo inevitablemente improvisado: «Ven con lo puesto» (Dayna Smith/ *The Washington Post*).

Hughes con el asesor especial de la Casa Blanca Karl Rove en el Ala Oeste. Bush le dijo a su amigo y consejero Hughes: «Te hago responsable de cómo le explicaremos esta guerra a la opinión pública» (Robert A. Reeder/ *The Washington Post*).

Powell y Rumsfeld enzarzados en una acalorada discusión en el Jardín de los Rosales de la Casa Blanca, una de las pocas ocasiones en las que la tensión se hizo patente en público. Rice y Hadley observan la escena (Robert A. Reeder/*The Washington Post*).

Rumsfeld en una rueda de prensa vespertina. «No nos estamos quedando sin objetivos. Afganistán, sí». Rumsfeld estuvo bromeando unos días después sobre la campaña de bombardeos (Larry Downing/Reuters).

Card, Rice y Powell comparten un momento de distensión. No obstante, a finales de octubre el estado de ánimo en el gabinete de guerra era mucho peor. Se acercaba el invierno y los bombardeos norteamericanos solo conseguían envalentonar a las fuerzas talibanes, no destruirlas. La temida palabra «atolladero» aparecía con frecuencia en la prensa (Rich Lipski/ *The Washington Post*).

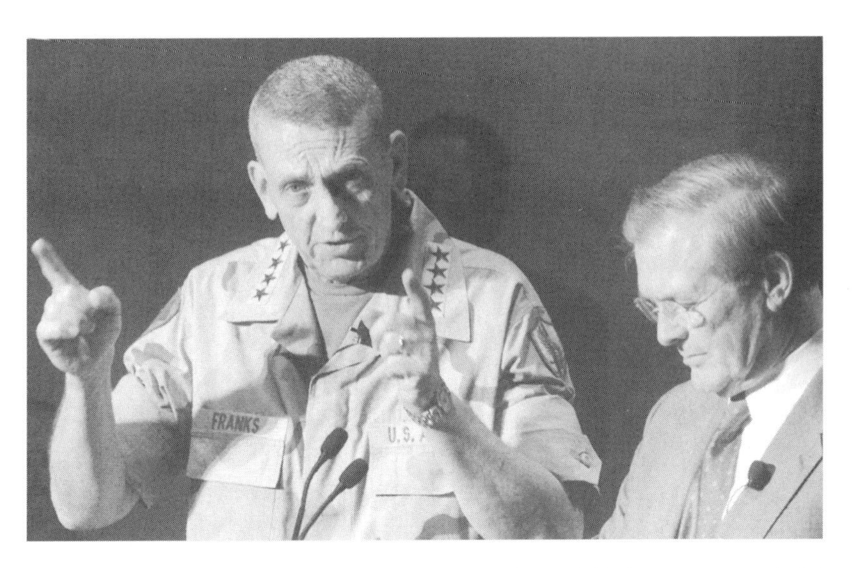

El general Tommy Franks, comandante en jefe del Mando Central del Ejército estadounidense, en una rueda de prensa conjunta con Rumsfeld (Joe Skipper/Reuters).

Myers, quien se hizo cargo de la presidencia de la Junta de Jefes del Estado Mayor el 1 de octubre de 2001, en una rueda de prensa con Rumsfeld celebrada en el Pentágono (Heesoon Yim/Associated Press).

El subdirector de la CIA, John E. McLaughlin, contestó a la llamada de Tenet a finales de septiembre para confeccionar una lista de posibles objetivos terroristas en Estados Unidos (Ray Lustig/ *The Washington Post*).

En una sesión informativa sobre posibles operaciones encubiertas, Cofer Black, el jefe del Centro Contraterrorista de la CIA, le dijo al presidente: «Debe comprender que va a morir gente» (Ray Lustig/ *The Washington Post*).

El jefe militar de la Alianza del Norte, Mohamed Fahim, recibe a Rumsfeld (Associated Press).

El presidente Bush se reúne con el líder afgano Hamid Karzai (*centro*) y con el ministro de Asuntos Exteriores Abdulá Abdulá (*izquierda*). En noviembre de 2001, una conferencia en la que la ONU ejerció el papel de mediador eligió como presidente interino de Afganistán al moderado y prooccidental Karzai, mientras que Estados Unidos se comprometió a reconstruir la nación (Eric Draper/La Casa Blanca).

Los siete miembros de la plana mayor que integra el gabinete de guerra de Bush en el curso de una reunión en la Sala de Situación de la Casa Blanca, a la que se unieron Hadley y Lewis «Scooter» Libby, jefe del equipo de asesores del vicepresidente Cheney. En septiembre de 2002, la Administración Bush se estaba planteando seriamente una intervención militar en Irak como parte de su nueva política de prevención (Eric Draper/La Casa Blanca).

Con la conversación en torno a la toma o no de Kabul, estaban pasando por alto un asunto tan importante como lo vulnerables que resultaban sobre el terreno la CIA y los equipos de las Fuerzas Especiales sin ningún tipo de ayuda.

—Es peligroso, los equipos pueden ser traicionados—dijo Wayne Downing, un general de cuatro estrellas jubilado que había comandado las operaciones especiales de Estados Unidos y que era actualmente Asesor Adjunto del Consejo de Seguridad Nacional. La situación podía acabar con la muerte o captura de diez o doce hombres.

Era una verdad incómoda y nadie respondía.

—Necesitamos un paquete de reconstrucción—dijo Powell.

—Necesitamos una visión política ya—dijo Tenet.

—Estamos hablando de los talibanes—dijo Cheney, en un intento de recuperar la anterior conversación—. ¿Disponemos de un programa igualmente vigoroso contra Al Qaeda?

Se produjo una discusión sobre qué era lo que podría considerarse una victoria, pero Rice volvió rápidamente a los problemas políticos.

—Necesitamos una estrategia para Kandahar.—Kandahar, con 225.000 habitantes, era el hogar espiritual de los talibanes.

El hombre de la CIA describió a los talibanes.

—Las tribus se verán animadas a desertar en el caso de que los talibanes queden agazapados en Kandahar mientras la Alianza del Norte progresa en Kabul. Y recuerden, puede que en las altas esferas se mantengan con la boca callada, pero podemos tener aún actividad en los niveles más bajos.

Aquel día la CIA había recibido un telegrama del jefe de la base de Islamabad. El telegrama informaba, basándose en diversas fuentes, entre ellas el nuevo jefe de Espionaje paquistaní, de que hasta aquel momento los bombardeos habían sido un gran desengaño político y que no servían para dividir a los talibanes.

—El liderazgo talibán permanece unido y desafiante en torno al *mulá* Omar, mientras que los jefes tribales, antes de comprometerse con nadie, se aferran a sus sillas a la espera de ver quién ganará.—En otras palabras, dividir a los talibanes era una fantasía. Y eso era muy grave. Tal vez el enemigo era más fuerte de lo que habían imaginado.

Los informes sobre amenazas eran tan intensos que Tenet recomendó que el FBI diera el poco habitual paso de decretar una alerta nacional sobre posibles ataques terroristas «en el transcurso de los próximos días». Y la recomendación fue tan contundente que a Mueller, el director del FBI, no le quedó otra alternativa que actuar. La alerta se difundió a última hora de la tarde.

«Determinada información, aunque sin concretar en lo que al objetivo se refiere, ofrece al Gobierno motivos para creer que podrían producirse en el transcurso de los próximos días otros ataques terroristas en Estados Unidos y contra intereses de Estados Unidos en otros países».

Jamás se habría perdonado a Mueller si no hubiese obedecido y se hubiese producido un ataque terrorista. Sin embargo, la alerta carecía de detalles porque ninguna información creíble incluía detalles como la hora, el lugar o el método de ataque. Lo que desencadenó la reacción de Tenet fue más bien el elevado número de interceptaciones y otros informes resultado del espionaje. Después de lo ocurrido el 11 de septiembre, mejor reaccionar exageradamente que quedarse corto.

Cheney temía que las agencias de Inteligencia estuvieran intentando cubrirse las espaldas, pero no articuló ninguna objeción.

El presidente dijo más tarde:

—Las alertas nacionales son conflictos muy interesantes, pensándolo bien. En primer lugar, no habíamos tenido nunca una alerta nacional.—Estaba preocupado—. ¿Cuántas alertas nacionales se necesitan para paralizar de miedo la psique ¿norteamericana?—Las amenazas iban en serio—. Tenet no es una persona que se asuste fácilmente—dijo, pero también reveló que se estaba llevando a cabo un juego mental con Bin Laden y sus terroristas.

—En ese momento llegamos a la conclusión de que era importante declarar una alerta nacional para que el enemigo supiese que estábamos sobre ellos—dijo el presidente. En otras palabras, que si había algo planeado y el otro bando veía al FBI anunciando una alerta nacional, cabía la posibilidad, remota tal vez, de que ese algo se retrasara o incluso se cancelara. Bush dijo que el objetivo primordial de la alerta era «intentar más que nada que les entrara en la cabeza».

La alerta se convirtió en la gran noticia nacional y los norteamericanos intentaron imaginarse qué significaría.

Aquella noche, el presidente Bush dio una rueda de prensa televisada, la primera en la hora de máxima audiencia desde que ocupara el cargo. Antes de atender la ronda de preguntas, ofreció un breve discurso de apertura. No explicó nada que no se supiese ya, aunque ofreció a los talibanes otra oportunidad para entregar a Bin Laden.

—Lo diré de nuevo: si hoy lo entregáis, a él y a su gente, reconsideraremos lo que estamos haciendo en vuestro país—dijo Bush—. Disponéis todavía de una segunda oportunidad. Limitaos a entregarlo, y entregad también a sus líderes y lugartenientes y a otros secuaces y criminales que tenga con él.

Ann Compton, de ABC News, realizó una pregunta que el presidente aún recordaba diez meses después.

—¿Qué se supone que deben buscar los ciudadanos norteamericanos y de qué deben informar a la Policía o al FBI?

—Bien, Ann, ya sabe usted que si se encuentra con una persona que no ha visto nunca antes, armada con un pulverizador para las cosechas—uno de los métodos con los que se sospechaba que los terroristas podían distribuir agentes químicos o biológicos—que no es suya, debe informar de ello.

La sala estalló en carcajadas.

En la reunión del Consejo de Seguridad Nacional del 12 de octubre, Rumsfeld anunció que no había ataques planeados para aquel día, el primer viernes desde que se había iniciado la campaña. El viernes era el día festivo musulmán. La pausa serviría para subrayar que Estados Unidos no estaba en guerra con los musulmanes.

Hank, el jefe de Operaciones Especiales de la CIA, ofreció un informe sobre el terreno.

—La CIA está integrando las fuerzas aéreas del comandante en jefe con las terrestres de la Alianza del Norte. Tienen la orden de ocupar rápidamente. En el transcurso de los próximos tres o cuatro días, el comandante en jefe atacará objetivos. Luego liberará las fuerzas de la Alianza del Norte. A partir de ese momento, dispondrán de tres semanas y media para realizar movimientos hasta que empiece a nevar en las montañas, y podrán trabajar en las altitudes inferiores hasta diciembre.

—Baghlan desertará—continuó Hank—, y se unirá a nuestra causa.—Baghlan era una provincia y una ciudad localizada a unos ciento sesenta kilómetros al norte de Kabul, situada entre las fuerzas de la Alianza del Norte al nordeste y las fuerzas del general Dostum, que se encontraban al oeste—. Uniremos las fuerzas de la Alianza del Norte, abriremos el corredor terrestre desde Uzbekistán hasta Dostum pasando por Mazar-e-Sharif. Tomarán Herat y entonces tendremos una base aérea y construiremos otra en el sur.

—La Alianza del Norte cree que puede llegar a Kabul. No tienen la intención ni la capacidad para avanzar más al sur de Kabul.

Bush le preguntó a Tenet:

—¿Cómo conseguiremos que la Alianza del Norte acepte a las tribus pastunes?

—Con el gobierno de Naciones Unidas.

—Me parece bien—dijo Bush—. Ningún problema para que Naciones Unidas se hagan con Kabul.

—Tenemos trabajo en el valle de Shamali, al norte de Kabul —dijo Hank.

—Miren—dijo Rice—, no solo necesitamos una solución para Kabul, sino que también debemos empezar a pensar en el Gobierno afgano.

—Atravesarán el valle de Shamali y algo podremos influir en cuanto al proceso de entrada en Kabul—dijo Tenet, en referencia a las fuerzas de la Alianza del Norte.

—¿Queremos darles libertad para que avancen hacia el sur con impunidad?—preguntó Bush.

Cheney respondió:

—Tomar Kabul tal y como estaba la semana pasada no es gran cosa. Con las afueras hay suficiente, dado todo lo demás que estamos haciendo.

—Estamos en las provincias de Logar y Nangahar—dijo Hank en relación a su equipo de la CIA—. Andamos buscando allí objetivos de Al Qaeda.

Discutieron la información según la cual cerca de un centenar de personas pasaban a diario de Pakistán a Afganistán para unirse a los talibanes. Se habló de cerrar la frontera. Parecía una idea imposible de llevar a la práctica debido a los cientos de kilómetros de terreno montañoso y difícil que la componían, uno de los más formidables del mundo. Había pocas carreteras. Trasladarse de un punto a otro solo podía hacerse a pie, con mulas o a lomos de un caballo.

Hablaron sobre intentar fomentar deserciones en las provincias de Paktia y de Paktika.

—Aunque no combatan—dijo Tenet—, queremos ayudarles a ejercitar el control de su provincia. Esto restará territorio a los talibanes y estrechará el círculo.

El fastidioso problema de introducir los equipos de las Fuerzas Especiales en Afganistán estaba solventado. Los rusos habían intervenido para que el equipo de la CIA pudiera entrar a través de Tayikistán. Quizá pudieran ayudarles otra vez.

—Miren—dijo el presidente—, soy contrario a utilizar el Ejército para la construcción nacional. Una vez que el trabajo esté hecho, considero que nuestras fuerzas no son de pacificación. Tendremos que poner en marcha un equipo de protección de Naciones Unidas y marcharnos. Pero ¿quién se encargará de estabilizar la situación si la lucha empieza de nuevo y los talibanes bajan de las montañas?

—La nueva entidad debe tener capacidad para defenderse por sí misma—replicó Powell.

—Bien, nuestra red secreta de actuación se quedará allí—añadió Tenet.

La CIA tendría que seguir utilizando sus maletines llenos de dinero.

17

El equipo Rompemandíbulas, la única presencia norteamericana en aquel momento sobre el terreno, en el país, intentaba encontrar objetivos que bombardear. Las llamadas del Ejército norteamericano llegaban por la noche: «¿Podéis verificar este objetivo? ¿Obtener las coordenadas? ¿Tenéis espías estadounidenses en el objetivo?». Al equipo le costaba movilizarse por la noche y estaba utilizando mapas rusos. Las coordenadas rusas debían trasladarse con la ayuda de lápiz y regla a mapas en inglés. El equipo carecía de aparatos con láser que señalaran un objetivo adecuado para las bombas de precisión. Tampoco disponía de comunicaciones directas con los bombarderos estadounidenses. Se suponía que su labor era proporcionar información, no actuar como localizadores. Lo intentaban a veces, y resistían otras.

—Esta no es manera de hacerlo—fue la conclusión de Gary.

—Ataca solamente el frente de batalla para mí—le dijo el general Fahim—. Bombardea a los talibanes y a Al Qaeda por el otro lado. Puedo tomar Kabul. Puedo tomar Konduz si rompes el frente por mí. Mis chicos están preparados.—Fahim era bajito y rechoncho, tenía aspecto de bruto, parecía como si le hubieran roto la nariz tres veces. Sus hombres iban de punto en blanco con sus uniformes nuevos y supuestamente esperaban que empezara el bombardeo masivo para atacar.

Una noche, el cuartel general del general Franks envió un mensaje a Gary en el que esencialmente se decía: «Has proporcionado información que dice que en las siguientes coordenadas se encuentra una posición enemiga. ¿Está realmente allí el enemigo? ¿Hay tropas aliadas alrededor?».

«No podemos verificarlo—respondió Gary—. No vamos a decir dónde hay buenos objetivos. No tenemos los recursos suficientes».

Intentaba mantener la atención centrada en la misión de espionaje.

Arif, el jefe de Espionaje de la Alianza, se dedicaba a ampliar contactos en el lado opuesto del frente de batalla: talibanes, Al Qaeda y sus simpatizantes. Llegaba información según la cual el doctor Zawahiri, el número dos de Bin Laden, se encontraba en el área de Kabul.

«Se podría ganar mucho dinero tendiéndole una emboscada a Zawahiri», dijo Gary, prometiéndole millones de dólares en metálico. Visitó al general de Fahim al mando de la zona del valle de Shamali. El general era incluso más peleón y afirmaba que la Alianza era capaz de tomar Kabul en un solo día si los bombardeos norteamericanos rompían el frente. Sus hombres habían interceptado algunas comunicaciones de radio de los talibanes que demostraban que no estaban en absoluto impresionados. El general se sentía defraudado. Señaló hacia el frente talibán. «Mirad, allí es donde se encuentra el enemigo. Volar algún almacén en Kandahar no les servirá de nada».

Gary llegó a la conclusión de que tal vez los bombardeos sirvieran para que el extremo de la cadena de mando localizado en Washington se sintiera bien, pero no funcionaban.

El lunes 15 de octubre, el Consejo de Seguridad Nacional se reunió a las 9:30. John McLaughlin ocupaba el puesto de Tenet.

—Hemos obtenido el derecho a sobrevolar Tayikistán sin restricciones—anunció—. El segundo equipo de la CIA se unirá a Dostum.—El equipo de la CIA, bautizado con el nombre de Alfa, se acercaría el miércoles a Mazar. Esperaban disponer muy pronto de algún equipo A de las Fuerzas Especiales para que se encargara de la localización de objetivos—. Una vez que obtenga libertad para actuar—dijo—, la Alianza del Norte necesitará asesoramiento... tendremos que asesorar a la Alianza del Norte en cuanto al momento adecuado de tomar Kabul.

—¿Tienen suficientes tropas en el norte para avanzar tanto hacia el oeste como hacia el sur?—preguntó el presidente. Hacia el sur era hacia Kabul y hacia el oeste era hacia Konduz.

—La Alianza del Norte cree disponer de tropas suficientes para llevar a cabo ambos avances simultáneamente—respondió McLaughlin—. El invierno nos obligará a ir más lentos en el valle del Panshir, pero podremos seguir combatiendo en el valle de Shamali.

Armitage había acudido en representación del Departamento de Estado, pues Powell había partido de viaje con destino a Pakistán y a la India.

—En 1996—dijo—, el control tayiko y uzbeko de Afganistán sirvió para provocar a los talibanes. Ahora podría iniciar una guerra civil. Deberíamos pedir a la Alianza del Norte que se detuviera a las puertas de Kabul.

—Bin Laden podría esconderse en Kabul o en el área de Jalalabad—dijo Cheney—. Debemos llegar a esa zona y limpiarla.

El presidente volvió a decir:

—Antes de darles luz verde para entrar en Kabul, dejémosles que se sitúen en las afueras y luego decidamos qué hacer.

—Esto sería sugerirle a la Alianza del Norte que tan solo queremos conseguir nuestros objetivos—dijo Cheney. Era importante demostrar que también estábamos interesados en los suyos.

—¿Por qué no permitirles estacionarse en las afueras de la ciudad?—replicó Bush—. Desde allí podrían llevar a cabo en el interior las misiones que quisieran.

—Veamos si somos capaces de sacar adelante este arreglo estacionándolos en las afueras de la ciudad y trayendo a los pastunes. Y nosotros prepararemos el control de Kabul y lo utilizaremos para ayuda humanitaria—ofreció McLaughlin.

—Bien, uno de los objetivos iniciales era el corredor terrestre y estrechar el cerco a los talibanes para alejarlos del norte. Ahora pienso que también podemos presionar sobre Kabul—dijo Bush.

—Hemos atacado la mayor parte de lo que creemos que tienen—dijo Rumsfeld—. En cuanto a objetivos, estamos trabajando sobre Mazar y Konduz. Aún no hemos empezado a trabajar en el valle de Shamali. El motivo es que no somos capaces de encontrar las fuerzas que hay allí desplegadas. Daremos con ellas en cuanto tengamos gente sobre el terreno.—Dio entonces un informe detallado sobre cuándo llegarían sus equipos de las Fuerzas Especiales. Doce personas más se unirían al equipo de la CIA que estaba acompañando ya a la Alianza del Norte y, en el transcurso de los cuatro días siguientes, se esperaban más refuerzos: un equipo de las Fuerzas Especiales compuesto por doce hombres, otro equipo de la CIA para el sur de Mazar, y un segundo y un tercer equipos de las Fuerzas Especiales.

—Existen pruebas anecdóticas de que estamos empezando a socavar la moral—dijo el general Franks—. Realizamos entre ciento diez y ciento veinte salidas, algunas sobre el valle de Shamali —dijo corrigiendo a Rumsfeld, quien acababa de decirles que no estaban trabajando en el valle de Shamali. Habían encontrado muy pocas ocasiones de atacar objetivos—. Bombardeamos dos campamentos, según creemos. Utilizamos por vez primera los bombarderos AC-130.—Aquellos aviones, de vuelo bajo y lento, equipados con un obús de 105 mm y un cañón Gatling, podían lanzar mil ochocientas descargas por minuto, dejando a su paso una alfombra de fuego abrasador tan intensa que los afganos decían que «respiraban fuego».

—El bombardero AC-130, el viejo Puff, el dragón mágico de Vietnam, era de lejos mucho más efectivo que la caballería de la Alianza del Norte—recordaría después el presidente—. Es un arma letal. Mi reacción fue: si tienes que disparar al enemigo, hazlo de todas las formas que puedas.

—¿Habrá algún movimiento la semana próxima en el norte y en Kabul?—preguntó Bush.

—Creo que es probable que así sea—respondió McLaughlin.

Rice y Armitage dijeron que habían solicitado a los uzbecos una base donde pudieran permanecer durante el invierno unos mil soldados de Estados Unidos.

—No quiero utilizar el Ejército para la construcción nacional—dijo Bush una vez más.

—Debemos centrarnos en capturar a Osama Bin Laden—dijo Cheney una vez más.

—Debemos seguir apretando el calendario—dijo el presidente—. Si pueden movilizarse hacia el sur, queremos que lo hagan antes del invierno, pero debemos solucionar la cuestión del alojamiento.—Empezaban a perder el hilo y dijo—: Creo que hay demasiada discusión sobre lo que sucederá en Afganistán después del conflicto. Llevamos solo una semana allí. Hemos avanzado mucho, tenemos tiempo. Y será cuestión de tiempo. Es demasiado prematuro precipitarse y llegar a conclusiones sobre Afganistán después de una sola semana. Se trata de un tema distinto. Estamos progresando, estamos aislándolo, es un fugitivo.

Cheney preguntó sobre los informes de deserción.

—Comprobamos algunos, pero principalmente en el sur—respondió McLaughlin—. Pediremos a la Alianza del Norte que intente confirmar algunos de ellos.

Hadley, que tomaba notas con taquigrafía, pensaba que aquella semana llevaban demasiadas reuniones. El cansancio empezaba a hacer mella. Casi un mes entero a toda máquina no era bueno. La gente empezaba a perder gas. En la reunión de la plana mayor de aquella tarde, a la que no asistió el presidente, Rice y los demás volvieron de nuevo al asunto de Kabul. No estaban llegando a ninguna parte, pero no podían dejar el tema.

A primera hora de la mañana, la NBC había anunciado que un ayudante de Tom Brokaw, su presentador estrella, había dado positivo en un control para determinar la existencia de ántrax cutáneo en el interior de una carta que había recibido. Pero el acontecimiento más sorprendente del día fue que también habían aparecido restos de ántrax en una carta abierta en las oficinas de Daschle, el líder de la mayoría del Senado.

«El pánico al ántrax llega hasta la colina del Capitolio», rezaba el titular del *Washington Post* a la mañana siguiente.

Tenet se encontraba en Londres para asistir a un funeral en memoria de sir David Spedding, antiguo jefe del Servicio de Inteligencia británico, el MI6. Spedding había sido uno de los mentores de Tenet en el mundo del espionaje. Tenet deseaba presentarle sus respetos, pero también tenía negocios que hacer con dos importantes elementos. El primero de ellos era el actual jefe del servicio británico, sir Richard Dearlove. La CIA y el MI6 venían cooperando en determinadas operaciones antiterroristas en el escenario de Afganistán y en otros lugares del mundo. La segunda persona era el rey Abdalá de Jordania, que asistía también al funeral. La CIA subvencionaba el espionaje jordano con la friolera de muchos millones de dólares al año.

McLaughlin inició a las 9:30, y con buenas noticias, la reunión del Consejo de Seguridad Nacional del 16 de octubre.

—El segundo equipo de la CIA llega esta noche. Se unirá a Dostum.

Rumsfeld y Armitage preguntaron sobre cómo hacer llegar armamento a la Alianza del Norte. ¿Podía hacerlo la CIA, podía hacerlo el Departamento de Defensa?

La voz de ambos denotaba nerviosismo. Mantenían una relación incómoda desde hacía diez meses, cuyos inicios eran anteriores a que se cubrieran todos los puestos principales de la Administración. Powell había estado presionando para que Armitage se convirtiera en el subsecretario de Rumsfeld y este había accedido a entrevistar a Armitage. Rumsfeld empezó la entrevista diciéndole que tenía entendido que Armitage era de los que iba al grano y que, por ese motivo, quería ser franco con él.

—Tiene usted menos de un cincuenta por ciento de probabilidades de convertirse en mi subsecretario—le dijo.

—Señor secretario, tengo cero oportunidades de convertirme en su subsecretario—replicó Armitage.

Aquella mañana, Rumsfeld descargó parte de su frustración en los retrasos de la llegada de los equipos de las Fuerzas Especiales a Afganistán.

—Es importante tener a nuestra gente sobre el terreno—dijo Rumsfeld—. El comandante en jefe y la Alianza del Norte están en comunicación. El comandante en jefe dice que está listo para detener los bombardeos cuando así lo diga la Alianza del Norte. Y estamos confiando en lo que la Alianza del Norte le dice a la CIA en cuanto a su disposición.—El plan consistía en detener los bombardeos cuando la Alianza del Norte estuviera lista para atacar a los talibanes. De ese modo, las bombas norteamericanas no caerían sobre las tropas amigas de la Alianza—. El comandante en jefe ha hecho ya todo lo que puede hacer hasta que consiga mejor información sobre blancos y la Alianza del Norte avance y genere más blancos—dijo.

Según parecía, en el Departamento de Defensa no se había filtrado que la Alianza quería que Estados Unidos bombardeara el frente de batalla talibán antes de avanzar.

Llegó un momento en que la frustración de Rumsfeld desbordó el vaso.

—Esta es la estrategia de la CIA—dijo—. Ellos desarrollaron la estrategia. Nosotros nos limitamos a ejecutarla.

McLaughlin no estaba de acuerdo.

—Nuestros chicos trabajan con el comandante en jefe—dijo suavemente, conocedor de que la postura de Tenet siempre era que el jefe era el general Franks—. Apoyamos al comandante en jefe. Él es la persona al mando.

—No—replicó Rumsfeld—, son ustedes los que están al mando. Son ustedes quienes tienen los contactos. Nosotros nos limitamos a seguirlos.—El secretario de Defensa se distanciaba—. Vamos a donde ustedes nos dicen que vayamos.

—Creo que lo que estoy escuchando es FUBAR—dijo Armitage.

—¿Por qué? ¿A qué se refiere?—preguntó el presidente. Sabía lo que significaba la expresión FUBAR: 'Jodido más allá de lo indecible'. Era una vieja expresión militar, reservada para cuando las cosas estaban realmente complicadas.

—No sé quién está al mando—respondió Armitage.

Card observó la tensión reinante en toda la sala. Había como una neblina.

—Yo estoy al mando—dijo Bush.

—No, no, no, no, señor presidente—replicó Armitage, intentando recuperarse—, no iba por usted. Ya sé quién manda aquí, no lo cuestiono, señor presidente. Quiero saber quién está al mando allí. Se trata de quién tiene la responsabilidad sobre el terreno.

—Este es el tipo de discusión que más me frustra—recordó después el presidente—, porque me gusta la claridad. Siempre cabe la posibilidad de diseñar un sistema en el que nadie sea el responsable.—Le frustraba presenciar aquella discusión porque parecía como si Defensa y la CIA estuvieran pasándose la pelota. Lo que le preocupaba era lo siguiente: «Si hay un fallo, nadie se hace responsable. ¿Cómo solucionarlo entonces?».

—A veces es mejor dejar de decir algo, discutirlo a fondo y dejar ir las emociones... Para un subsecretario es duro ir en contra de un superior en un debate de una reunión del Consejo de Seguridad Nacional—dijo el presidente.

—Miré a Condi Rice y dije: «Consiga que se deshaga este entuerto».

Card empezaba a intuir un matrimonio deprisa y corriendo entre el Ejército y la CIA. No recordaba a nadie que dijera: «Sí, esperamos con ganas este nuevo acuerdo».

En la continuación de la reunión, Bush dijo:

—Debemos dar rienda suelta a estos chicos. No podemos seguir manteniendo esta discusión la semana que viene.

—No estamos en el sur y necesitamos llegar allí—dijo Rumsfeld.

—En cuestión de cinco semanas podremos seguir operando en Kabul, pero la nieve nos impedirá que lo hagamos en el norte—interrumpió Bush—. Por lo tanto, la prioridad debería estar en el norte.

—¿Cuáles son los impedimentos para desplazar tropas hacia el sur?—preguntó Rice.

McLaughlin respondió que la CIA no tenía en el sur sus mejores contactos y que era complicado llegar a ellos desde Pakistán. La Alianza del Sur no existía.

—La CIA y el Departamento de Defensa necesitan presentarse en el sur en el transcurso de los próximos dos o tres días—dijo con firmeza Rice.

—El sur es mucho más peligroso. No existen enclaves, tenemos que crear enclaves—dijo McLaughlin.

—La alternativa es crear un enclave... construir un campo de aviación. Tengo un lugar que sería apropiado en la provincia de Helman—dijo Rumsfeld. Estaba al oeste de Kandahar—. Le pediré a Franks que lo mire.

Acabada la reunión, Rice hizo pasar a Rumsfeld al pequeño despacho que utilizaba el responsable de la Sala de Situación.

—Don—le dijo—, ahora se trata de una operación militar y usted debe estar al mando de ella.—La estrategia era un híbrido entre una operación secreta y una operación militar, pero había un punto en el que pasaba de ser en su mayor parte secreta a ser en su mayor parte militar. Y había llegado ese punto.

—Lo sé—respondió Rumsfeld—, pero no quiero que se piense que intento usurpar lo que la CIA intenta llevar a cabo. Se trata también de la operación de George.

—Debe de haber una única persona al mando, y ese es usted.

—Entendido—dijo.

Posteriormente, en una discusión con el presidente, Rice le explicó lo que intentaba hacer con Rumsfeld. La CIA y el Ejército debían estar totalmente integrados sobre el terreno. El espectáculo debía dirigirlo una sola persona. Era el caso clásico de unidad de mando. No se trataba simplemente de un cambio de manos, de que la CIA pasase la pelota al Ejército, porque la CIA iba a permanecer allí y a aumentar su presencia. Ella y el presidente solían hablar utilizando analogías deportivas.

—Señor presidente—dijo ella—, para esto tiene que tener un *quarterback.*

—¿No soy yo el *quarterback*?—preguntó.

—No, creo que usted es el entrenador.

Varios días después tuvo lugar una segunda reunión FUBAR, sin que siguiera sin estar claro quién estaba al mando. Steve Hadley pensaba que Rumsfeld separaba con demasiada frecuencia su plan militar de las operaciones de la CIA y de los espías que actuaban sobre el terreno. Rumsfeld no consideraba a la CIA un instrumento a su disposición. No se trataba únicamente de quién estaba al mando, sino que además era vital disponer de una estrategia clara y articulada que incorporara las funciones militares y las de la CIA. A pesar de que Hadley era tan solo el asesor adjunto para asuntos de seguridad nacional, Rice le animó a que hablase directamente con Rumsfeld.

—Señor secretario—le dijo Hadley al salir ambos de una reunión que mantuvieron por aquel entonces—, alguien necesita coger el toro por los cuernos y diseñar una estrategia. Francamente, cójalo usted si quiere.

—Entonces lo cogeré—dijo Rumsfeld.

Powell lo valoró posteriormente con Rumsfeld. El secretario de Estado veía que la CIA iba pagando para abrirse camino a través de Afganistán, o que al menos lo intentaba, regalando arroz, armas y dinero. Le dijo a Rumsfeld que el presidente estaba a la espera de que algo ocurriera y que Rumsfeld debía pensar en cómo ponerle el hilo a la aguja. Rumsfeld estaba al mando, lo quisiera o no.

Rumsfeld no respondió directamente, pero se puso manos a la

obra. Regresó al Pentágono y ordenó a su departamento político, encabezado por el subsecretario Douglas Feith, que preparara un borrador que perfilase una estrategia general sobre Afganistán. Lo quería listo en seis horas. El 16 de octubre, los documentos encabezados con las palabras ALTO SECRETO-CONFIDENCIAL volaban por el despacho de Feith, incluido un «borrador para discusión» de seis páginas titulado «Estrategia de Estados Unidos para Afganistán». Otro, un reflejo tanto de la política imperativa como del estado de ánimo de Rumsfeld, llevaba el siguiente título: «Cómo hacer llegar más gente a Afganistán».

Cuando Tenet regresó, llamó a Hadley para realizar un repaso de la situación.

—¿Cómo va?—preguntó Tenet.

—No muy bien—dijo Hadley—. John—dijo, refiriéndose a McLaughlin—ha estado presionando y dándole vueltas al conflicto de quién controla el tema y el presidente está confundido, y eso no es bueno.

Tenet dijo que había subrayado que sus equipos paramilitares debían trabajar para el comandante en jefe.

Sí, Hadley estaba de acuerdo en ello, pero la única persona que parecía no comprenderlo era Don Rumsfeld. Lo que no le quedaba claro eran los motivos que tenía Rumsfeld. ¿Era su forma de invitar a la CIA a que trabajase con él? ¿O era su forma de dar las culpas a otros? Tampoco estaba claro que Rumsfeld quisiera controlar la parte de la CIA o que supiera cómo integrar ambas fuerzas. En cualquier caso, Hadley sugirió que Tenet era quien debía solucionarlo.

Para Rumsfeld, la dificultad ilustraba la importancia crítica de disponer de tropas sobre el terreno: tropas del Ejército norteamericano, sus tropas. Él no estaba al mando de los equipos paramilitares de la CIA y aún no tenía los suyos. Aumentó la presión sobre todos los integrantes de la cadena de mando. Fue implacable lanzando su bombardeo masivo. En sus despachos los generales agacharon la cabeza desesperados. El mal tiempo había abortado dos intentos de introducir en Afganistán un equipo de las Fuerzas Especiales. Peor sería un accidente que no estar allí.

El vicepresidente Cheney presidió la reunión del Consejo de Seguridad Nacional del 17 de octubre porque Bush había partido de viaje a Asia. El día anterior, un cazabombardero norteamericano F/A-18 Hornet había bombardeado en Kabul varios almacenes de suministros que utilizaba el Comité Internacional de la Cruz Roja. Rumsfeld explicó que Estados Unidos creía que se trataba de almacenes militares de los talibanes. Dijo que la Cruz Roja les había proporcionado coordenadas erróneas de sus almacenes.

Repasó rápidamente un resumen de los equipos de las Fuerzas Especiales que entrarían en Afganistán. Tenet habló de los equipos de la CIA que estaban sobre el terreno. El equipo Alfa había llegado ya.

—Los chicos se reunieron con Dostum y varios de sus comandantes esta mañana. Hemos puesto una buena tajada de dinero.

—Esta noche tendremos ciento veinte toneladas de armamento en Alemania. Entregaremos sesenta toneladas en el norte. Vamos a intentar tener un campo de aviación montado y listo en cuestión de cuarenta y ocho horas. Dostum dijo que estaría en Mazar-e-Sharif en una semana.

—Estamos intentando que Ismail Khan y Khalili se reúnan con Dostum.—Karim Khalili, líder del segundo partido opositor a los talibanes, controlaba parcelas de territorio en la zona central de Afganistán, cerca de Bamiyán. La CIA estaba ansiosa por proporcionar armamento y ayuda a Dostum y coordinar a los distintos señores de la guerra amigos de Estados Unidos.

—¿Cómo podremos situar a agentes activos en el sur?—preguntó Rumsfeld.

Tenet habló de un líder pastún de una tribu minoritaria con el que la Agencia había establecido contacto. Se llamaba Hamid Karzai. Karzai, de cuarenta y cuatro años de edad, con un aspecto agradable y barba entrecana, hablaba un inglés perfecto.

—Karzai opera en la zona de Tarin Kowt. Es una cabeza de puente... podemos poner allí un equipo de la CIA. Estamos intentando depositar allí abajo comida y armamento. Gran Bretaña no está en mejores condiciones que nosotros de hacerlo.

Pasaron entonces al tema caliente del ántrax. Se había descubierto que el polvo que contenía la carta dirigida al despacho del senador Daschle era potente, lo cual les hacía suponer a los oficiales encargados del caso que era probable que su origen fuera un experto capaz de producir la bacteria en grandes cantidades. Tenet dijo:

—Creo que se trata de AQ—es decir, a Al Qaeda—. Creo que tiene que haber alguien involucrado dentro del país. Está demasiado bien pensado, el polvo está demasiado refinado. Puede tratarse de Irak, puede tratarse de Rusia, puede tratarse de un científico renegado; tal vez de Irak o de Rusia.

Scooter Libby, el jefe de gabinete de Cheney, también opinaba que los ataques de ántrax procedían del interior del país.

—Tenemos que andarnos con cuidado con lo que decimos.— Era importante, por ahora, no culpar a nadie de ello—. Si decimos que es Al Qaeda, el colaborador que se encuentre dentro del país se sentiría seguro y podría atacarnos pensando que tiene campo libre porque creemos que la culpa es de Al Qaeda.

—No voy a mencionar nada del colaborador interno—les aseguró Tenet.

—Es mejor que no lo hagamos—dijo Cheney—, porque no estamos preparados para hacer nada al respecto.

El 18 de octubre, Cheney informó al Consejo de Seguridad Nacional de que en la Casa Blanca se había disparado la alarma que detectaba la presencia de agentes radioactivos, químicos o biológicos. Todos los que hubieran estado allí podrían haber estado expuestos. Parecía preocupado, pero nadie sabía qué decir. Posteriormente se llegó a la conclusión de que todo había sido una falsa alarma.

En Afganistán, hacia las 22:20 del viernes 19 de octubre, el equipo Rompemandíbulas de Gary designó una zona de aterrizaje en el valle de Shamali. El primer equipo A de las Fuerzas Especiales norteamericanas, el Equipo 555, Triple Nickle, estaba finalmente en camino después de numerosos retrasos debidos a las condiciones climatológicas. Dos helicópteros MH-53J Pave Low, los de mayor tamaño del Ejército del Aire, pasaron de largo el punto designado y aterrizaron muy lejos el uno del otro. David Díaz, suboficial jefe del Ejército, líder del equipo A integrado por doce miembros, saltó al exterior, inseguro y preocupado por la situación.

«Hola chicos, ¿cómo vais?—preguntó Gary—. Bienvenidos a Afganistán». Se presentó: «Sí, CIA. Poned los trastos en el camión. Tenemos té caliente, arroz y pollo esperándoos. Las habitaciones están preparadas, todo listo excepto el número de teléfono para llamar al conserje».

Díaz y sus hombres estaban sorprendidos. Esperaban tener que vivir en tiendas. Eran los ojos en busca del objetivo que los pilotos norteamericanos necesitaban para bombardear el frente de batalla. Cada uno de ellos era responsable de cerca de ciento veinte kilos de aparejos y suministros, incluido el equipo necesario para señalar objetivos con la ayuda de láser.

Simultáneamente, dos equipos de las Fuerzas Especiales y los Rangers del Ejército lanzaban asaltos sobre un campo de aviación y sobre un recinto cercano a Kandahar que había sido utilizado por el *mulá* Omar. Se trataba básicamente de incursiones de demostración, pensadas para mostrar la capacidad norteamericana y reunir información. Los soldados estadounidenses dejaban a su paso carteles con fotografías de los bomberos de Nueva York izando la bandera estadounidense en el World Trade Center y de los trabajadores del Pentágono izando otra bandera en la sección destruida del edificio.

El presidente Bush, todavía en pleno viaje de cinco días para asistir a la cumbre de la Cooperación Económica Asia-Pacífico en Shanghai, seguía en contacto por las tardes a través de una vídeoconferencia blindada.

El sábado 20 de octubre, los altos cargos se reunieron cerca de una hora. Rumsfeld ofreció un resumen de las operaciones militares. Había entre noventa y cien salidas planificadas, algunas de las cuales se destinarían a ayudar a las fuerzas de la oposición.

—Tenemos a las Fuerzas Especiales en el frente de batalla—pudo al menos informar—, y empezamos a obtener buenas cosas. Disponemos de un segundo equipo a cincuenta kilómetros del frente y de un tercero que irá con Fahim.

—Confirmo también que uno o más equipos de las Fuerzas Especiales ha entrado ya—dijo el secretario. Había llegado el momento de hacer público que la campaña había dejado de limitarse a los bombardeos, que las fuerzas de Estados Unidos estaban en el terreno. Dijo asimismo que se planeaban ataques sobre Mazar-e-Sharif.

—¿Estamos atacando a los talibanes que defienden Kabul desde el valle de Shamali?—preguntó Cheney. Realizaba el seguimiento con la información obtenida por parte del equipo Rompemandíbulas, el cual afirmaba que Fahim estaba esperando el bombardeo del frente de batalla talibán.

—Está en la agenda—dijo Rumsfeld—, lo trataremos hoy. El problema del equipo A con Fahim no está en el frente de batalla, sino a cincuenta o sesenta kilómetros por detrás de las líneas.

Dijo entonces Tenet:

—Ismail Khan mantiene relaciones con la Guardia Revolucionaria iraní, pero queremos tener un equipo allí el miércoles.—Las relaciones de Khan con dicho cuerpo eran por todos conocidas, pero disponía de muchos seguidores en la parte occidental de Afganistán y ayudaría a derrotar a los talibanes y a Al Qaeda en las zonas más remotas del país.

En la reunión del Consejo de Seguridad Nacional del lunes 22 de octubre, Tenet dijo, en un arranque de optimismo, que estaban listos para permitir que las tribus pudieran actuar.

—Ya se les ha permitido—le cortó Rumsfeld—. Franks ha dicho que pueden avanzar.—La situación estática en el terreno se debía a la falta de acción de la Alianza del Norte. Franks no los retenía. Fahim estaba jugando con ellos... sentado y a la espera de que los bombarderos norteamericanos hicieran su trabajo.

Incluso en medio de la incertidumbre y las tensiones sobre lo que sucedía o no sucedía en el terreno, seguían produciéndose momentos en los que reinaba el buen humor. Llegado un punto, el presidente le preguntó al general Franks:

—¿Cómo está, Tommy?

—Señor—contestó—, estoy mejor que un pelo en la espalda de una rana.—Más tarde, en el transcurso de la misma reunión, Armitage, que informaba de las labores de Estado, dijo—: Señor presidente, sus diplomáticos no están mejor que el pelo de la rana, pero son más correosos que la herrumbre y más duros que el pico de un pájaro carpintero.

Pero el ambiente era generalmente de deferencia a la autoridad, sobre todo en lo que se refería a Franks respecto a Rumsfeld. En otra reunión, Rumsfeld dijo algo y el presidente le preguntó a Franks:

—¿Qué opina, Tommy?

—Señor, opino exactamente lo que opina mi secretario, lo que haya opinado, lo que opine en un futuro o lo que opinara que debiera opinar.

A pesar de la deferencia, Franks y su equipo encontraban formas de escapar al rígido control que imponía Rumsfeld y de utilizar la red informal de colegas integrada por oficiales del Ejército, antiguos y actuales, para mantener a Powell y a Armitage al corriente de los planes que pudieran afectar al Departamento de Estado. Era lo que Armitage definía como «actuar bajo la manta». Le encantaba recibir la última información o cotilleo para trasladárselo inmediatamente a Powell, diciendo a sus informantes: «Dad de comer a la bestia».

18

El martes 23 de octubre, el presidente Bush se reunió con el Consejo de Seguridad Nacional en la Sala de Situación. Era el décimocuarto día de bombardeos.

Hank dijo que el primer equipo A de las Fuerzas Especiales se encontraba situado a unos quinientos metros del frente talibán. Pero no ocurría nada. El versátil Fahim estaba fuera de Afganistán, de viaje por Tayikistán, pero quería que el equipo de las Fuerzas Especiales dirigiera ataques aéreos masivos contra el frente talibán.

—La ausencia de ataques sobre los talibanes está envalentonándolos—explicó Hank con su acento sureño—, y desmoralizando a las fuerzas de la Alianza del Norte. No pasará nada hasta que regrese Fahim.

«¡Qué quieres decir con todo esto!», pensó Rice. ¿Qué hacía Fahim fuera del país? Pero no le interrumpió.

Hank dijo que iban en camino armas y municiones para los varios miles de soldados de Fahim. La CIA seguía entregando millones de dólares en metálico. En cambio, dijo, Dostum, que superaba en una proporción de tres a uno a sus adversarios, estaba encabezando una carga de caballería contra Mazar-e-Sharif, la ciudad de doscientos mil habitantes situada al norte del país.

¿Caballería en el siglo XXI? Bush y los demás estaban asombrados.

—¿Cómo valora usted los avances hacia nuestros objetivos? —preguntó Rice.

—Bien—dijo Hank, con un tono algo lastimero, y haciendo referencia al último mapa con código de colores recibido, un documento que denominaban «Guía para el control territorial de Afganistán» y que estaba clasificado como ALTO SECRETO—, en términos generales estamos amarillos y en el norte deberíamos estar verdes, aunque no es así.

«Amarillo», en términos generales, significaba que no se estaba ganando terreno.

—Necesitamos disponer de algo que sirva para medir nuestra efectividad—dijo Rice—, que, a partir de los bombardeos y las deserciones, realice una gradación a partir del cincuenta por cien.—En términos militares, una degradación del cincuenta por cien o superior significa que una fuerza o unidad no es efectiva. El amarillo encubría la falta de esta medida. La Alianza o bien controlaba territorio o bien no lo controlaba—. Con esto no vemos nada... no vemos lo que estamos haciendo aquí—dijo Rice.

El gabinete de guerra había mantenido muchas discusiones sobre la cultura afgana y el chiste malo más repetido era el siguiente: «Es posible comprar un afgano, pero imposible alquilarlo». Aquel era un mundo donde las lealtades permanentes no existían, ni tan siquiera las semipermanentes. Los señores de la guerra perseguían el dinero y las victorias. Les atraía el bando vencedor y se pasarían a él en un abrir y cerrar de ojos. En aquel momento había mucho dinero, pero ningún signo mensurable de victoria. Para ser efectivos, el dinero y la sensación de victoria inevitable deberían reforzarse mutuamente.

Powell consideraba que las semanas posteriores al inicio de la campaña de bombardeo sobre Afganistán se habían convertido en un período oscuro y confuso. Más de lo que solía ser normal, no estaba claro lo que en realidad sucedía, sobre todo en Afganistán y sobre el terreno, un sistema de pago al contado y sin entrega a domicilio potencialmente desastroso. Como antiguo jefe del Ejército, consideró que lo mejor era «mantenerse en su camino», según sus propias palabras, prestar atención a su papel como jefe de la diplomacia y evitar hacer conjeturas militares.

Pero Powell no podía resistirse. ¿Cuál era el objetivo además de bombardear?, se preguntaba. Tenía la desconfianza en la fuerza aérea típica del hombre de ejército y la fe en la doctrina de unir las fuerzas contra un único objetivo.

—¿Deberíamos agruparnos en un solo lugar?—preguntó, apartándose de su camino—. ¿Deberíamos centrarnos en Mazar? Tomad eso y después ya hablaremos de otros temas.

—No en Mazar—respondió Hank—, pero sí en el valle de Shamali.—La zona situada al norte de Kabul, la capital, era donde la

Alianza del Norte de Fahim tenía su mayor, y al parecer la mejor organizada, concentración de recursos.

—Miren—interrumpió el general Myers—, podemos hacer ambas cosas.

—Tenemos que capturar a Osama Bin Laden y a sus hombres —dijo el presidente.

Cheney quería abordar el principal problema.

—¿Esperamos a la Alianza del Norte o nos involucramos nosotros directamente, lo cual sería una propuesta completamente distinta? —Sabía que Rumsfeld trabajaba secretamente en planes de contingencia que contemplaban la posibilidad de poner entre cincuenta mil y cincuenta y cinco mil soldados norteamericanos en Afganistán... en caso de que fuera esa la única alternativa para obtener la victoria. La norteamericanización completa de la operación terrestre era el conflicto que mayor preocupación suscitaba. Había temas tan importantes en juego que era necesario considerar todas las alternativas disponibles.

Posteriormente, en una reunión de la plana mayor que tuvo lugar aquel mismo día, discutieron lo mucho que les estaba defraudando Fahim, que prometía constantemente que avanzaría pero que no hacía el más mínimo movimiento. Hank informó de que los efectivos talibanes situados junto al frente de Fahim habían aumentado en un asombroso cincuenta por ciento. Los satélites y otros medios de espionaje habían informado tan solo unas cuantas semanas atrás de la presencia de entre seis mil y diez mil soldados talibanes en la zona. Ahora el recuento se situaba entre los diez mil y los dieciséis mil.

Cheney, Powell y algunos de los otros sabían que durante la Guerra del Golfo de 1991 quisieron disminuir, en un cincuenta por ciento y con la ayuda de bombardeos, el número de efectivos terrestres iraquíes antes de iniciar la campaña terrestre. Los talibanes, en lugar de estar un cincuenta por ciento por debajo, ¡estaban un cincuenta por ciento por arriba! ¿Qué estaba sucediendo?

Rice se percató de que le caería encima la responsabilidad de encargarse de esto. Consideraba que su cargo incluía dos aspectos: en primer lugar, coordinar lo que hacían Defensa, Estado, la CIA y otros departamentos o agencias, para garantizar con ello el cumplimiento de las órdenes del presidente; y, en segundo lugar, actuar como consejera: ofrecer en privado al presidente sus opiniones siempre que él se lo solicitase y, tal vez, aunque no lo hiciera. En otras palabras, era la persona responsable de solucionar los problemas del presidente. Y esto era un problema.

Dos días después, durante la tarde del 25 de octubre, Rice llamó por teléfono a la secretaria personal del presidente, Ashley Estes.

—Tengo que hablar con el presidente—dijo. ¿Podía Ashley preguntarle al presidente si le iba bien que se acercara a su residencia para hablar unos minutos? El acceso a la residencia era un privilegio especial que Bush únicamente concedía a personal especial de la Casa Blanca. Era el final de una jornada laboral normal del presidente, cerca de las seis y media.

En el transcurso de una entrevista, el presidente explicó que había organizado la Casa Blanca de tal forma que Rice y los demás podían ir a verle en cualquier momento sin pensárselo dos veces.

—No todo el poder tiene que pasar por las manos de una única persona en el Despacho Oval.—Había aprendido la lección después de observar la presidencia de su padre, especialmente durante los tres primeros años en los que John Sununu, jefe de gabinete de la Casa Blanca de Bush padre, controlaba el acceso con un puño de hierro tan prieto que los que llegaban con malas noticias pocas veces podían pasar—. Creo que un presidente debe dar acceso a la gente—dijo también Bush—, que parte de la satisfacción que conlleva ser empleado de la Casa Blanca es la posibilidad de hablar a solas con el presidente.

Lee Atwater, el estratega político de su padre, le había dicho: «El acceso es poder». Bush dijo haberlo aprendido de primera mano en 1988, cuando su padre, el vicepresidente entonces, se presentaba para presidente.

—Recuerdo haber ido a casa del vicepresidente cuando todos estaban preparándose para la llegada del equipo de la campaña electoral. Y yo aparecía por allí unos veinte minutos antes de que llegaran y me veían con mi padre. No tenían ni idea de qué iba. Seguramente estaríamos charlando de la carrera de gallardetes o sobre un hermano o una hermana. No lo sabían. Sabían que yo tenía acceso a él, que aquello era solo entre él y yo. Fue una lección muy interesante. Cuanto mayor acceso tenía a él, más crecía yo.

Lo que hacían Cheney, Rice, Card, Hughes, Rove y Fleischer era pasar por allí o llamar, y preguntarle a Ashley si el presidente disponía de cinco minutos o del tiempo que necesitaran. El presidente explicaba que también funcionaba en el otro sentido.

—Poder tener acceso a mucha gente me facilita un montón el trabajo, obtener sus opiniones o reacciones. Era muy normal que llegaran Condi o Dick Cheney, por ejemplo, y yo les preguntara su opinión en aquel momento.

Rice, en particular, le presionaba con frecuencia.

—Es una persona muy minuciosa. Se comporta conmigo como mamá gallina—dijo el presidente.

El estilo de liderazgo de Bush rayaba en las prisas. Quería acción, soluciones. Una vez se situaba en carrera, concentraba toda su energía en avanzar, miraba hacia atrás en escasas ocasiones, se mofaba de las dudas—las ridiculizaba incluso—y de cualquier cosa que no fuera un compromiso al cien por cien. Parecía albergar pocos arrepentimientos, si es que tenía alguno. Sus breves declaraciones podían parecer impulsivas.

—Sé que resulta difícil de creer, pero no he dudado de lo que estamos haciendo—dijo Bush en una entrevista posterior—. No he dudado... No tengo la menor duda de que estamos haciendo lo correcto. Ninguna duda.

Rice conocía esta característica. A pesar de que la duda podía ser la criada de una política prudente. Cualquier proceso de toma de decisiones implica necesariamente reconsiderar con detalle todos los temas. Rice consideraba parte de su trabajo la labor de levantar señales de precaución, semáforos en rojo si fuese necesario, para incitar con ello al presidente a pensárselo dos veces.

A veces la mejor decisión es rechazar una anterior. En aquellos momentos, los acontecimientos en sí constituían las señales de precaución. La situación estática que se vivía en Afganistán podía ser síntoma de grandes problemas. Además de eso, los medios de comunicación empezaban a cuestionarse los progresos, las estrategias, los calendarios y las expectativas. La revista *Newsweek* había utilizado la temida palabra «Q»—la inicial de «quagmire», 'atolladero'—evocando con ello el conflicto de Vietnam. Unos pocos días antes, el *Washington Post* había publicado un artículo de contraportada escrito por Robert A. Pape, experto en fuerzas aéreas de la Universidad de Chicago, titulado «El plan de batalla erróneo». Empezaba con la siguiente frase: «La estrategia aérea inicial de Estados Unidos contra Afganistán no funciona».

—¿Qué sucede?—le preguntó Bush a Rice en cuanto esta entró en la Sala del Tratado. Había finalizado su rutina gimnástica diaria e iba aún vestido con ropa de deporte. No chorreaba sudor porque se había refrescado... quizás el momento adecuado, si es que lo había, para mantener una conversación como aquella.

El sur estaba agotado y en el norte no había movimientos, le dijo.

—Y hemos bombardeado todo lo que creemos poder bombardear, y sigue sin ocurrir nada.

Bush tomó asiento.

—¿Sabe, señor presidente?—dijo Rice—. La plana mayor no está de muy buen humor y la gente se muestra preocupada por lo que sucede.—Dijo que había preocupación pero que no se hacía nada al respecto.

El presidente dio un salto. «¿Preocupación sin acción?». Odiaba, odiaba por completo esa idea, sobre todo en los momentos complicados. Hughes y Rove le pasaban algunos informes sobre lo que decía la prensa, pero poca cosa más.

—Quiero saber si le preocupa el hecho de que las cosas no se muevan—preguntó Rice.

—¡Por supuesto que me preocupa el hecho de que las cosas no se muevan!

—¿Quiere que empecemos a considerar estrategias alternativas?

—¿Qué estrategias alternativas consideraríamos?—preguntó, como si la posibilidad no se le hubiera pasado por la cabeza.

—Siempre está la idea de que podría usted poner más norteamericanos en esto. Podría americanizarlo de entrada.—Aquello podría significar un aumento sustancial de los efectivos terrestres... varias divisiones del Ejército o de la Infantería de Marina. Una división consta normalmente de quince mil a veinte mil soldados.

Bush era consciente de que hacía entre treinta y cinco y cuarenta años, los presidentes Kennedy y Johnson se habían enfrentado a decisiones similares en aquellas mismas estancias. El precedente era Vietnam.

—No hace tanto tiempo—dijo el presidente, en referencia al momento de inicio de la acción militar.

—Cierto.

—¿Cree que está funcionando?

Rice no acabó de responder.

—Tenemos un buen plan—dijo el presidente—. ¿Confía en él?

Rice contestó una especie de «sí, tal vez». Él sabía tan bien como ella que el avance estaba de color amarillo, no verde.

Siguieron con el toma y daca. Rice eludía intencionadamente las preguntas y no estaba dispuesta a tomar una postura firme, temerosa de que pudiera desembocar en más discusión, un callejón sin salida. Además estaba insegura. Se sentía más cómoda cuando sabía lo que pensaba exactamente el presidente, por eso estaba tanteándolo. Pero el presidente seguía por el camino elegido y no se había planteado ningún cambio de estrategia.

Lo realmente importante para él, le dijo al presidente, era que al día siguiente tomara el pulso a la plana mayor y, si en verdad estaba comprometido con aquella estrategia, era mejor hacérselo saber a la gente para que no empezara nadie a perder la fe.

¿Empezar a perder la fe? ¿Quién estaba nervioso? ¿Quién estaba preocupado? El presidente quería nombres.

«Todo el mundo está preocupado—le confió ella—. Nadie se siente ni optimista ni cómodo. Todos están preocupados por lo que están consiguiendo y lo que serán capaces de conseguir». Él había oído algo, ella había oído más. Iba a tener que tomar decisiones drásticas muy pronto... en lo que se refería a limitarse a seguir el camino marcado o intentar hacer ajustes.

El Consejo de Seguridad Nacional se reuniría a la mañana siguiente, le comentó ella, y era el momento de afirmar el plan o de plantear la posibilidad de cambiarlo. El invierno se acercaba en Afganistán y las condiciones serían brutales, por lo que las ventajas militares que pudiesen conseguirse sobre el terreno serían cada vez más difíciles.

—Creo que sería bueno que expresase su confianza en este plan. O, de no creerlo así, tendríamos que hacer otra cosa.—¿Necesitaban una estrategia alternativa? Lo importante, le dijo ella, era que lo pensara antes de presentarse a la reunión del Consejo de Seguridad Nacional del día siguiente. Luego, en la reunión, podía dar su punto de vista—. Debe hablar de esto—dijo ella, para finalizar su charla de quince o veinte minutos.

—Me encargaré de ello—dijo el presidente.

Aquella fue para Bush una discusión memorable. El trabajo de Rice consistía en decirle cosas. A veces le gustaba escucharlas, a veces no. Consideraba un «interesante círculo completo» el hecho de que la discusión hubiera tenido lugar en la Sala del Tratado, donde solo dieciocho días antes había anunciado el comienzo de la ofensiva militar. Y sabía lo que quería hacer a la mañana siguiente.

«Ante todo—recordó posteriormente—, un presidente tiene que ser como el calcio de la columna vertebral. Si yo me debilito, todo el equipo se debilita. Si me muestro dudoso, puedo asegurarle que habrá muchas dudas. Si desciende mi nivel de confianza respecto a nuestras posibilidades, la organización entera se verá afectada por ello. Me refiero con esto a que es esencial mostrarnos confiados, decididos y unidos».

El presidente quería lo mismo para todos los miembros del equipo.

«A mi alrededor no necesito gente que no me sea fiel... Y no me gusta la gente lamentándose en tiempos difíciles».

Atribuyó la preocupación a la cámara de resonancia de los medios de comunicación. Se limitaba a prestarles una atención periférica.

«No leo los editoriales. No... la hiperventilación que tiende a existir en estos mensajes, y todos los expertos y todos los antiguos coroneles, y todo eso, es solo ruido de fondo.—Sabía, sin embargo, que los miembros de su gabinete de guerra sí les prestaban atención—. Tenemos personajes muy poderosos en el Consejo de Seguridad Nacional a quienes sí les afecta lo que la gente pueda decir de ellos en la prensa.

»Si existe una sensación de desesperación—dijo Bush—quiero saber de quién se trata y por qué. Confío en el equipo y es mi equipo. Y confío en ellos porque confío en sus opiniones. Y si la gente se repiensa sus opiniones, yo necesitaría saber cuáles eran y ellos deberían ponerlas sobre la mesa».

Ningún miembro del gabinete de guerra había hablado en privado con el presidente para expresarle su preocupación. Antes de la reunión del Consejo de Seguridad Nacional de la mañana siguiente, comentó con el vicepresidente Cheney el asunto que Rice había sacado a relucir.

—Dick—le preguntó—, ¿tiene usted algún... tiene alguna inquietud en la cabeza relacionada con la estrategia que hemos desarrollado? Le hemos dedicado mucho tiempo.

—No, señor presidente—respondió Cheney.

A la mañana siguiente, viernes 26 de octubre, Bush llegó a la Sala de Situación de la Casa Blanca para asistir a la reunión del Consejo de Seguridad Nacional. Ningún componente de la plana mayor, ni siquiera Andy Card, estaba al corriente del tema que Rice le había comentado la tarde anterior. Decidió que la reunión siguiera el orden rutinario de presentaciones. Aunque informó de que acababa de hablar por teléfono con Abdalá, el príncipe heredero de Arabia Saudí.

—El príncipe heredero dijo que no deberíamos atacar durante el Ramadán.—El mes sagrado de los musulmanes empezaría en cuestión de escasas semanas—. Le escribiré una carta diciéndole que seguiremos adelante porque Al Qaeda sigue amenazando a Estados Unidos y seguiremos luchando, bombardeemos o no.—Y añadió, a modo de pista sobre su estado de ánimo—: Y esto es lo que, al fin y al cabo, es lo decisivo.

—Existe preocupación con respecto a los rusos—dijo Tenet—. Los rusos proporcionan armas a la Alianza del Norte. Eso es bueno. Queremos asegurarnos de que los rusos no ponen a tayikos y uzbekos los unos contra los otros.—Rusia seguía queriendo tener influencia sobre sus antiguas republicas, si no dominarlas. Había mucho posicionamiento regional en marcha y Estados Unidos debía tenerlo en cuenta—. Los rusos están más centrados que nosotros en el resultado final del juego.

Tenet informó de que el equipo paramilitar Alfa de la CIA se encontraba ya situado en Afganistán junto al líder de la Alianza del Norte, Dostum, y que estaban a punto de situar otro junto a Attah Mohamed, otro líder de la Alianza. Tanto Dostum como Attah se encontraban al sur de la ciudad de Mazar.

—Hay una reunión en el norte con los líderes sin la aprobación de Fahim Khan.—Fahim seguía sin moverse, así que la CIA había decidido avanzar sin él. Tenet dijo asimismo que esperaba colocar un equipo con Karzai, el líder situado en el sur de Afganistán—. Creo que la parte del sur empieza a desarrollarse.

—En la región hay comida más que suficiente—dijo Powell. El problema era que los nacionalistas afganos eran quienes distribuían los alimentos—. Eso es lo que no funciona.

—Debemos llevar a cabo una reunión importante para exagerar nuestra ayuda humanitaria—dijo Rice.

Rumsfeld informó de que el día anterior habían llevado a cabo solo sesenta salidas debido al mal tiempo. Hoy era mejor.

—Ayer atacamos el valle de Shamali y Mazar.—Los dos lugares donde el general Myers había dicho que podían centrarse. En la ciudad oriental de Herat se habían atacado varios cuarteles. El plan era concentrar el bombardeo en el frente de batalla para, con ello, ayudar a las tribus y no atacar objetivos fijos, como aviones talibanes—. Una mitad está en el valle de Shamali y la otra en Herat y Mazar-e-Sharif.

—Hemos introducido un tercer equipo, más algunas comunicaciones con la gente de Fahim.

»En Uzbekistán tenemos cinco equipos a la espera de entrar—añadió, algo frustrado. En Fort Campbell, en Estados Unidos, aguardaban dos equipos más.

Había llegado el momento de que el presidente siguiera el consejo de Rice.

—Solo quiero estar seguro de que todos nosotros estuvimos de acuerdo en llevar a cabo este plan, ¿no es eso?—dijo. Recorrió la mesa entera, cara tras cara.

En momentos como ese, Bush adopta el aspecto de un entrenador de béisbol, del miembro de una hermandad. Inclina la cabeza hacia delante y no la mueve, mira a los ojos, mantiene la mirada, como diciendo: en efecto, estás a bordo, estás conmigo ¿verdad?

«¿Vamos bien?—preguntaba el presidente—. ¿Seguimos confiados?». Quería una afirmación precisa de todos—de Cheney, Powell, Rumsfeld, Tenet y Rice—, incluso de Hadley y Scooter Libby. Casi estaba exigiéndoles que hiciesen un juramento.

Todos afirmaron estar de acuerdo con el plan y la estrategia.

—¿Alguien tiene ideas que poner sobre la mesa?

—No—dijo todo el mundo.

Rice creía que el presidente toleraría el debate, escucharía, pero quien quisiera debate debía disponer de un buen argumento, y preferiblemente de una solución o, como mínimo, proponer un parche. Quedó en evidencia que ninguno de los reunidos tenía una idea mejor.

De hecho, el presidente no había abierto en realidad ni tan siquiera una rendija de la puerta para que pudieran expresar su preocupación o considerar cualquier segunda opinión. En realidad no escuchaba. Lo que quería era hablar. Era consciente de que a veces hablaba demasiado, solo para desfogarse. No era una buena costumbre, lo sabía.

—¿Saben qué? Debemos tener paciencia—dijo Bush—. Tenemos un buen plan.

—Miren, estamos entrando en una fase difícil. La prensa buscará sembrar divisiones entre nosotros. Intentarán y nos forzarán a llevar a cabo una estrategia inconsistente con la victoria.—Refugiado en el secretismo de la sala, el presidente acababa de pronunciar una de sus conclusiones: los medios de comunicación, o al menos algunos de sus elementos, no deseaban la victoria o, como mínimo, actuaban como si no la desearan.

—Llevamos en esto solo diecinueve días. Tranquilos. No dejemos que cunda el pánico entre nosotros por culpa de la prensa.—La prensa diría que necesitaban una nueva estrategia, que la estrategia actual era una estrategia fracasada. Él no estaba de acuerdo—. Hagamos frente a las opiniones discrepantes. Debemos confiar y tener paciencia. Seguiremos con esto aunque sea Ramadán. Debemos ser fríos y mantener la calma. Todo irá bien.

Hadley tuvo la sensación de que la tensión se evaporaba de la sala. El presidente estaba diciendo que tenía confianza y que ellos deberían tener confianza. En el fondo de su alma, creía Hadley, algunos se habrían preguntado si el presidente estaría perdiendo la confianza depositada en ellos. La confianza presidencial, una vez otorgada, era vital para el buen funcionamiento de todos ellos. Un simple atisbo de algo que fuera menos que una total confianza, resultaría devastador. Tenían que servirle para satisfacerlo. En un minuto podían desaparecer o ser dejados de lado. Bush no solo había declarado que confiaba en su estrategia, sino que además, y más importante aún según Hadley, había afirmado que confiaba en ellos.

Tenet quiso levantarse y brindar por ello. Regresó a Langley y les explicó a sus principales colaboradores lo que el presidente había dicho. Lo que quería decir con todo ello, dijo Tenet, era muy sencillo: que siguieran adelante.

Rice consideró aquel como uno de los momentos más importantes. Si el presidente se hubiese abierto a alternativas, el gabinete de guerra habría perdido el objetivo de intentar llevar a cabo el trabajo incluido en la estrategia ya definida para revolotear en busca de alternativas. Esperaba que aquella reiteración del compromiso hiciera que todo el mundo redoblara sus esfuerzos para sacar adelante la estrategia que acababan de aprobar por completo.

Rumsfeld informó a algunos de sus principales colaboradores de que el presidente se había mostrado aquel día especialmente fuerte. No dio más detalles.

Powell opinaba que la situación en Afganistán era problemática, pero no pensaba que pudiera calificarse todavía de «atolladero».

Aquella misma noche, el presidente paquistaní Musharraf, su amigo, era entrevistado en la cadena ABC por su presentador estrella, Peter Jennings, quien le preguntó apenas salió en pantalla si Estados Unidos se encontraba en un atolladero.

—Sí—afirmó el presidente paquistaní—, puede ser un «atolladero».

19

El equipo Rompemandíbulas se aproximaba al aniversario de su primer mes de estancia en el valle de Shamali. El equipo A de las Fuerzas Especiales, con sus detectores láser de objetivos, llevaba una semana con ellos. A pesar de algunos éxitos iniciales del equipo A al reclamar algunas acciones de los bombarderos, Gary se dio cuenta de que les quedaban algunos restos: los bombarderos estadounidenses que habían sido asignados a otros objetivos fijos. Cuando aquellos bombarderos no encontraban su objetivo o, por algún motivo, no consumían la totalidad de sus municiones, quedaban disponibles para acercarse al frente de batalla y atacar a los combatientes talibanes allí situados. De este modo, se produjo un aumento de bombardeos. Pero Gary había sido también testigo de muchas ocasiones en las que el equipo A divisaba un convoy talibán o diversos camiones de Al Qaeda—en una ocasión se trataba de una caravana de veinte camiones—y llamaba para solicitar la presencia de un bombardero y no podía conseguirlo. Los aviones seguían concentrados en objetivos fijos previamente designados.

El campo de batalla del valle de Shamali era anormalmente llano. Una distancia de cincuenta y seis kilómetros separaba a los cerca de tres mil soldados de la Alianza de un grupo integrado por unos siete mil soldados talibanes y voluntarios árabes y paquistaníes. Formaban frentes de batalla en trincheras, búnkers, fortificaciones y otros emplazamientos militares protegidos por diversos campos de minas. En las cimas de las montañas que rodeaban los valles se habían instalado nubarrones de lluvia, un anuncio del invierno y de la nieve que estaba por llegar.

Gary tomó asiento frente a uno de los diez ordenadores de los que disponía su equipo en las polvorientas instalaciones y escribió un mensaje al cuartel general de la CIA. De no cambiar el modo de actuar, vamos a perder en esto, escribió. Los talibanes no habían sido bombardeados nunca con mucha intensidad; no parecen muy impresionados; creen poder sobrevivir sin problemas. La Alianza del Norte está preparada; quieren salir y están más listos de lo que nunca lo podrán estar, pero empiezan a perder la confianza; creen que todo lo que somos capaces de hacer es lo que ven en estos momentos. Los miembros talibanes más jóvenes desertarán si los atacamos durante tres o cuatro días con bombardeos continuados. En su mayor parte eran reclutas, que se apuntaban porque era lo que tocaba hacer, creyendo encontrarse en el bando vencedor. Si atacamos también a los árabes de Al Qaeda, los talibanes más jóvenes lo verán y se largarán. Se necesitarían tan solo tres o cuatro días. El frente de batalla se derrumbaría.

La mayoría de los talibanes procedía del sur y quería marchar, regresar al sur. Solo podían hacerlo a través de unas pocas carreteras. La Alianza del Norte, con la ayuda del bombardeo aéreo norteamericano, controlaría esas carreteras. Los talibanes se encontrarían atrapados. La Alianza toparía con unos pocos focos de resistencia en las cercanías de Mazar y Konduz, y pronto se habría hecho con todo el norte del país, incluido Kabul.

Gary envió el mensaje, que solo ocupaba dos páginas. Tenet decidió llevárselo consigo a la Casa Blanca al día siguiente.

En el transcurso de la conferencia telefónica blindada que Rumsfeld mantuvo a primera hora de la mañana del sábado 27 de octubre con el general Franks, el secretario de Defensa quiso asegurarse de que estaban planificando y pensando con tiempo suficiente... en el peor escenario, por si fuera necesario.

Supongamos que la oposición afgana, la Alianza del Norte, la fuerza mercenaria pagada por la CIA, no pudiera llevar a cabo su trabajo. Tendrían entonces que considerar la posibilidad de americanizar la guerra, de enviar efectivos terrestres norteamericanos en grandes cantidades.

El general de la Infantería de Marina, Peter Pace, jefe segundo del Estado Mayor Conjunto, tomaba notas en un bloc de espiral de color blanco. Escribió: «Estar preparado para intervenir (guerra terrestre a gran escala), bien nosotros solos o en coalición con aliados [...]. El proceso de organización para todo ello sería muy, muy útil [...]. Sería visible y la gente se enteraría de que no bromeamos, que vamos allá, si no cambiáis ahora de bando, seguiremos adelante con el proceso».

Rumsfeld y Franks estaban de acuerdo en iniciar el bombardeo del frente talibán tal y como quería la Alianza del Norte. Algo que era posible con los primeros equipos A situados ya en el interior de Afganistán. Pero tanto el secretario de Defensa como el comandante en jefe se mostraban escépticos con respecto a la Alianza y al general Fahim, que parecían moverse por su cuenta y con mucha lentitud.

Se suponía que aquel sábado y domingo el presidente Bush y la primera dama reemprenderían las reuniones con sus amigos del este de Tejas para jugar al póquer y pasar el fin de semana juntos en el Kennedy Center. Pero la evaluación de la amenaza aumentaba, no se debilitaba, así que Bush llamó a su mejor amigo del grupo, Elton Bomer, quien había sido inspector de seguros de Tejas cuando Bush era gobernador:

—Elton, no puedo dejaros venir—le explicó el presidente a Bomer—. Estoy demasiado preocupado, las evaluaciones pintan muy mal y no quiero arriesgarme.

Los Bush marcharon entonces a Camp David y el presidente se unió a la vídeoconferencia blindada de las 8:30 del sábado.

Tenet informó de que había programado que dos equipos paramilitares más de la CIA entraran en Afganistán en el transcurso de la siguiente semana. Se aferraba con fuerza a sus equipos paramilitares. Exceptuando los dos equipos A de las Fuerzas Especiales del Ejército que se encontraban ya en el interior de Afganistán, no había en el país otra presencia norteamericana directa.

Tenet seguía todavía peleando por el sur de Afganistán. Acababan de sufrir un revés en el sur, donde los talibanes habían capturado y asesinado a Abdul Haq, un líder pastún de cuarenta y tres años que había combatido con éxito durante la invasión soviética que se prolongó desde 1979 hasta 1989. En 1987, Haq, que entonces tenía veintinueve años, perdió el pie derecho al pisar una mina terrestre. Los talibanes asesinaron posteriormente a su mujer y a su hijo.

Había regresado a Afganistán con un grupo integrado por diecinueve personas para consolidar en el sur a los pastunes contra los talibanes y Al Qaeda. Haq no era un agente de la CIA que siguiera sus órdenes, pero la Agencia había mantenido contactos con él. Le habían animado a disponer de un plan de retirada y le habían ofrecido un equipo de comunicaciones. Haq pensaba que el equipo de comunicaciones serviría para que la CIA le espiase. Lo rechazó.

Haq fue capturado por los talibanes, torturado y ejecutado. En el último minuto, la CIA había enviado uno de sus aviones sin piloto, que abrió fuego contra algunos de los efectivos talibanes que lo cercaban, pero era demasiado tarde. El jefe del espionaje talibán se refociló públicamente de ello.

Tenet, que disponía de una docena de activos a sueldo en el sur, seguía sin avanzar en la región más crucial.

Powell informó de que había hablado con Musharraf, quien decía necesitar más ayuda económica. Las manifestaciones que habían tenido lugar en dos ciudades paquistaníes eran las mayores hasta el momento. Musharraf seguía con uno de los eternos actos de equilibrio político.

En cuanto a la operación militar, Rumsfeld dijo que el «70 por 100 de nuestro esfuerzo se destinará hoy a apoyar a la oposición». Rumsfeld dijo que uno de los centros de atención seguía siendo la zona de Tora Bora en las afueras de Jalalabad, que se suponía era un refugio de combatientes de Al Qaeda y talibanes.

El secretario de Defensa informó también de que seguía adelante el lanzamiento de ayuda humanitaria y de información.

Tenet dijo:

—Avanzaremos sin esperar a Fahim.—Se trataba de una decisión de gran importancia, pues Fahim era el líder general de ese grupo de señores de la guerra que constituía la Alianza del Norte.

Nadie se opuso.

—Transmitiremos con ello el mensaje a la Alianza del Norte —dijo Rumsfeld— de que queremos que hagan algo más.—Saltarse a su líder no era un mensaje sutil.

Cheney dijo que en la prensa circulaban informes que anunciaban que la Alianza del Norte descansaría durante el Ramadán.

Tenet dijo que la Agencia debería valorar esa posibilidad.

Las noticias iban a peor. Se había solicitado a la Agencia de Información de Defensa (DIA), el desmadejado servicio creado por el que fue secretario de Defensa Robert McNamara para integrar las labores de información del Pentágono, una evaluación alternativa de las perspectivas sobre el terreno. El documento de la DIA, clasificado como ALTAMENTE CONFIDENCIAL, sugería que en invierno no se habrían tomado ni Mazar ni Kabul.

El documento culpaba, en gran parte, al general Fahim, describiéndolo básicamente como un endeble que charlaba y charlaba y luego no aparecía cuando llegaba el momento de la batalla. Fahim nunca estaba del todo listo y siempre se quejaba de necesitar más dinero, más balas.

Era alarmante: un débil Fahim y ninguna perspectiva de haber tomado alguna ciudad en invierno. Después de tres semanas de bombardeos, empezaban a aparecer en la prensa discusiones sobre la situación de atolladero y resultaba difícil imaginarse lo que se diría después de meses de estancamiento aparente.

Cheney dijo lo siguiente en relación con el documento de la DIA:

—Esto suscita dos preguntas. ¿Estamos haciendo todo lo posible para conseguir algo antes de la llegada del Ramadán?—La celebración empezaba en el plazo de dos semanas—. Y en segundo lugar—prosiguió—, ¿qué operaciones militares podrían llevarse a cabo a lo largo del invierno? —Tenían que ser muy concretos, no limitarse a alcanzar un objetivo específico por motivos militares evidentes, sino por motivos psicológicos—. Queremos generar una sensación de que la victoria es inevitable para que la gente se pase a nuestro bando.—Por otro lado, se trataba de imaginar a los talibanes aposentados en Afganistán durante meses, proporcionando con ello un auténtico santuario a Bin Laden y sus terroristas. Cheney no tuvo que decir nada sobre su probable impacto.

Le preocupaba también la posibilidad de que, si ellos no hacían nada antes del invierno, los talibanes fueran capaces de reagruparse. ¿Les alentaría el hecho de no haber sido derrotados rápidamente?

—¿Puede Estados Unidos hacer algo entre ahora y la llegada del invierno, algo como establecer una base de operaciones norteamericana en el norte?—preguntó Cheney. Al menos sería ya algo con que poder contar—. Me preocupa no tener nada concreto de lo que poder hablar en cuanto a objetivos conseguidos.—Cuando al mes siguiente llegaran la nieve y el frío gélido, los efectivos de la Alianza del Norte estarían mal posicionados, queriendo decir con ello que serían incapaces de avanzar durante meses.

—¿Qué objetivo deberíamos cumplir antes de que empezara a nevar?

Repasaron entonces alguna información recién recibida y muy susceptible, que resultó ser más deprimente si cabe. La Alianza del Norte seguía sin moverse, corroborando más aún la idea de que no había posibilidades de hacerse pronto con Mazar o Kabul.

Rice sabía que a la plana mayor no le gustaba discutir delante del presidente, quien había dicho muy poca cosa.

—La plana mayor revisará esto el martes—dijo, en referencia a una reunión sin el presidente en la que podrían tirarse los platos por la cabeza.

—Tenemos que buscar objetivos limitados—dijo Tenet, recuperando el comentario de Cheney—, como Mazar-e-Sharif, que sean alcanzables y en los que podamos concentrar nuestros esfuerzos.

Nadie sabía exactamente cuáles podían ser.

Al día siguiente, 28 de octubre, Rumsfeld acaparó los programas de entrevistas de los domingos.

—¿Acaso no va la guerra tan bien como usted esperaba a estas alturas?—le preguntó Cokie Roberts en el programa de la cadena ABC *This Week.*

—No, más bien lo contrario—dijo Rumsfeld—. Está casi exactamente como esperábamos... Y los progresos son mensurables. Tenemos la sensación de que la campaña aérea ha sido efectiva.

La Matriz de Amenazas del lunes 29 de octubre, clasificada como documento de ALTO SECRETO/CONTRASEÑA, estaba ocupada por docenas de amenazas, muchas de ellas nuevas y creíbles, que sugerían la posibilidad de un ataque durante la semana siguiente. Todas las informaciones obtenidas a partir de las señales apuntaban a que muchos de los lugartenientes conocidos o de los operativos de Al Qaeda andaban diciendo que pronto ocurriría algo grande.

Podía hacerse casi una lista. Algunos decían que pronto llegarían buenas noticias, tal vez en una semana, o que las buenas noticias serían más espectaculares y mejores aún que las del 11 de septiembre. Alguna información interceptada revelaba la existencia de discusiones sobre un dispositivo radiológico: la utilización de explosivos convencionales para propagar material radioactivo. Otras discusiones interceptadas hablaban de «enfermar a mucha gente».

Según otra información, una organización no gubernamental paquistaní llamada Umma Tameer-e-Nau, o UTN, podría estar poniendo en marcha una estructura que relacionara a miembros experimentados de Al Qaeda con varios científicos nucleares paquistaníes que habían estado involucrados en el desarrollo de su bomba.

Considerando la totalidad de la información, era evidente que algo se tramaba, al menos algo relacionado con un dispositivo radiológico. Los mensajes interceptados indicaban que habría otro ataque y, dada la circunstancia de que Al Qaeda tendía a regresar sobre sus objetivos errados, Washington y la Casa Blanca resultaban particularmente vulnerables.

El resumen de todo era una preocupación consistente, aunque no corroborada, con respecto a un arma radiológica, y algunos indicios de que pudiera estar dirigida hacia Washington o Nueva York. Podría tratarse de otra intentona de decapitar el Gobierno.

El informe de Espionaje del lunes por la mañana presentó toda esta información.

—Estos malnacidos me encontrarán exactamente aquí donde estoy—dijo el presidente—. Y si me dan, me darán exactamente aquí donde estoy.

«¡Caramba!», pensó Rice.

—No va por usted—le dijo Cheney al presidente—. Va por nuestra Constitución.—Estaba concentrado en su responsabilidad de garantizar la continuidad del Gobierno en caso de que le sucediera algo a Bush—. Y esta es la razón por la cual voy a dirigirme a un lugar seguro y secreto—dijo. No estaba pidiendo permiso. Se iba.

Card lo encontró sensato. Cheney tenía razón.

—Empezábamos a disponer de indicadores claros de que de

Pakistán salían planes nucleares, material y conocimiento—recordaría el presidente—. Eran las vibraciones que todo el mundo desprendía al repasar las pruebas.

Rice le preguntó a Bush:

—¿Piensa que debería marcharse usted también?

Dijo que no.

«Si el presidente hubiera decidido que también se iba—recordó Bush—, la gente habría dicho que el presidente se iba por un lado y el vicepresidente por el otro. ¿Yo? Yo no iba a marcharme. Supongo que podría haberlo hecho, pero no lo hice».

La acción más dramática se mantuvo en secreto. Se acababan de enviar cuatro equipos secretos especiales de control que operaban en vehículos capaces de detectar la presencia de material nuclear. Uno de los funcionarios de la Administración más veteranos dijo:

—Tuvimos equipos circulando por la ciudad [Washington, D. C.]. Tuvimos un equipo en Nueva York. Fue un momento de mucha ansiedad.—Se enviaron asimismo a seis ciudades más, media docena de equipos especiales capaces de detectar agentes de guerra biológica y química.

Desde el punto de vista de Tenet, en aquellos momentos cualquier terrorista podía causar estragos en Estados Unidos. El impacto de un segundo gran ataque era casi imprevisible... y con un arma radiológica o nuclear, verdaderamente inimaginable. Dado que ni la CIA ni el FBI estaban «en la trama», como le gustaba decir a Tenet, creía que un buen método de disuasión era intentar hacer creer a los terroristas que Estados Unidos estaba al corriente de sus planes. Dado que los terroristas no sabían lo que Estados Unidos sabía o no sabía, un elemento disuasorio en potencia sería descubrir una forma de «decirles que lo sabemos». Esto les obligaría a preocuparse y haría que su entorno de operación fuera más complicado.

La mañana de aquel lunes 29 de octubre, Tenet le dijo a Mueller que la situación era tan grave, y tan importantes los beneficios potenciales de provocar un escándalo, que debía hacerse pública una segunda alerta global.

Mueller y John Ashcroft, el fiscal general de Estados Unidos, iniciaron los preparativos para realizar el anuncio al final de la jornada.

El Consejo de Seguridad Nacional se reunió a las 9:15, Tenet explicó que se reuniría con Norman Mineta, secretario de Transportes, y con el nuevo director de Seguridad del Estado, el antiguo gobernador de Pensilvania Tom Ridge. El tema que se debía tratar: «Cómo cambiar nuestra postura con respecto a la seguridad». Eso significaba hacer las cosas de otra manera en los aeropuertos y en cualquier lugar donde terroristas potenciales pudieran toparse con procesos distintos y se sintieran confusos ante lo que viesen. Tenet dijo que quería asegurarse de que estaban todos coordinados en cuanto a «tratar de alterar y disuadir lo que fuese que estuviese por llegar».

Tenet resumió el informe sobre las amenazas. El espionaje aseguraba que Al Qaeda estaba planeando secuestrar un avión para atacar una instalación nuclear que podía ser tanto una central atómica como, lo que era peor, lugares de almacenamiento de armas nucleares u otras instalaciones relacionadas con armamento nuclear.

Con las imágenes tan vivas de las torres del World Trade Center en llamas no hacía ni tan siquiera siete semanas, la perspectiva de sufrir un equivalente nuclear enmudeció a todos los reunidos.

—Dick Cheney seguirá fuera una temporada—dijo el presidente. El vicepresidente se había trasladado ya a un escondite seguro a muchos kilómetros de distancia.

En cuanto a la información, Tenet dijo:

—Esto me sugiere una amenaza mundial. Deberíamos acordonar nuestras embajadas y nuestras instalaciones militares en el extranjero, y todos deberíamos aplicar una solución de continuidad para temas de gobierno.—Aquello significaba que cada uno de los integrantes de la plana mayor debería asegurarse, en la medida de lo posible, de no coincidir con sus secretarios en el mismo lugar.

—Nuestra coalición sigue unida sin ningún problema—dijo Powell—. No hay el histerismo que sugiere la prensa. Aunque sí existe un nivel de nerviosismo que queda reflejado en las calles de los países árabes.—El día anterior, varios militantes habían acabado con la vida de dieciséis personas en una iglesia católica de Pakistán.

Los titulares sobre los daños colaterales provocados por la campaña de bombardeos eran muy difíciles de digerir. La portada del *New York Times* del sábado rezaba: «Aviones de estados unidos bombardean un puesto de la Cruz Roja», un error que Estados Unidos cometía por segunda vez. No había muertos, pero quedaron destruidos almacenes llenos de los muy necesarios suministros de ayuda humanitaria. Powell habló con moderación:

—La situación estará al rojo vivo mientras tengamos daños colaterales como resultado de las operaciones norteamericanas. —Pero luego realizó un lanzamiento directo hacia el Pentágono—. Es un problema, y es necesario que redoblemos los esfuerzos para evitar daños colaterales.

Rumsfeld creía haber redoblado ya sus esfuerzos para evitar tales daños en el momento en que emitió órdenes sin precedentes, draconianas incluso, de no disparar ni lanzar bombas a menos que existiera información concreta sobre los blancos y, preferiblemente, que los espías norteamericanos los hubieran verificado.

Bush saltó en su defensa.

—Bien, debemos destacar también el hecho de que los talibanes están matando a gente y llevando a cabo sus propias operaciones de terror, así que mejor que equilibremos un poco la balanza en lo que respecta a la situación en este sentido.—Se abalanzó hacia delante para añadir que debían centrarse en Afganistán después de hacerlo en los talibanes, asegurarse de que las tribus del sur «se ven en el Afganistán postalibán», según sus propias palabras—. Necesitamos también una campaña de relaciones publicas concentrada en torno a los talibanes. Necesitamos una conferencia de donantes—prosiguió, refiriéndose con ello a todos los países que estaban llevando a cabo donaciones humanitarias para Afganistán—, alguien que la organice para compensar el Ramadán. Necesitamos... algo donde la coalición pueda concentrar sus esfuerzos mientras seguimos bombardeando durante el Ramadán. Necesitamos disponer de ayuda humanitaria durante el Ramadán, como nunca lo haya visto Afganistán. Necesitamos también una iniciativa política para este período de tiempo.

—Las llamadas del presidente al príncipe heredero Abdalá

fueron también muy útiles—dijo Rumsfeld, en referencia al líder de facto de Arabia Saudí. Bush seguía en contacto con los líderes árabes para prepararlos sobre su decisión de no detener los bombardeos durante el Ramadán. Muchos de los líderes árabes le habían comentado en privado al presidente que, a pesar de criticar públicamente la decisión, comprendían su postura.

—Franks tiene que presionar al pueblo afgano en cuanto a la necesidad de elegir entre la libertad o seguir bajo el régimen ilegítimo de los talibanes—dijo Rumsfeld. Quería que el general colaborase en la tarea política de motivar a los afganos. Rumsfeld dijo que si en aquellos momentos se produjeran manifestaciones, el 70 por 100 de ellas serían a favor de la oposición a los talibanes. Fahim seguía sin moverse, pero decía haber recibido el mensaje de concentrarse en dar su apoyo a la oposición—. Hoy llevaremos nuevos suministros a Dostum y mañana a Khalili. E intentaremos hacerlo también mañana con Karzai. Y seguimos introduciendo nuestro equipos.

»Para finales de esta semana, tenemos la intención de dividir la campaña aérea de modo que quede concentrada en un 60 por 100 en Mazar-e-Sharif y en un 40 por 100 en el valle de Shamali. Este es el plan.—A pesar de las sugerencias de Powell y de otros que aconsejaban concentrarse en un único punto, el secretario dijo—: No podemos concentrarnos en un solo lugar. No hay blancos suficientes.— Le gustaba planificar con antelación los objetivos que se debían atacar, aunque los objetivos verdaderamente importantes serían los que la CIA y sus equipos de las Fuerzas Especiales identificaran en el campo de batalla.

El presidente tenía una pregunta:

—¿Cómo podemos estar seguros de que nuestros equipos son lo bastante fuertes como para no caer en manos de los talibanes?

Los equipos de la CIA y las Fuerzas Especiales, compuestos por varias docenas de hombres, se encontraban en zonas muy escabrosas, y solos. Podían ser atacados, arrollados, exterminados o secuestrados y hechos rehenes. No era asunto para corderitos. ¿Y sí uno de los equipos corría la suerte de Abdul Haq?

Rumsfeld y Tenet disponían de planes de evacuación en el caso de que un equipo se encontrara en situación extrema.

—¿Son lo bastante robustos como para defenderse por sí solos?—preguntó Bush.

La respuesta fue sí y no.

—Podrían recibir tanto los disparos del enemigo como de los amigos—dijo Rumsfeld.

—La gente paga para no ir al Ejército—recordó Tenet—. Nuestra gente corre un riesgo. Debemos considerar nuestra capacidad para sacarlos de ahí. Necesitamos estar seguros de poder proteger a nuestra gente.

La mayor protección eran las radios de las que disponían los equipos y que podían utilizarse para solicitar un golpe preciso sobre el enemigo que estuviera atacándolos.

La situación empezaba a ser muy deprimente.

Rice le dijo a Hadley que fuera a verla a su despacho. Cerraron tras ellos la enorme y pesada puerta de madera oscura.

¿Se sentía cómodo trabajando en una potencial y probable Zona Cero?

—Sí—le respondió—, pero esperaba que en caso de ocurrir algo, la situación no implicara a su familia, sino solo a él. ¿Se sentía cómoda ella?

—Sí, ya sabe—dijo—. Soy hija de un pastor. Hace mucho tiempo que he hecho las paces en este sentido.

Llegaron al acuerdo de que hablarían con los integrantes del Consejo de Seguridad Nacional e hicieron los preparativos para hacerlo una noche. Los miembros del consejo, en su mayor parte oficiales del Ejército y personas que habían prestado servicios en el extranjero, no querían ser trasladados.

En el transcurso de la reunión que la plana mayor celebró sin el presidente y que tuvo lugar el lunes por la noche, hubo diversas trifulcas sobre qué se debía hacer. Si la idea era intentar tomar Mazar, ¿qué estaban haciendo entonces bombardeando el valle de Shamali? Rumsfeld seguía insistiendo en que no había blancos suficientes, a menos que fueran más allá de los blancos de Mazar.

Powell volvió a mostrar su preocupación y dijo que aquello le parecía bombardear por bombardear, sin ninguna relación con un objetivo militar. Había sido oficial de Infantería en Vietnam y conocía personalmente los límites de la fuerza aérea. También le preocupaba que Estados Unidos estuviera actuando como un fanfarrón súper poderoso, intentando mover en un tablero de ajedrez las fuerzas opositoras, la Alianza del Norte y los diversos señores de la guerra, como si todos ellos no tuvieran derecho a apostar en aquella guerra.

—¿Nos hemos preguntado si tienen ellos alguna idea sobre lo que quieren hacer, en lugar de plantearnos siempre lo que nosotros pensamos que deberían hacer?

Subsistía todavía la cuestión del objetivo político. ¿Quién gobernaría Afganistán si se lograba derrocar a los talibanes? ¿Cómo? ¿Cuál era el mecanismo para mantener algún tipo de democracia en un país dominado por las facciones tribales? Prácticamente todos los expertos coincidían en que después de que la Unión Soviética fuera expulsada en 1989, el gran error fue que Estados Unidos desapareció también. ¿Cómo se relacionaba el objetivo político, fuera el que fuese, con el objetivo militar? ¿Estaban unidos?

—No podemos permitirnos perder—dijo Rice—. Los talibanes están resultando más duros de roer de lo que pensábamos.

Tenet dijo que habían lanzado suministros sobre Dostum y Attah, pero que en el sur la única persona que hacía algo, y eso era más bien poco, era Karzai, que disponía de cuatrocientos o quinientos soldados.

Rumsfeld lamentó que los talibanes hubieran como mínimo doblado, y tal vez triplicado, su presencia en Mazar en relación con los efectivos de la Alianza del Norte.

Powell tomó la palabra para discutir en contra de la posibilidad de americanizar la guerra.

—Descartaría la idea de que Estados Unidos persiguiera a los afganos, que llevan cinco mil años allí.—Trasladar allí a los hombres necesarios requeriría la totalidad de la capacidad de carga aérea del Ejército norteamericano. A menos que fuera posible interceptar las comunicaciones talibanes, serían evasivos—. No estarán allí cuando lleguemos—dijo—. Esto es un fallo técnico de nuestra mentalidad. Esperábamos demasiado de la oposición. No sé si la oposición puede tomar Mazar, y mucho menos Kabul. Estamos ante una fuerza aérea del Primer Mundo unida a un ejército del Cuarto Mundo.—Sería mejor articular durante el invierno la oposición de la Alianza del Norte para, de este modo, disponer al menos de una capacidad del Tercer Mundo para utilizarla posteriormente en conjunción con la fuerza aérea norteamericana.

Rice regresó al problema militar inmediato con el que se enfrentaban sobre el terreno y sugirió reflexionar y estudiar tres alternativas: 1. Ir a por Mazar. 2. Ir a por Kabul. 3. ¿Y si no podían hacer ninguna de las dos cosas?

Por la tarde del día siguiente, martes 30 de octubre, el presidente voló hasta Nueva York para lanzar el *pitch* inaugural del tercer partido de las Series Mundiales que enfrentaba a los Yankees y a los Arizona Diamondbacks. A su llegada al estadio, se dirigió a la zona del toril para calentar. Era complicado lanzar con el chaleco antibalas que llevaba encima y quería mantener el brazo suelto.

—¿Lanzará usted desde el caucho o desde la base del montículo?—preguntó Derek Jeter, el interbase estrella de los Yankees. El caucho, el punto más elevado del montículo, lo utilizaban regularmente los lanzadores habituales, pero estaba a una distancia de más de dieciocho metros de la placa del *home*, un lanzamiento largo.

Bush dijo que probablemente lanzaría desde la base del montículo, entre dos y tres metros más cerca. No quería efectuar un mal lanzamiento.

—Si lanza usted desde la base del montículo—dijo Jeter—, le abuchearán. Debería optar por el caucho, de verdad.

—¿Cree que el público me abucheará?—preguntó Bush... ¿el presidente, en plena guerra, lanzando allí después de haber iniciado la ofensiva?

—Sí—dijo Jeter—. Estamos en Nueva York.

—De acuerdo, lanzaré desde el caucho.

Se dirigió al subterráneo y había llegado casi el momento de que lo anunciaran cuando Jeter le salió por detrás.

—No lo olvide, señor presidente, si lanza desde el caucho y rebota, le abuchearán.

El presidente saltó al terreno de juego vestido con un cortavientos del cuerpo de bomberos de Nueva York. Levantó el brazo y se dirigió a la multitud agolpada en el lado de la tercera base levantando el pulgar hacia arriba. Cerca de quince mil personas levantaron las manos en el aire imitando el movimiento.

Entonces lanzó un *strike* desde el caucho y el estadio estalló.

Karl Rove, quien observaba el encuentro desde la tribuna del propietario de los Yankees, George Steinbrenner, pensó: «Es como estar en un mitin nazi».

20

Los medios de comunicación machacaban a la Administración y Rice y los demás estaban al borde del abismo. A principios de la semana, apareció en el programa *NewsHour with Jim Lehrer,* un analista militar que dirigió la acusación más cruel de todas al declarar que Bush estaba «abordando la guerra al estilo Bill Clinton... sin pensar en las consecuencias».

El martes por la mañana, dos líderes conservadores, los aliados habituales de Bush, condenaban la guerra en la contraportada del *Washington Post.* William Kristol decía: «Es un plan defectuoso», debido a tantos imperativos autoimpuestos. Charles Krauthammer decía que aquella guerra se estaba librando con «medias tintas».

El miércoles 31 de octubre, algunos miembros del gabinete de guerra leyeron un análisis publicado por R. W. Apple, hijo, en el *New York Times.*

«¿Podría Afganistán convertirse en un nuevo Vietnam? ¿Se enfrenta Estados Unidos a un nuevo punto muerto en el otro lado del mundo? Tal vez se trate de preguntas prematuras a tan solo tres semanas del inicio de la refriega. Pero no irracionales».

Dado que Rumsfeld acababa de hacer público que había pequeñas unidades de las Fuerzas Especiales del Ejército norteamericano operando en el norte de Afganistán para ofrecer un enlace a «un número limitado de diversos elementos de la oposición», Apple escribía que «su papel recuerda sospechosamente al de los asesores enviados a Vietnam a principios de los años sesenta». Apuntaba que la antigua Unión Soviética, «con buenos y numerosos tanques, quedó sin duda en punto muerto y acabó siendo derrotada por los rebeldes afganos».

En la reunión matinal del miércoles con sus principales colaboradores, Bush expresó su resentimiento con los medios de comunicación.

«No lo entienden—dijo el presidente—. ¿Cuántas veces es necesario decirles que va a ser un tipo distinto de guerra? Y no se lo creen. Abordan el tema desde el punto de vista convencional. Y esto no es precisamente lo que verán aquí. He hablado de paciencia. Es sorprendente lo rápido que la gente se olvida de lo que dices, al menos aquí, en Washington.—Las historias relacionadas con un posible atolladero no tenían para él ningún sentido. Disponían de un buen plan. Estaban de acuerdo con él—. ¿Por qué tendríamos que empezar tan pronto con segundas opiniones?».

—Estamos perdiendo la guerra de las relaciones públicas—dijo el presidente para iniciar la reunión del Consejo de Seguridad Nacional a las 9:30—. No reconocen lo que estamos haciendo en Afganistán. Se acerca el Ramadán y necesitamos una reunión de donantes. Deberíamos realizar un llamamiento a los talibanes para que dejen pasar los camiones—los convoyes cargados con alimentos y otras ayudas—, y si no lo hacen, estarán violando con ello los principios del Islam.

Andrew Natsios, el principal responsable de la Agencia para el Desarrollo Internacional, había traído un mapa en el que aparecían las zonas de Afganistán que sufrían malnutrición, hambre y privaciones. Se situaban principalmente en el norte, asolado por una sequía de varios años de duración. El mapa indicaba que en la zona sur, dominada por los pastunes y donde los talibanes tenían raigambre, la comida era suficiente.

—Es duro—dijo Natsios—. No estamos bien posicionados. Estamos obteniendo buena cooperación por parte del Mando Central.—Bush tenía al Ejército norteamericano entregando productos para mandar con ello un mensaje político—. Pero nuestra huella y nuestra capacidad para entregar ayuda en el norte es limitada. Disponemos de un aeropuerto en Turkmenistán, de un aeropuerto en Uzbekistán, y carecemos de los corredores terrestres que necesitaríamos.

—Antes de la conferencia—dijo Bush—, debemos dar a conocer al mundo los hechos relacionados con la situación tal y como la encontramos. Y lo que estamos haciendo para contrarrestarla.

Mantuvieron una larga discusión sobre el papel de Naciones Unidas y la cuestión de quién debería liderar Afganistán después de los talibanes.

Bush trató después con su gabinete de guerra sobre diversos temas delicados.

En primer lugar, Cheney quiso discutir un análisis de la CIA que llegaba a la conclusión de que los ataques aéreos dirigidos contra los talibanes no eran los adecuados.

—¿Necesitamos llevar a cabo más salidas?—preguntó.

Rumsfeld dijo que, desde que los equipos de las Fuerzas Especiales entraron en Afganistán, habían notado un aumento enorme de los objetivos disponibles. Pero se enfrentaban a un problema realmente grave. Los equipos no seguían entrando.

—Tenemos todavía ocho equipos en espera. Ayer no entró ninguno.

—¿Qué se lo impide?—preguntó Cheney. ¿Era que no querían arriesgarse? ¿Era debido al mal tiempo?—. ¿Pareceremos demasiado tímidos si vuelven a atacarnos?

Rumsfeld explicó que parte del problema se debía al mal tiempo. Los uzbekos también estaban provocando retrasos. En cualquier caso, Fahim ponía pegas a la entrada de otro equipo.

La mayoría de las personas que estaban reunidas en la sala se quedaron sin habla.

—Franks necesita preparar un escenario de invierno—dijo el presidente.

Rumsfeld estaba ya trabajando en ello.

—Cuanto más tardemos en dar con Al Qaeda—dijo Cheney—, mayor es el riesgo que corremos. ¿Cuánto costaría alcanzar cincuenta cuevas en cuarenta y ocho horas?—Por si alguien se había perdido el mensaje que lanzaba, quería matar a más gente—. ¿Qué podríamos hacer con más efectivos?

Rumsfeld dijo que ya habían aumentado los efectivos varias veces, pero que miraría qué más podía hacerse al respecto. Habían tenido mala suerte y follones. En una reciente misión para enviar nuevos suministros a Fahim, la mitad de los paracaídas no se habían abierto, lo que había provocado un desastre.

—Todo esto va a llevar tiempo—recordó el presidente a todos los presentes—. No podemos suscitar falsas expectativas con respecto al tiempo que durará. Necesitamos condicionar a Naciones Unidas para que tengan paciencia. La clave del éxito será lo fuertes que podamos ser en los buenos tiempos y en los malos, y si podemos seguir concentrados en nuestro objetivo. Una coalición se mantiene unida cuando todo el mundo tiene claro que va a ganar. La determinación de Estados Unidos será la clave. No podemos permitir que el mundo se queje porque hoy estamos siendo atacados.

Y como si estuviera dirigiéndose a un público no informado en lugar de hacerlo a su gabinete de guerra, dijo:

—Esta es una guerra con dos frentes. Estados Unidos está siendo atacado. Tenemos que librar esta guerra en casa con la ayuda de los esfuerzos de seguridad interior. Tenemos que librar esta guerra en el extranjero llevando la guerra a los malvados.

Bush dijo que había estado hablando con un líder europeo que decía que la forma de mantener unida a la coalición era realizando muchas consultas, se trataba de que Estados Unidos mostrara interés, tomara nota de los puntos de vista de los demás y comprendiera sus razonamientos.

—Bien—dijo—, muy interesante. Porque yo creo que la mejor manera de mantener unida a esta coalición es teniendo claros nuestros objetivos y teniendo claro que estamos decididos a conseguirlos. Las coaliciones se mantienen unidas gracias al liderazgo fuerte, y eso es lo que pretendemos proporcionar.

Todo ello era coherente con la creencia de Bush de que es un agente del cambio: aquel que debe afirmar una nueva dirección o política estratégica con actuaciones valientes y claras. Y como se trataría de la política de Estados Unidos, la única superpotencia, el resto del mundo tendría que seguir adelante, ajustándose a ella con el paso del tiempo.

Rice pensaba que Bush estaba convencido de que no había llegado hasta allí para dejar el mundo tal y como lo había encontrado. En conversaciones privadas mantenidas con diversos jefes de Estado, la más reciente de ellas con el primer ministro japonés Koizumi, bosquejaba una visión más amplia de su responsabilidad de actuación.

«La historia juzgará—le explicó a Koizumi—, pero nunca juzgará bien a quien no actúe, a quien se limite a pasar el tiempo en su puesto».

Bush tampoco quería hacer cosas cuyo impacto fuera mínimo, fue la conclusión de Rice. El país podía seguir sentado en su poder sin rival e ir dispensándolo en pequeñas dosis, o bien podía optar por llevar a cabo grandes demostraciones de poder que, básicamente, alterarían el equilibrio de poder. Bush se situaba a sí mismo en el terreno visionario.

«Perseguiré la oportunidad de alcanzar grandes objetivos—dijo en el transcurso de una entrevista—. No hay nada mayor que conseguir la paz mundial».

Había llegado a la conclusión de que un presidente no debe nunca almacenar capital político, que un presidente obtiene más cuando lo gasta.

Rice admiraba lo que Truman y sus secretarios de Estado hicieron después de la Segunda Guerra Mundial. La Doctrina Truman, el Plan Marshall y la política de contención eran formas inteligentes y efectivas de utilizar el capital político.

Cuando posteriormente le pregunté a Bush sobre grandes demostraciones estratégicas, se refirió a la guerra civil norteamericana y a la Guerra de Vietnam.

—El trabajo de un presidente consiste en unir a la nación para conseguir grandes objetivos. Lincoln lo comprendió así y lo que más le costó fue unir la nación.—Vietnam, en cambio, era un tema feo y que incitaba a la división. Cualquier capital que pudieran tener Johnson y sus asesores era despilfarrado—. No pudieron conseguir grandes objetivos.

Rumsfeld había estado trabajando varias semanas en un documento clasificado como ALTO SECRETO-CONFIDENCIAL en el que se esbozaba una estrategia amplia para Afganistán. El documento estaba concebido para poder estar lo más seguros posible de no caer en un atolladero. Dictó el documento ALTO SECRETO-CONFIDENCIAL a Wolfowitz, Myers, al jefe segundo Pace y al subsecretario Feith. El documento constaba de diez párrafos numerados que ocupaban dos páginas escritas en fuente de tamaño trece, su preferida, porque al ser grande resultaba más fácil de leer.

Asunto: «Ideas para incluir en las diversas secciones del documento de estrategia afgana». Quería asegurarse de que afrontaban todos los temas de espionaje y asistencia sanitaria, de que obtenían el compromiso de la OTAN y de que intentaban abrir un corredor terrestre con Uzbekistán.

«Urgentemente—dictó, utilizando un extraño énfasis—, llevar unidades de las Fuerzas Especiales.—Seguía sin poder comprender que fueran tan lentos en situar hombres en el terreno, la mayor promesa y el símbolo de la nueva guerra que el presidente y él se habían comprometido a sacar adelante».

En otro punto resaltó:

«Plan de contingencia. ¿Qué ocurre si sufrimos un revés?».

Aquel mismo día, Rumsfeld había declarado públicamente que estaba siguiendo los comentarios de los medios de comunicación sobre el supuesto punto muerto o atolladero en Afganistán.

«Debo decir que suelo encontrar estas diferencias de puntos de vista útiles e interesantes, informativas y educativas», había dicho en su habitual informe al Pentágono, intentando evitar un tono defensivo.

Estando con sus colaboradores, se había referido en una ocasión a los redactores y a las cabezas parlantes de la televisión como las «lumbreras de la calle K», antiguos funcionarios del Gobierno y parásitos que ocupaban el pasillo de la calle K, que albergaba asesorías interminables y gabinetes de estrategia. Para Rumsfeld, la calle K era como un refugio del hampa integrada por aquellos que no podían obtener trabajos de verdad o que carecían del espíritu independiente necesario para abandonar Washington después de terminar su cometido.

«Naturalmente eso es lo que dicen—había dicho—. Su radio de atención no supera al de los mosquitos». El negocio de los medios de comunicación fabricaba prisas y expectación. Él estaba convencido de que el público era más paciente, más realista.

Estaba llevando a cabo un poco de investigación para enmarcar el contexto histórico de uno de sus temas favoritos: Pearl Harbor y la Segunda Guerra Mundial.

Aquella noche era Halloween. El vicepresidente Cheney y su esposa, Lynne, se encontraban ocultos en un lugar desconocido, pero él había estado en reuniones el día entero. Después de treinta y siete años de matrimonio, Lynne Cheney, doctorada en literatura inglesa y antigua presidenta del National Endowment for the Humanities, seguía maravillada ante esa pequeña cosa que su esposo tenía en el interior de su cabeza que le permitía concentrarse en lo más esencial. Lo único que le preocupaba aquellos días era el futuro del mundo.

Para celebrar Halloween tenían con ellos a sus tres pequeños nietos, de dos, tres y siete años. Todos habían esculpido sus calabazas; no su esposo, por supuesto, pero sí ella y los niños. Los pequeños se disfrazaron, pero al no haber vecindario al que poder asustar y gastar bromas, ella les mandó a llamar a las puertas del personal que trabajaba en el búnker. Un agente del Servicio Secreto se abotonó el abrigo por encima de la cabeza para parecer el Agente Descabezado. Luego apagó las luces y volvió a encenderlas muchas veces. Era lo más divertido que podía conseguir aquella noche para los niños. Para ella fue una época deprimente. Cuando su esposo estaba en la Casa Blanca con el presidente Ford, o en el Congreso, o cuando era secretario de Defensa, ella solía decirle por las noches: «Cuéntamelo todo». Aquello se había acabado. La verdad era que ya no quería preguntar.

21

—Buenas tardes—dijo Rumsfeld el día siguiente, jueves 1 de noviembre, al plantarse delante de los medios de comunicación en la sala de prensa del Pentágono dispuesto a iniciar su sesión diaria televisada con la prensa—. He reflexionado sobre algunas de las preguntas relacionadas con la velocidad o los progresos que aparecieron en la última puesta al día y sobre las preguntas relacionadas con la paciencia del pueblo norteamericano en el caso de que no sucediera nada inmediatamente.

A continuación ofreció una lección de historia, estableciendo el conflicto entre la prensa, que no entendía la guerra que estaba llevándose a cabo, y el público, que sí la entendía.

—Hoy es 1 de noviembre. Y si lo piensan bien, verán que en estos mismos momentos sale aún humo del World Trade Center, de las ruinas del World Trade Center, mejor dicho. Y con esas ruinas todavía ardiendo a fuego lento y el humo aún por desaparecer, me parece que los norteamericanos comprenden bien que, a pesar de la urgencia de las preguntas expuestas a lo largo de la última sesión informativa, nos encontramos en unas fases muy, muy iniciales de este conflicto.

»Considerémoslo desde el punto de vista histórico.—Su tono rayaba la condescendencia—. Después del ataque sobre Pearl Harbor del 7 de diciembre de 1941, Estados Unidos tardó cuatro meses en responder con la incursión de Doolittle sobre Tokio en abril de 1942. Eran ocho meses antes del primer ataque terrestre en Guadalcanal—destacó—. Japón fue bombardeado durante tres años y medio antes de su capitulación, Alemania fue bombardeada durante cinco años—les recordó.

Rumsfeld afirmó que el 7 de octubre, cuando se inició la campaña de bombardeos estadounidenses, había declarado que sus objetivos eran limitados e insistido en que no esperaban la «posibilidad de una victoria instantánea o de un éxito instantáneo».

Enumeró los seis objetivos concebidos para cambiar con el tiempo el equilibrio militar en Afganistán—no aquel mes ni necesariamente aquel año—, objetivos muy limitados, muy subestimados.

—Son los objetivos que establecí el 7 de octubre. De eso hace veinticuatro días... tres semanas y tres días; no tres meses; ni tres años, sino tres semanas y tres días. Y hemos realizado progresos sustanciales en cada uno de los objetivos establecidos el 7 de octubre.

»Al final, la guerra no tiene nada que ver con estadísticas, fechas límite, breves lapsos de atención o ciclos de noticias durante las veinticuatro horas del día. La guerra es voluntad, la proyección de la voluntad, la determinación clara y sin ambigüedades del presidente de Estados Unidos, y que en este sentido no quede ningún tipo de duda, del pueblo norteamericano de ver que nos encaminamos hacia una victoria segura.

La historia estaba de su lado.

—En otras guerras norteamericanas, los mandos del enemigo habían llegado a dudar de la sabiduría de aprovechar la fuerza y el poder de esta nación y la decisión de su gente. Espero que en alguna cueva de Afganistán se encuentre un líder terrorista que esté en estos momentos considerando precisamente eso mismo.

El ambiente se notaba cargado de hostilidad. Un periodista preguntó entonces:

—Su declaración inicial de hoy no se refería a proseguir con la guerra. Cada vez más, todo parece relacionarse con vender la guerra, con explicarle al pueblo norteamericano por qué se prolonga de esta manera y pedirle que tenga paciencia. ¿Hasta qué punto es grande la parte de su trabajo que dedica a la labor de venta? ¿Cuánto tiempo le dedica a eso? ¿Dedica a todo ello demasiado tiempo? ¿Le compra la idea la gente con quien habla?

Prácticamente entre dientes, Rumsfeld dijo que dedicaba menos de dos horas de su jornada laboral media de trece horas y media a responder a las preguntas de los medios de comunicación.

—Como porcentaje de la jornada, es relativamente modesto.

—Es importante que presentemos resultados antes del invierno —dijo Cheney en la reunión de la plana mayor que tuvo lugar el 1 de noviembre a las 17:30—. Es importante que tengamos cierto sentido de urgencia.

Rumsfeld dijo que los equipos de las Fuerzas Especiales necesitaban tiempo para establecer los objetivos y les recordó que el problema de introducir equipos en el territorio seguía siendo el mismo. Los ataques por tierra eran peligrosos para los equipos.

Powell dijo que durante el invierno podrían dedicarse a entrenar a la Alianza del Norte para que pudiesen combatir en una guerra convencional. Por ejemplo, podían entrenar a algunos de sus miembros como controladores aéreos capaces de reclamar por sí solos los ataques de aviones F-15.

—Tengo una sensación de urgencia—dijo Cheney, refiriéndose con ello a que no se la veía en los demás—. Después del próximo ataque la tolerancia será escasa.—En caso de que se produjera otro ataque y que la Administración no hubiera hecho todo lo posible, se imaginaba una explosión política en Estados Unidos.

Rice dijo que debían hablar con Franks y con el presidente sobre la urgencia.

Powell dijo que deberían centrarse en Mazar.

—Es arriesgado centrarse en un único lugar—dijo Rice.

—¿Qué tenemos que hacer si queremos tomar Mazar en cuestión de un mes?

—Centrarse en Mazar estaba bien—dijo Cheney.

—Pero si no los atrapamos, ellos nos atraparán a nosotros. —Creía que realmente necesitaban matar a más de ellos. Tal vez tendrían que enviar equipos «asesinos de cazadores» para acabar con los terroristas en Afganistán.

Rice prometió que al día siguiente tratarían el tema de la urgencia con el presidente.

Powell dijo que mientras siguieran atacando solo objetivos y recursos militares, conservarían el apoyo a la guerra de la mayor parte del mundo musulmán.

—Bien, hay cuchicheos en la prensa—dijo Powell al inicio de la reunión del Consejo de Seguridad Nacional del día siguiente, viernes 2 de noviembre. «Cuchicheo» era una palabra que infravaloraba la situación y que despertó risillas sofocadas en la mesa—. Los países de la coalición siguen con nosotros—añadió en tono de confianza.

—Tenemos cuatrocientos diez camiones en el norte de Afganistán, con quitanieves. Nos queda más o menos otro mes para llevar la comida.—Cuando en cuestión de semanas empezara a nevar, sería más complicado hacer llegar alimentos al norte.

—Necesitamos un esfuerzo de ayuda humanitaria antes del Ramadán—dijo el presidente.

Estaba seguro de que dichos esfuerzos seguían adelante, pero era difícil conseguir atraer la atención de los medios de comunicación y del público entre las amenazas, la alerta global de terrorismo, el ántrax y la campaña de bombardeos.

En cuanto a la seguridad interna, dijo Rumsfeld:

—De miércoles a sábado dispondremos de nueve patrullas de combate aéreo.—Se refirió a tres posibles objetivos en Estados Unidos que las patrullas de combate aéreo debían proteger: 1. Reactores nucleares. 2. Instalaciones de almacenamiento y fabricación de armamento nuclear. 3. Lugares de alta prioridad que iban desde la Casa Blanca hasta Wall Street, pasando por los rascacielos de otras ciudades como Chicago y los parques de atracciones Disney.

—Para los aviones de las patrullas de combate aéreo, necesitamos—dijo Bush—zonas de acceso restringido lo bastante grandes para que el avión tenga tiempo de proporcionar la defensa.—Quería gigantescos espacios aéreos controlados donde no pudiesen volar aviones, las llamadas «zonas de acceso restringido».

—Hay lugares donde es posible hacerlo, otros donde no—respondió Rumsfeld. Dado el tráfico aéreo integrado por miles de aviones que sobrevolaban toda la nación, no era realista disponer de zonas de acceso restringido lo bastante grandes para que las patrullas de combate aéreo tuvieran tiempo suficiente para interceptar a un avión que pudiera penetrar esas zonas.

Bush preguntó sobre las tareas de reabastecimiento de la Alianza del Norte.

—Dostum y Fahim han recibido muchos suministros—respondió Rumsfeld—. Karzai y Attah recibieron ayer comida y municiones, y hoy recibirán más.—Necesitaban una base desde donde poder proporcionar ayuda humanitaria en el norte. El presidente dijo que necesitaban disponer de más de una base—. Necesitamos una en Mazar y otra en Kabul.

Franks ofreció sus valoraciones acerca de las reuniones que había mantenido con altos mandatarios de seis países distintos. Dijo que le había sorprendido la calurosa acogida dispensada por los saudíes. Comprendían que aquello iba a ser una tarea larga. Se había topado con cierta resistencia burocrática en los niveles situados por debajo de los altos mandatarios de Arabia Saudí, lo que quería decir que habría algunas fricciones, pero dijo que se solucionarían.

Sobre Qatar, dijo:

—Hemos tenido algunas peticiones. Y ellos están trabajando con nuestras peticiones.

—Musharraf está tranquilo, confiado y comprometido. Tenemos que reconocer que lo que hagamos en Pakistán se traduce en problemas en la calle para él y deberíamos ser sensibles a este hecho.—Informó de que el líder paquistaní le había dicho que le gustaría que el asunto de Afganistán finalizase pronto. Dijo que su respuesta a Musharraf había sido—: Eso dependerá más de usted que de mí.

Pakistán era el eje de la operación.

Era necesario trabajar más con Uzbekistán. Recomendó que Rumsfeld visitara a Karimov.

Estados Unidos necesitaba más y mejor alcance en cuanto a relaciones públicas.

—Lo necesitamos aquí, en nuestro país—dijo Franks.

—Necesitamos que nuestro mensaje llegue a los medios de comunicación de los países extranjeros. Necesitamos tener visibilidad donde necesitemos visibilidad, y ser invisibles donde debamos ser invisibles.—Parecía estar diciendo que era importante dejar una huella lo más tenue posible.

—Comprenden, en general, que no escatimaremos esfuerzos—dijo Franks—. Es terriblemente importante que demostremos resolución.

—Estamos todavía introduciendo en el escenario los efectivos necesarios para proseguir esta guerra de la forma en que debe proseguirse.—Estaban enviando sus propios Depredador para que llevaran a cabo labores de vigilancia aérea pero, a diferencia de la versión de la CIA, los aviones no tripulados del Ejército norteamericano no iban armados con misiles Hellfire.

Utilizaban Global Hawks (aviones espía no tripulados, con capacidad de vuelo a gran altura y largo alcance) y JSTARS (sistema de radar conjunto de vigilancia y ataque), que detectaban en grandes áreas los movimientos terrestres de tanques y otros vehículos. Los JSTARS llevaban a cabo en el suelo las mismas labores de vigilancia que los AWACS desempeñaban en el aire.

—En este momento estamos introduciendo el tipo de efectivos que necesitaremos de verdad cuando el asunto empiece a moverse.

Franks dijo que desde la semana pasada no había incrementado el número de equipos sobre el terreno.

—Dostum es lo mejor que tenemos. Está cansado, le faltan suministros médicos, ropa y municiones.—Pero en cuestión de siete días llegarían nuevos suministros. En general, Franks dijo que necesitaban mejorar su trabajo por lo que se refería a abastecer de suministros a todas las fuerzas de la oposición—. Necesitamos ponernos las pilas.

Bush mostró su conformidad.

Resultaba que los rusos estaban dispuestos a enviar armamento a la Alianza del Norte. Disponían de algunas redes de distribución, pero alguien tendría que pagar las armas. Finalmente se decidió que pagaría la CIA. Entregaría cerca de diez millones de dólares a su antiguo enemigo. Rice se encargaría de hablar con el ministro ruso de Defensa para cerrar los acuerdos finales.

Franks había confeccionado una lista de cuevas y túneles que podían ser escondites para Bin Laden, Al Qaeda y los talibanes. La lista constaba de entre ciento cincuenta y ciento sesenta nombres. Dijo que ya se habían inspeccionado setenta y cinco de esos lugares. Además, el comandante en jefe tenía una lista de lugares sospechosos de ocultar armas de destrucción masiva... y estaba inspeccionándolos uno a uno.

—Ahora, señor presidente—dijo Franks—, permítame comentarle los problemas concretos en los que voy a trabajar durante los siete próximos días.—Deseaba que Bush dispusiera de detalles de la operación. Uno de los problemas era que los efectivos británicos tenían problemas para entrar en Pakistán y que el comandante en jefe estaba encargándose de solucionarlos—. Estoy intentando conseguir un avión, un tipo de avión en particular, con base en Uzbekistán. También estoy intentando conseguir suministros para el invierno, tiendas, ropa (en parte proporcionados por Rusia). Necesito introducir esta semana dos equipos más de las Fuerzas Especiales. Necesito tener los JSTARS listos y operativos sobre el terreno. Y tengo que ajustar mis relaciones con Qatar.

Como era habitual, Cheney había permanecido prácticamente en silencio, escuchando con atención, inclinando ocasionalmente la cabeza.

—Creo que en Afganistán, desde el punto de vista militar, tenemos el tiempo a nuestro favor—dijo el vicepresidente—, pero en el contexto más amplio necesitamos ir más rápido. Cuanto más tiempo siga libre Osama Bin Laden, mayor riesgo corremos de sufrir un ataque en Estados Unidos.

Tenet consideraba que el riesgo no aumentaba por el hecho de que Bin Laden siguiera libre o no. Mientras estuviera en libertad, podía ordenar otro ataque. Pero en caso de ser capturado o aniquilado, otro miembro de Al Qaeda podía decidir actuar en venganza o a la desesperada. No dijo nada.

—Pueden tener armas nucleares—dijo Cheney, planteando el peor escenario posible—. Pueden tener armas químicas y armas biológicas. Los aliados de la región son para nosotros una propuesta frágil. Las consecuencias estratégicas de una posible toma del poder por parte de los radicales en Pakistán o Arabia Saudí serían enormes. Y, en tercer lugar, el grado de paciencia del pueblo de Estados Unidos podría desvanecerse si nos vuelven a atacar.

»Por lo tanto—dijo Cheney, dirigiéndose a Franks y Rumsfeld—, tendremos que empezar a pensar en proporcionarles a ustedes más recursos, un calendario distinto, más efectivos y un ritmo más elevado de operaciones.—Preguntó a Franks si necesitaba más asesoramiento en cuanto a correr mayores riesgos en la escena.

—El problema estriba en si utilizamos suplentes o si Estados Unidos desempeña un papel más directo—dijo Franks—. Y tengo que confesarle algo. Aún no me siento satisfecho con lo que puedo presentarle.

Franks y sus colaboradores y los jefes del Estado Mayor Conjunto se obligaban a enfrentarse a la posibilidad de que podía ser necesario enviar a Afganistán un número considerable de soldados norteamericanos. Se había manejado una cifra que oscilaría entre los cincuenta mil y los cincuenta y cinco mil. Una cifra que hacía temblar y que sugería el tipo de guerra terrestre que la historia militar enseñaba que debía evitarse en Asia, costase lo que costase.

El presidente tenía conocimiento de la cifra que estaba manejándose. En una entrevista posterior, recordaba haber considerado «el escenario en el que deberían haber trasladado allí cincuenta y cinco mil soldados».

—¿Cuál es la capacidad de las fuerzas de la oposición?—preguntó Powell—. ¿Necesitamos formarlas?—En el transcurso de sus treinta y cinco años en el Ejército, había descubierto que un buen entrenamiento podía marcar la diferencia. Ni Powell ni nadie estaba preparado para la respuesta de Franks.

—No confío en absoluto en la oposición—dijo el general. Con respecto a la pregunta de si era posible dar formación a la Alianza, respondió—: No lo sé.—Estaba decepcionado con Fahim, que tenía la ventaja y no avanzaba. En cambio, Dostum a lomos de un caballo era un personaje agresivo, un general Patton—. Dostum cabalga entre quince y veinticinco kilómetros diarios, bajo el azote de tormentas de viento o de nieve, con chicos a quienes les falta una pierna. Vuelan un enclave talibán y se llevan a los heridos, sabedores de que carecen de asistencia médica.

Así que, a pesar de haber perdido la confianza en las fuerzas de la oposición, Franks dijo que continuaría con la estrategia vigente «y trabajando simultáneamente en algún tipo de planificación para ver si necesitamos tener que hacer el tipo de cosas que ha descrito el presidente».

El presidente no estaba al corriente de que Cheney fuera a destapar esos problemas, aunque opinaba que siempre que Cheney formulaba preguntas, merecía la pena escuchar con atención. Quería que Franks se las tomara en serio.

—¿Cuándo podrá darnos algunas alternativas—le preguntó Bush a Franks—a tenor de lo que ha dicho el vicepresidente?

—En una semana—dijo Franks—, a un grupo muy reducido.

Bush le había preguntado previamente a Franks cuál sería la

respuesta posible en caso de que Al Qaeda volviera a lanzar un ataque importante contra Estados Unidos, en su propio territorio y quisiera ordenar una escalada bélica.

—Y también le debo las alternativas respecto a lo que podríamos hacer en caso de recibir un nuevo ataque.

Después de la reunión, Cheney llamó a Libby, que había estado también entre los asistentes.

—Nadie dijo nunca que estos trabajos fueran sencillos—dijo el vicepresidente.

22

Durante la reunión por vídeo-conferencia blindada del Consejo de Seguridad Nacional celebrada el sábado 3 de noviembre, McLaughlin informó de que la CIA había situado ya cuatro equipos paramilitares en el interior de Afganistán. El plan consistía en que el equipo Delta de la Agencia, que acababa de unirse a Khalili a unos ciento sesenta kilómetros al oeste de Kabul, se uniera con el equipo Rompemandíbulas y Fahim en el norte de Kabul y partieran juntos hacia el sur, en dirección a la capital.

Los otros dos equipos se dirigirían hacia el norte, el equipo Alfa con Dostum y el Bravo con Attah.

—Los malvados están a la espera de recibir buenas noticias en el transcurso de los próximos días—les dijo. Los informes sobre nuevas amenazas aumentaban de nuevo.

En ambos frentes había malas noticias: pocos avances sobre el terreno en Afganistán y una enorme posibilidad de sufrir otro ataque en Estados Unidos. Y ese ataque podía haberse iniciado ya con los envíos de esporas de ántrax. El día anterior, Bush se había referido a una «guerra con dos frentes».

Wolfowitz asistía a la reunión en representación de Rumsfeld, quien se encontraba realizando un viaje relámpago de cuatro días a Rusia, Tayikistán, Uzbekistán, Pakistán y la India, y que tenía también malas noticias.

—El tiempo es malísimo. Hemos perdido un segundo Predator debido a las heladas. Nos quedan dieciséis. Estamos preparando más.

—¿Y la invasión de Mazar que tenemos pendiente?—preguntó el presidente—. ¿No dijo alguien que tendría lugar el 5 de noviembre?—Faltaban dos días para esa fecha.

Sí, ese era el plan. Pero no estaban seguros de poder cumplirlo.

El general Myers tenía algo positivo.

—Tenemos en estos momentos con Khalili un tercer equipo de las Fuerzas Especiales del Ejército.—Ese equipo estaba trabajando con el equipo Delta de la CIA y con Khalili cerca de Bamiyán.

—Así que le quedan cuatro o cinco por entrar, ¿no es eso? —preguntó el presidente.

—Sí.

En la reunión del Consejo de Seguridad Nacional del lunes 5 de noviembre, Wolfowitz intentó demostrar que estaban calentando motores de verdad. Informó de que «el 90 por 100 de nuestras salidas son para colaborar con la oposición». Se trataba de blancos confirmados por el equipo A de las Fuerzas Especiales, ataques al frente de batalla y a las concentraciones de tropas de los talibanes y Al Qaeda.

—Hemos aumentado las salidas entre un 20 y un 30 por 100—dijo—. Utilizamos aviones F-16 y F-15 estacionados en Kuwait. Un trayecto largo.—Kuwait, liberado por Estados Unidos durante la Guerra del Golfo de 1991, estaba dispuesto a permitir el lanzamiento de ataques desde su territorio, pero se encontraba a mil seiscientos kilómetros de Afganistán.

Wolfowitz informó de que un líder de Oriente Próximo le había dicho al general Franks que no era necesario que Estados Unidos detuviera su lucha durante el Ramadán, y que durante treinta y siete de los últimos cincuenta y cuatro años había habido guerras durante el Ramadán... en su mayor parte de árabes contra árabes.

El presidente, naturalmente, había tomado ya la decisión de proseguir con los bombardeos durante la celebración religiosa musulmana.

Pero el líder había dicho, informó también Wolfowitz, que deberían reducirse a ataques durante las horas de plegarias. Y fue esa precisamente la fórmula que se decidió adoptar.

—¿Que fuerza tiene el enemigo en el norte?—preguntó el presidente. Los informes de espionaje, realizados por sectores en el país, habían estado siempre presentes. Aunque no dijera nada, Tenet sabía que lo máximo que podía proporcionar la CIA era una estimación muy aproximativa.

—¿Será que estamos encomendando a las tribus una misión

imposible?—continuó Bush. Al fin y al cabo, Fahim se encontraba en el nordeste con ventaja numérica pero no se movía. Dostum, a quien el enemigo superaba enormemente en número, intentaba moverse.

Wolfowitz dijo que los talibanes estaban recibiendo refuerzos y Franks pensó que aquello tenía su lado bueno: la creación de más objetivos.

—Quiero que Don me explique más detalles sobre esto—dijo Bush.

Aquella tarde el presidente se reunió con el presidente argelino, Abdelaziz Buteflika. Argelia es uno de los países más grandes de África y la CIA subvencionaba una parte muy importante de su servicio de espionaje y había gastado millones de dólares para obtener su ayuda en la guerra contra Al Qaeda.

En diciembre de 1999, se produjo la detención de Ahmed Ressam, un terrorista argelino de poca entidad, hecho que no solo ayudó a romper la trama terrorista del milenio, sino que además proporcionó pistas a la CIA sobre la existencia de una red de Al Qaeda en Argelia compuesta por africanos de raza negra. Resultado: se duplicó la cifra de miembros de Al Qaeda conocidos en el mundo, un descubrimiento significativo e inquietante. Tenet lo consideró un toque de atención para que, cuando la CIA trabajase en operaciones contraterroristas, no se limitara únicamente a mirar caras árabes, sino también africanas.

Bush le prometió al presidente argelino que Estados Unidos completaría su misión y sus efectivos regresarían a casa.

—El mayor problema con el que nos enfrentamos es la impaciencia de la prensa. Querrían que la guerra se hubiese acabado ayer. No lo entienden.

Durante la rueda de prensa que tuvo lugar en el Pentágono el martes 6 de noviembre, Rumsfeld opinó que el asunto de los talibanes y Al Qaeda se prolongaría durante meses.

—¿Qué le ha hecho llegar a esta conclusión?—inquirió un periodista.

—Se trata claramente de una estimación—respondió Rumsfeld—. No estoy sugiriendo uno, dos o tres meses; he dicho meses y no años. Y esto podría ser hasta veintitrés meses.

Los periodistas se echaron a reír.

—La cosa puede ir desde uno o dos hasta veintitrés meses. Y cuando me ha hecho esta pregunta he pensado para mis adentros que podría responder espontáneamente de la forma que mejor pudiera hacerlo y decir: «Hmmm, le apuesto a que serán meses, no años». ¿Podría haberme equivocado? Supongo. ¿Creo que lo estoy? No.

Más risas.

En la reunión del Consejo de Seguridad Nacional que tuvo lugar el miércoles 7 de noviembre por la mañana, Tenet informó de que la CIA seguía intentando reunir a su equipo paramilitar Charlie con las fuerzas de Ismail Khan, localizadas en el oeste de Afganistán.

—Parece que hay avances en las cercanías de Mazar-e-Sharif —dijo, poniendo en ascuas a todo el mundo. Pero, como siempre, la imagen global del campo de batalla seguía siendo problemáticamente poco clara.

Rumsfeld Dijo:

—Quedan cuatro equipos de las Fuerzas Especiales por entrar... están en ello.—Eso significaba que aún no habían entrado, no había cambiado nada desde el sábado—. Estamos abasteciendo de nuevo a Dostum, Attah y Khan. Seguimos trabajando en las cuevas.

—Lo de las cuevas es importante—dijo el presidente. Seguía muy de cerca los movimientos del espionaje, incluidos los videos aéreos proporcionados por el Predator—. Subraya el problema de esta guerra—dijo, añadiendo rápidamente—: Pero también subraya la tenacidad de Estados Unidos.—Investigar las cuevas escondite de los talibanes y Al Qaeda era difícil, tedioso, y también peligroso.

Al final de la jornada del 7 de noviembre, Tony Blair viajó a bordo del Concorde para entrevistarse con Bush. Se reunieron durante breves momentos en el Despacho Oval, ofrecieron una rueda de prensa conjunta en la que intentaron estimularse mutuamente y a la causa antiterrorista, cenaron temprano con sus colaboradores y luego fueron arriba para conversar solos.

Bush quería desahogarse, comentar temas con un colega, otro estadista. Quería disponer de un tiempo durante el cual su principal aliado le prestara toda su atención. Él y Blair estaban juntos en esto: ambos habían apostado sus gabinetes, sus carreras y sus reputaciones en aquella empresa.

La situación no era tan feliz como se había descrito públicamente. La situación en Afganistán estaba en un punto muerto y abundaban las preguntas: ¿cuándo conseguirían que los uzbekos les otorgaran plenos derechos para instalar sus bases? Los uzbekos los mandaban a hacer puñetas constantemente. ¿Y Mazar? ¿Corría Kabul el peligro de que la Alianza del Norte la ocupara dejando a Johnnie Pastún desamparado en el frío? ¿Cómo podían separar a los pastunes de los talibanes? ¿Cuál sería el mejor incentivo? ¿Más dinero, seguridad, la sensación de que el bando ganador estaba con Estados Unidos y Gran Bretaña? Necesitaban disfrazar el concepto de una victoria inevitable.

Por vez primera, la situación en Oriente Próximo parecía tener un impacto sobre la estrategia de los dos líderes para tratar la cuestión de Afganistán. Para Blair, el líder palestino Yasir Arafat podía todavía comprometerse a dar algunos pequeños pasos relacionados con el establecimiento de cierta seguridad y confianza con Israel. Parecía un mal necesario. Bush veía cada vez más a Arafat como solo un mal.

Blair regresó aquella misma noche a su país después de seis horas de estancia en Estados Unidos.

—Podríamos tomar Mazar en cuestión de veinticuatro o cuarenta y ocho horas—dijo Tenet a sus escépticos colegas en el transcurso de la reunión del jueves 8 de noviembre. Dostum y Attah se habían comprometido a rodear la ciudad—. Uno se encuentra a siete kilómetros de la ciudad y el otro a quince.—Dijo que se apoyaría en los paquistaníes para que utilizaran sus vínculos tribales con el sur de Afganistán para que dicha zona se alzara—. En el sur no tenemos nada en marcha y tampoco tenemos nada que poner sobre la mesa.

Tenía más malas noticias.

—Es posible que los iraníes hayan cambiado de bando y que ahora se alineen a los talibanes.—Irán, uno de los mayores apoyos de la Alianza antes del 11 de septiembre (junto con Estados Unidos, Rusia y la India), estaba preocupado por el hecho de que Estados Unidos pudiera ganar posiciones en Afganistán. Las informaciones más fiables demostraban que la Guardia Revolucionaria iraní, el elemento radical que tenía realmente el poder en sus manos, estaba enviando armas a los talibanes y que de allí llegaban a Al Qaeda. Parte de Al Qaeda utilizaba Irán como lugar de paso para dirigirse desde Afganistán a países como Yemen.

El único lado positivo era que aquello sugería que la Alianza del Norte estaba más cerca de la victoria de lo que suponían.

Rumsfeld tenía una idea en lo relativo a los incentivos.

—Tenemos que decirles a los grupos tribales del sur que si se rinden y nos ayudan, aceptaremos que desempeñen un papel en el Gobierno. La prueba que tendrán que superar será actuar ahora contra Al Qaeda y los talibanes.—Lo que sugería era una especie de programa de amnistía: apuntaos ahora y olvidaremos vuestras relaciones pasadas. Y era necesario, porque todas las tribus del sur mantenían una relación u otra con los talibanes. Y en aquellos momentos no ayudarían si se les desvinculaba del nuevo Gobierno.

—Estoy de acuerdo—dijo Powell, quien nunca solía estar de acuerdo con Rumsfeld—, es la prueba correcta que tienen que superar.—Era el tipo de acuerdo práctico que le gustaba a Powell. La pureza no funcionaría. Aquello era política práctica.

Hank se desplazó hasta Afganistán para valorar el frente de batalla junto con algunos de los equipos paramilitares de la Agencia. Los millones de dólares de dinero secreto que los equipos iban distribuyendo obraban maravillas. Calculaba haber comprado a miles de talibanes. La Alianza del Norte intentaba también por su cuenta que los talibanes desertaran, pero los otros sabían que llegaría la CIA y ofrecería dinero en metálico. Al iniciarse las negociaciones, la mano de la Agencia solía ocultarse: diez mil dólares para este subjefe y sus docenas de soldados, cincuenta mil dólares para este jefe más importante y sus centenares de soldados.

En una ocasión, ofrecieron a un jefe cincuenta mil dólares a cambio de su deserción. «Dejad que me lo piense», dijo el jefe. De modo que el equipo A de las Fuerzas Especiales dirigió una bomba de precisión J-DAM justo a la entrada de su cuartel general. Al día siguiente volvieron a visitarle. «¿Qué tal cuarenta mil dólares?». Aceptó.

En la reunión del Consejo de Seguridad Nacional del viernes 9 de noviembre, el general Franks informó de lo siguiente:

—Estamos realizando entre noventa y ciento veinte salidas diarias; entre el 80 y el 90 por 100 de ellas van destinadas a apoyar a la oposición. Estamos concentrándonos en Mazar.—Dijo que estaban enviando suministros a cinco de los diez principales líderes tribales—. Distribuimos equipos para el invierno y municiones. Preparamos los paquetes en Tejas, los almacenamos en Alemania. Tardan dos días en llegar a Alemania y los distribuimos entre dos y tres días después.—Empezaban a disponer de una cadena logística de confianza.

—Hacia finales de mes estaremos bien situados en los alrededores de Mazar. Y estamos trabajando con Fahim Khan para que empiece a moverse.

Luego Franks pasó al tipo de resumen detallado que había empezado a ofrecer al presidente y al gabinete de guerra.

—Esta semana estoy trabajando en siete temas: en intentar que Gran Bretaña se posicione en Pakistán; en intentar instalar mi base y mi delegación en Tayikistán; en intentar hacer llegar a la oposición paquetes de equipamiento para el frío; estoy trabajando con mis siete equipos de las Fuerzas Especiales (tendré otro con Ismail Khan, el de la CIA irá esta noche, el del Ejército en el transcurso de los próximos dos o tres días); he conseguido dos JSTARS (los sistemas avanzados de vigilancia terrestre); voy a llevar más contingentes.

Volviendo entonces a las operaciones más inmediatas, dijo:

—Estoy abordando la cuestión del liderazgo; estoy apoyando a la oposición; estoy ayudando con la acción directa de nuestros soldados contra los malvados; estoy inspeccionando cuevas y túneles. Entre Kandahar y Kabul y la frontera paquistaní hay cuatrocientas cincuenta cuevas, y esta cifra ascenderá hasta mil. Son las zonas en las que suponemos que puede estar esa gente. Hemos causado unas cien bajas.

—Tenemos que mantener las expectativas bajas—concluyó.

—Tommy, ¿dispone usted de todo lo que necesita?—preguntó el presidente. Era una pregunta que realizaba con frecuencia.

—Estoy satisfecho—dijo Franks—. Tengo lo que necesito. La guerra va bien.

—Necesitamos disponer de una estrategia concreta para el invierno, para que el presidente y el secretario de Defensa puedan contar con ella—dijo Bush.

—No nos detendremos durante el invierno—replicó Rumsfeld—. A lo largo del invierno podemos seguir con prácticamente todo lo que venimos haciendo.

—No hablemos de una estrategia para el invierno—dijo Powell. Un nombre relacionado con una estación del año podría interpretarse como un cambio de estrategia—. Hablemos solo de estrategia.

—Perfecto—dijo el presidente. Pero fuera cual fuese la denominación, no disminuía el problema de comunicación—. Necesitamos contar con diversos puntos que nos sirvan para rechazar la idea de que la llegada del invierno significa que hemos fracasado.

—¿Cuál es la misión en cuanto a Kabul?—preguntó Card—. ¿Es una misión política? ¿Es un problema militar?

—Nadie quiere la Alianza del Norte en Kabul—dijo Powell—, ni tan siquiera la Alianza del Norte.—La Alianza se percataba de que las tribus del sur se pondrían como locas al ver a sus rivales ocupando la capital.

Cheney, quien en aquella época seguía en su escondite secreto, se retiró de la reunión y le dijo a un colaborador:

—No es bonito, pero es un avance.

Los equipos de la CIA y de las Fuerzas Especiales estaban concentrados en los alrededores de Mazar-e-Sharif, la ciudad de doscientos mil habitantes situada en un valle polvoriento a cincuenta y cinco kilómetros de la frontera uzbeka. Una semana antes, un teniente coronel de las Fuerzas Especiales se había infiltrado en la zona con cinco hombres más para coordinar las tareas de los equipos A. Estos dirigían fuego devastador desde el aire hacia los dos anillos de trincheras defensivas que los talibanes tenían alrededor de la legendaria ciudad.

Un equipo se había dividido en cuatro unidades de soporte aéreo, repartidas a lo largo de ochenta kilómetros de terreno escarpado y montañoso. La ausencia de objetivos fijos había liberado a los bombarderos norteamericanos para que pudieran ser utilizados en ataques dirigidos por las distintas unidades, que podían hacer uso de las bombas como si de artillería se tratara. La gran diferencia era la precisión y el tamaño de las municiones. Se trataba de bombas de doscientos kilos de peso. El bombardeo masivo había cortado las comunicaciones y las líneas de suministro de los talibanes. Centenares de sus vehículos y búnkers habían sido destruidos y miles de talibanes habían muerto, habían sido capturados o habían huido.

Un jefe del frente talibán al mando de varios centenares de hombres había llegado a un acuerdo para cambiar de bando y había dejado pasar a los efectivos de la Alianza del Norte, socavando con ello el perímetro defensivo.

Dostum, montado a lomos de un caballo negro, dirigió una carga de caballería integrada por unos seiscientos hombres. Attah atacó simultáneamente. Se lanzaron dos bombas BLU-82 Daisy Cutter, de seis toneladas de peso cada una, que lo devastaron todo en un radio de seiscientos metros, ocasionando numerosas bajas y haciendo estallar los pulmones y los tímpanos de quienes no murieron.

Finalmente, se coordinaba la violencia masiva de la que era capaz Estados Unidos.

Después de comer, el teniente coronel del Ejército Tony Crawford, especialista en información y ayudante ejecutivo de Rice, entró en el despacho situado en el ala oeste.

—Mazar ha caído—dijo—. Estamos recibiendo informes que dicen que Mazar ha caído.

—¿Qué significa esto?—preguntó Rice con escepticismo—. ¿Que están en el centro de la ciudad? ¿Qué significa que «Mazar ha caído»?

Crawford dijo que investigaría lo que significaba.

Regresó al cabo de muy poco tiempo para informar de que los soldados de Dostum estaban en efecto en el centro de la ciudad. Los habitantes del lugar se despojaban de su vestimenta talibán. Estaban de fiesta, sacrificando corderos. Las mujeres agitaban los brazos, reían y daban palmas.

¿Qué debía hacer la consejera para Asuntos de Seguridad Nacional en esa situación? Sintonizó la CNN, que estaba confirmando la información, y llamó a Rumsfeld para explicarle las noticias.

—Bien—respondió él—, ya veremos.

Él opinaba que los primeros informes siempre eran erróneos, y así le parecía en aquel caso. Tal vez hubiera caído hoy y mañana ya no habría caído.

Rice fue a contárselo al presidente. Se había enterado ya.

—Buenas noticias—dijo, controlando su entusiasmo.

Ella se percató de que no sacó un puro para mascar... la señal habitual de una celebración de verdad.

Ocho meses después, Bush recordaba:

—Lo que recuerdo es la asociación de tal y cual tipo de la Alianza del Norte y esto y lo otro y que se están dirigiendo hacia el valle que fuera.

Pero lo que entonces le preguntó Bush a Rice fue:

—Bien, ¿y qué viene a continuación?

A las 16:05 de aquella tarde, el presidente recibía en una reunión privada al príncipe Saud, ministro saudí de Asuntos Exteriores, hombre de negocios y economista graduado por Princeton.

—Tenemos que ser solidarios para librarnos de los terroristas de Afganistán—le explicó Saud.

—Creo que Osama Bin Laden le odia más a usted que a mí —dijo Bush.

—Es un honor ser odiado por alguien como él—le respondió el príncipe. Quince de los diecinueve secuestradores aéreos del 11-S eran saudíes. Los saudíes creían que Bin Laden había elegido especialmente secuestradores saudíes para provocar un cisma entre ellos y Estados Unidos.

—No haremos nada que dañe la economía norteamericana —dijo Saud. Los saudíes suministraban cerca del 8 por 100 del petróleo consumido diariamente en Estados Unidos. Podían cortar la producción y hacer subir los precios por las nubes.

El sábado, Bush voló hasta Nueva York para dirigirse por la mañana a la Asamblea de Naciones Unidas y reclamar la creación de un Estado palestino.

Bush mantuvo su primera reunión con el presidente paquistaní Musharraf en la suite del Waldorf Towers, el alojamiento tradicional de los presidentes en la ciudad.

—Se encuentra usted en una posición extraordinariamente difícil—dijo Bush—, pero ha tomado la decisión correcta.

—Estamos con usted—dijo el líder paquistaní—. Le dedicaremos todo el tiempo que sea necesario.

—Quiero que acabe pronto—dijo Bush. Tocaba una de las mayores preocupaciones de Musharraf—. Es importante encontrar al enemigo y utilizar todos los recursos.—Pero añadió una nueva dimensión. Se había quedado fascinado ante la capacidad de la Agencia de Seguridad Nacional para interceptar llamadas telefónicas y otras comunicaciones a nivel mundial. El futuro terrorismo podría detenerse, reducirse como mínimo, de ser capaces de captar las llamadas telefónicas clave. Bush resumió su estrategia—: Escuchar todas las llamadas telefónicas, interrumpirlas definitivamente y proteger a los inocentes.

Musharraf dijo que, a pesar de las pruebas y lo preocupante de la situación, no creía que Bin Laden y Al Qaeda dispusieran de dispositivos nucleares. Le preocupaba que la Alianza del Norte, un puñado de bestias tribales, se hiciera cargo de Afganistán.

—Comprendo perfectamente su preocupación con respecto a la Alianza del Norte—dijo Bush.

Musharraf dijo que su mayor miedo era que Estados Unidos acabara al final abandonando Pakistán y que se interpusieran otros intereses a la guerra contra el terrorismo.

Bush le miró fijamente.

—Dígale al pueblo paquistaní que el presidente de Estados Unidos le ha dicho, mirándole a los ojos, que nunca haría eso.

Musharraf había traído consigo un artículo del periodista de investigación Seymour Hersh publicado en *The New Yorker* en el que se afirmaba que el Pentágono, con la ayuda de una unidad de operaciones especiales israelí, disponía de planes de contingencia para hacerse con las armas nucleares de Pakistán en el caso de que se produjera una situación inestable en el país.

—Seymour Hersh es un mentiroso—replicó Bush.

Después de las seis de aquella misma tarde, Bush y Musharraf se dirigieron a la Sala Empire del Waldorf-Astoria para realizar declaraciones y responder a unas cuantas preguntas de los periodistas.

—¿Qué hay con respecto a la Alianza del Norte y la toma de Kabul?

—Animaremos a nuestros amigos a dirigirse hacia el sur atravesando el valle de Shamali, pero no a que entren en Kabul—dijo Bush.

En la reunión del Consejo de Seguridad Nacional del lunes 12 de noviembre, Hank describió con la ayuda de un mapa los movimientos sobre el terreno.

—En el norte, las fuerzas talibanes se encuentran ahora atrapadas en Konduz, pero siguen combatiendo. Hemos alertado a los rusos. Van a desplegar efectivos en la frontera tayika para impedir el paso a los talibanes en el caso de que pretendieran entrar en Tayikistán.—Diez mil soldados rusos se preparaban en secreto en aquellos momentos para ayudarles. Bush estaba encantado. Putin visitaría Estados Unidos al día siguiente.

—En Bamiyán, con Khalili, se encuentra un equipo combinado de Fuerzas Especiales—dijo Hank—. Khalili ha ocupado Bamiyán. Está avanzando hacia Wardak y luego se dirigirá a Kabul. Ismail Khan ha tomado Herat.

La verdadera sorpresa era Kabul, dijo Hank. Entre diez mil y doce mil soldados avanzaban en grupos de quinientos en dirección a la capital. Había poca resistencia.

—Existe el riesgo de que los talibanes bombardeen Kabul desde una cordillera situada al sur.

—Un buen objetivo para nuestros ataques aéreos—dijo el presidente. Se daba cuenta de que esas incursiones aéreas podían cambiar el curso de la marea, que la tierra empezaba a moverse.

Un jefe pastún con cuatro mil soldados a su mando se había unido al líder de la Alianza del Norte, Fahim, para avanzar hacia Kabul.

—Se dirige hacia el sur. Agrupará diversos mandos pastunes y se dirigirán a Kabul desde el sur—dijo Hank—. Ismail Khan está listo para bajar por la carretera de circunvalación hasta Kandahar.

—Esto es lo que tenemos en el sur. Tenemos a Karzai, conectado con varios ancianos en la provincia de Uruzgán.—Estaban trabajando con jefes específicos que disponían de cantidades muy pequeñas de combatientes, con algunas redes de mayor tamaño, e incluso con algunas tribus cercanas al baluarte talibán de Kandahar. En cuanto a los tribales cercanos a la frontera paquistaní, situados en Khowst y Paktia, dijo Hank—: Estamos animando a nuestro destacamento en Peshawar para que entre en contacto con ellos.

Hank dijo que estaban acelerando los contactos en el sur, ya que el norte había empezado a moverse. Era importante mantener el equilibrio entre el norte y el sur para que todos los elementos pudieran reclamar legítimamente su participación en el Gobierno posterior a los talibanes.

El del Interior de la Alianza del Norte decía tener quinientos hombres en el interior de Kabul, según informó, para sofocar un brote de violencia. Pero los elementos más poderosos se encontraban en las provincias del este, cerca de Tora Bora y de la frontera paquistaní.

Era un vuelco de los acontecimientos asombroso, al menos a corto plazo: la Alianza del Norte y un número suficiente de jefes del sur unidos para estabilizar Kabul.

—En Mazar, los efectivos de la Alianza del Norte controlan hasta el Puente de la Amistad—dijo Rumsfeld. Eso podía abrir la ruta de reabastecimiento por tierra. Los uzbekos, que habían cerrado el puente en 1996 cuando los talibanes subieron al poder en Afganistán, habían dicho que no volverían a abrirlo hasta que la parte sur fuera segura. Por vez primera, había tribus amigas situadas en la parte sur del puente.

—Esto servirá para abrir paso a la ayuda humanitaria—dijo Rumsfeld. Potencialmente, a partir de aquel momento podrían pasar a Afganistán toneladas de comida, suministros médicos, ropa y otro tipo de ayuda.

—La Alianza del Norte ha tomado Taloqán. Se ha rendido sin apenas oponer resistencia. Tenemos dos equipos sobre el terreno, integrados cada uno de ellos por veintiocho personas, que se dirigen con cuatro vehículos hacia el sur de Kandahar. Se dedican a arrestar, prohibir, desbaratar y sembrar confusión. Los enviaremos unos cuantos días y luego los retiraremos. Están creando alborotos.

—El comandante en jefe quiere que los paquistaníes cierren los puntos de tránsito entre Afganistán y Pakistán para precintar todo lo que entra y sale.

—Debemos presionar a Musharraf para que lo haga—dijo el presidente. No ocultó su asombro ante el cambio de acontecimientos—. Es sorprendente lo rápido que ha cambiado la situación. Es una maravilla, ¿verdad?

Todo el mundo estuvo de acuerdo. Era casi demasiado bueno para ser cierto.

Volvieron a las preguntas relacionadas con la participación de otros países, sobre la posibilidad de presionar a Gran Bretaña, Jordania, Francia y Turquía para obtener su ayuda.

—¿Qué perspectivas tenemos de que uno de ellos entre en Mazar?—preguntó Rumsfeld—. Nos gustaría que entrasen tres o cuatro países, no Naciones Unidas ni la OTAN, sino un mando unificado. Y el objetivo sería garantizar que la gente se comporta bien (sobre todo en Dostum y Attah), mantener el aeropuerto y tal vez crear una estructura de apoyo por aire de la OTAN. Podría ser algo así como una especie de coalición de buena voluntad.

—Necesitamos una estrategia que pueda servir de modelo para otras ciudades—dijo Bush.

—Franks resolverá todo esto a través de las misiones de enlace—dijo Rumsfeld, en referencia a los países que tenían oficiales en el cuartel general de Franks en Tampa.

—Tres puntos adicionales: ¿queremos tomar Kabul? El comandante en jefe debería estar involucrado en cuestiones de este tipo, en si debemos tomar o no las ciudades. Necesitamos conocer, ante todo, su opinión y cuál es su recomendación.—Las ideas de Franks eran repentinamente de la mayor importancia.

Añadió un segundo punto:

—Necesitamos ir todos a una. Si no entramos, corremos el riesgo de que la gente en las ciudades sea asesinada o muera de hambre.

—Además, mantenernos fuera sugiere que carecemos de algún tipo de control.—Sitiar la ciudad y quedarse en las afueras puede no ser suficiente.

—Con respecto a Kabul, se trata de una operación militar —dijo el presidente. Quería la toma de Kabul—. Y una vez tomada, necesitaremos una estructura política. Y Tommy debe decidir cómo mantenerla segura. Políticamente, debemos transmitir el mensaje de que la Alianza del Norte no gobernará el Afganistán posterior a los talibanes. Cuando tengamos Kabul segura, y los mandos deben decidir cómo hacerlo, Tommy Franks debe decidir cómo hacerlo, quedará gobernada, al igual que el resto del país, por un grupo ampliamente representativo.

»Debemos tener una distribución correcta de decisiones entre la operación militar y el control político—dijo.

La plana mayor volvió a reunirse ese mismo día para discutir el tema de Kabul.

Tenet dijo que Bismulá Khan, uno de los subcomandantes de Fahim, llegaría a las afueras de la ciudad al día siguiente. Y que Fahim había contactado con el equipo Rompemandíbulas en busca de asesoramiento.

Tenet y Franks creían que debían quedarse en las afueras de la ciudad.

—Las informaciones apuntan a que los talibanes están abandonando la ciudad—dijo Tenet— y que intentarán trasladarse hacia el sur o hacia el este. No hemos podido corroborar cuántos han huido o se han trasladado a la cordillera situada hacia el sur de la ciudad donde hay un problema de bombardeos. En la ciudad, quedan aún focos de árabes.

—Mañana van a necesitar apoyo aéreo—dijo Rumsfeld—. Podrían situarse en las afueras de la ciudad mañana por la noche. Nuestro objetivo es acabar con Al Qaeda. Ese es nuestro objetivo militar, y los consejos que demos a la Alianza del Norte deberían seguir estos objetivos.

Rumsfeld intentaba ofrecer un correctivo al discurso político sobre el impacto que la toma de Kabul tendría sobre el Gobierno de Afganistán. La pregunta que debían plantearse, estaba diciendo, era cómo afectaría la toma de Kabul a la misión de perseguir a Al Qaeda y a otros malhechores.

—Franks quiere utilizar el potencial aéreo de Estados Unidos y pedirles que mantengan el cerco. Si los militares huyen de la ciudad, pretende ir tras ellos.

—Me preocupa crear un vacío de poder en Kabul—dijo Cheney—. ¿Podemos permitirnos el lujo de acercarnos hasta el borde de la ciudad?

Rumsfeld respondió:

—Queremos tener pronto un ejército multilateral en el interior de Kabul.

—Queremos centrarnos en Osama Bin Laden y Al Qaeda —dijo Powell—. No estoy seguro en lo que respecta a la situación de la ciudad. Y hasta que no lo estemos, debemos concentrarnos en Al Qaeda y Osama Bin Laden y destruir a los talibanes cuando se dirijan hacia el sur. Tenemos que evitar Kabul porque absorbería todos nuestros efectivos.

—¿Cómo está la situación humanitaria?—preguntó Rice.

—No lo sabemos—respondió Tenet.

—Las organizaciones de auxilio sí deben de saberlo—interrumpió Powell—. Les tomaremos el pulso y lo averiguaremos.

—¿Huirán los talibanes de la ciudad o nos lo pondrán difícil?—preguntó Rice.

No hubo respuesta.

—Estoy de acuerdo en que deberíamos tener un ejército multilateral dispuesto para entrar en combate—dijo Powell. Trataría de llamar al secretario general de Naciones Unidas, Kofi Annan, para tratar de conseguir que pusiera mayor empeño en el esfuerzo de reunir un ejército multilateral.

—Bien, imagino que tal y como estamos nos mantendremos en las afueras, veremos lo que ocurre en la ciudad, nos prepararemos para un Gobierno militar temporal y luego dispondremos de una estructura política más amplia—dijo Rice.

—Estamos aún en guerra—les recordó Rumsfeld.

—¿Deberían entrar los efectivos norteamericanos?—preguntó Cheney.

—Estamos considerándolo—dijo Rumsfeld.

—Deberíamos considerarlo—dijo Powell. Su presencia podría estabilizar la situación.

—Tardaremos una semana en poner en marcha un ejército multilateral—dijo Rumsfeld. No quería que sus hombres lo hiciesen todo solos—. Si queremos ir rápido, tendremos que contar con las Fuerzas Especiales de Estados Unidos y de Gran Bretaña.

—Será una tarea principalmente de la Infantería—destacó Powell.

—La 10ª División de Montaña se encuentra en Uzbekistán, ¿no?—preguntó Cheney. Se trataba de una división del Ejército, aunque disponía solo de mil de sus soldados.

—Sí—respondió Rumsfeld—, y también tenemos a los Marines bien situados.

Dijo entonces el general Myers:

—Podríamos trasladarnos a la base aérea de Bagram y luego establecer la base en Kabul.—La base aérea estaba situada a cincuenta kilómetros al norte de la capital.

—Bien—dijo Rumsfeld—, se trata de que alguien más le haga compañía al Ejército de norteamericanos.—Quería evitar cualquier cosa que oliera a construcción nacional por parte de las tropas de combate de Estados Unidos—. Debemos movernos con rapidez—confirmó—. Utilizaremos aquello con lo que Franks se sienta más cómodo.

—Así que utilizaremos nuestro potencial aéreo, permitiremos que la Alianza del Norte avance hasta los alrededores de la ciudad, les diremos que se mantengan en las cercanías.—Y en cuanto a cualquier talibán que intente huir, dijo Rumsfeld—: Le dispararemos.

—De acuerdo—dijo Rice—. Franks debe darnos una respuesta en cuanto al tipo de ejército que desea en caso de que tengamos que entrar en Kabul.

—Tanto lo que pudiera necesitar de entrada como luego, de manera más permanente—dijo Rumsfeld.

—Si la idea es permanecer junto a Kabul—dijo Powell—, lo que hagamos a continuación podemos decidirlo después, según las pruebas de las que dispongamos. Y decidir también luego el tipo de fuerza militar que empezaría de entrada y el tipo de Gobierno civil que la sustituiría. La plana mayor iba tanteando, intentando gestionar la situación sobre el terreno desde Washington. Puede que hubiese incertidumbre, pero ello no significaba que no tuvieran ideas.

El 11 de noviembre, el primer equipo A de las Fuerzas Especiales, el Triple Nickle, inició el ataque contra la base aérea de Bagram y, en un breve período de tiempo, reclamó veinticinco incursiones aéreas. Las bajas contabilizadas en el bando enemigo fueron dos mil doscientas, se destruyeron veintinueve tanques y seis puestos de mando, dando con ello libertad a la Alianza del Norte para avanzar hacia Kabul.

Los noticiarios matutinos del lunes 12 de noviembre volvieron su atención hacia la Casa Blanca después de que el vuelo 587 de American Airlines se hubiera estrellado tras despegar en Long Island, junto a la ciudad de Nueva York. La reacción fue: «¡Oh, Dios mío! ¡Otra vez!». Los túneles y puentes que daban acceso a Nueva York fueron cerrados de inmediato. Se clausuró todo el tráfico aéreo del sector que circundaba la ciudad. American Airlines ordenó tomar tierra a todos los aviones que volaban con destino a Nueva York y que salían de la ciudad.

El presidente contactó con el alcalde de Nueva York, Rudy Giuliani.

—Están poniendo a prueba su fortaleza hasta el máximo—dijo Bush, prometiéndole toda la ayuda posible.

Pronto quedó claro que la causa del accidente era un fallo mecánico, no el terrorismo.

En el transcurso de la reunión del Consejo de Seguridad Nacional del martes 13 de noviembre, Tenet informó de lo siguiente:

—Bismulá Khan se encuentra en las afueras de Kabul. En el interior de Kabul se producen altercados. Ha entrado para apaciguar la situación.—El líder pastún Abdurrab Rasul Sayyaf introdujo también en la ciudad entre cuatrocientos y quinientos de sus hombres—. Su intención es retirarse en cuanto alguien llegue a la ciudad para encargarse de su gobierno.

—Aquí hemos de procurarnos publicidad—dijo Bush—. Debemos subrayar las cobardes atrocidades cometidas por los talibanes al abandonar la ciudad.

Powell informó de las tareas de reunir un Gobierno.

—La clave consiste en demostrar movimiento—dijo el presidente—, que disponemos de un proceso manejable que lleva a alguna parte.

—Naciones Unidas deberían entrar pronto—dijo Powell.

—Necesitan actuar con rapidez—reiteró Bush.

Rumsfeld dijo:

—Deberíamos recomendar paciencia. Se trata de un país difícil... el que intentamos unir.

—Están trasladándose desde Mazar a Hermez. En Konduz se han rendido varios miles. En Bamiyán hay algunos. Bamiyán está sitiada, pero no se ha tomado todavía. Se han producido ataques en los aeropuertos de Kandahar; no sabemos quién los ha llevado a cabo. Herat ha caído. En Kabul hay dos mil efectivos de la Alianza del Norte actuando de policías. Los nuestros están con ellos. Los dos grupos de la Alianza del Norte en la ciudad están cooperando... Sayyaf está listo para dirigirse a Jalalabad. La verdad es que no le queremos en Kabul. Eso daría al traste con todo. Queremos que avance hacia el este.

—¿Podemos utilizar las Fuerzas Especiales para abortar la retirada talibán?—preguntó el presidente.

—Buena pregunta—dijo Rumsfeld—. Permítame que lo pregunte. Estamos movilizando efectivos hacia el aeropuerto de Bagram para formar un grueso contingente y perseguir a Al Qaeda hacia el este.

—El Ejército norteamericano no permanecerá ahí—dijo el presidente—. Nosotros no ejercemos labores policiales. Necesitamos contar con una coalición de buena voluntad—adoptando la frase que Rumsfeld había empleado unos días antes—, y luego traspasar estas tareas a otros. Nos queda trabajo que hacer con Al Qaeda. Tenemos que buscar objetivos de armas de destrucción masiva.

—Nos preocupa una planta de fertilizantes. Tenemos que saber mejor con qué nos enfrentamos—añadió. Se sospechaba que podía tratarse de un laboratorio de armas de destrucción masiva.

A continuación, Bush se centró en la pieza que faltaba para completarlo todo.

—¿Podemos utilizar nuestras Fuerzas Especiales para abortar los convoyes de la zona nordeste, donde parece que está moviéndose Osama Bin Laden?—preguntó.

Hubo algunos gestos afirmativos alrededor de la mesa.

—Que se inspeccionen los vehículos todoterreno que estén moviéndose en esta área—ordenó—. Perseguid y cazad. Patrullad por las carreteras.

—En el sur consistirá más en la clásica guerra de guerrillas contra los talibanes que en ganar territorios—dijo Tenet—. Supondrá también un reto en cuanto a reabastecimiento. Hoy vamos a intentar elaborar nuestra estrategia para el sur. Hay tribus dispuestas a hacernos el trabajo de capturar a Al Qaeda. Necesitamos un canal de comunicación y una forma de coordinarlo.

Rice preguntó por Pakistán.

—Tommy dice que la primera prioridad es cerrar la frontera —dijo Rumsfeld—. Nuestra idea es...

—Si se traslada a cualquier otro lugar—interrumpió el presidente—, iremos allí a buscarlo.

EPÍLOGO

En cuanto las bombas empezaron a caer sobre las concentraciones de tropas de los talibanes y Al Qaeda, los equipos paramilitares de la CIA y la Alianza del Norte interceptaron algunas de sus comunicaciones por radio. Se oían los ruidos de las explosiones y los gritos de pánico. Lo que más recordó la mayoría fueron los gritos.

En una pequeña colina de Kabul se encontraba una antena de televisión que había sido uno de los objetivos favoritos de los soviéticos, a pesar de no haber conseguido nunca dar en el blanco. La Alianza del Norte también lo había intentado y siempre había fracasado. Pasó por allí como un rayo un avión norteamericano y, con una única bomba, la antena desapareció. Corrió la voz de lo sucedido por toda la capital: los norteamericanos vencerán, esto se ha acabado.

En lunes 12 de noviembre, el general Myers informó al presidente de que, mientras que tres días antes la Alianza del Norte controlaba menos del 15 por 100 de Afganistán, en aquellos momentos tenía efectivos repartidos por prácticamente la mitad del país. Afganistán estaba partido en dos, con la zona norte controlada por la Alianza. Konduz, Herat y Bamiyán habían caído.

Lo más importante de todo era que Kabul había sido abandonada y miles de talibanes y miembros de Al Qaeda huían por el sur en dirección a la frontera de Pakistán y por el este en dirección a la región de Tora Bora. Los primeros informes que Rice recibió sobre la caída de Kabul procedentes de la Sala de Situación se basaban en la cobertura periodística, no en su propio servicio de espionaje. Se los pasó al presidente, quien dijo:

—Esto no hace más que desmadejarlos, los hace trizas. —Pronto llegaron las imágenes de la auténtica liberación: mujeres por las calles haciendo todo lo que les había estado prohibido hasta entonces. Rice creía que habían infravalorado la sensación de represión del pueblo afgano y su deseo de librarse de los talibanes.

Los acontecimientos habían superado el debate del Consejo de Seguridad Nacional sobre si tomar o no Kabul, si mantener a la Alianza del Norte en las afueras, si bombardear durante el Ramadán. La Alianza y diversas tribus pastunes habían ocupado la ciudad. Había un equilibrio inestable, pero no se había producido ningún baño de sangre.

El *mulá* Omar explicó la retirada de sus tropas:

—Defender las ciudades con frentes de batalla que pueden ser atacados desde el aire nos provocaría pérdidas terribles.—La confrontación había variado desde el clásico estancamiento de una fuerza contra otra hasta el estallido extraordinario del poder norteamericano.

Posteriormente, el presidente recordaría:

—Parecía que nuestras tecnologías resultaban demasiado avanzadas hasta que fuimos capaces de emparejarlas con las condiciones del campo de batalla.—Los equipos paramilitares de la CIA, las Fuerzas Especiales y los bombardeos hicieron imposible que los talibanes y Al Qaeda pudieran conservar el territorio o ni tan siquiera reunir un número importante de efectivos.

Rumsfeld, en su comunicado a los medios de comunicación del 27 de noviembre, adoptó la postura de que el resultado obtenido había estado siempre asegurado.

—Creo que lo que sucedió en las primeras fases fue exactamente lo que estaba planificado.—Los indicios que apuntaban a que las cosas no marcharon como era debido al principio carecían de base informativa—. Parecía como si no estuviera sucediendo nada. De hecho, parecía como si estuviéramos en un...—Y le pidió a la prensa que lo dijeran con él—: venga, todos juntos, en un atolladero.

Los periodistas sonrieron.

El 7 de diciembre cayó el baluarte de los talibanes en el sur, Kandahar, dejando con ello a la Alianza del Norte, a sus aliados pastunes y estadounidenses dominando el país. Fue noticia de portada, pero no hubo grandes celebraciones. Bush había prometido que no habría desfiles ni ceremonias con cánticos de rendición. Tenía razón. No estaba claro lo que aquello podría significar.

En total, el compromiso de Estados Unidos para derrocar a los talibanes había constado de ciento diez agentes de la CIA y trescientos dieciséis integrantes de las Fuerzas Especiales, más la presencia masiva de efectivos aéreos.

Powell debía colaborar con Naciones Unidas en la tarea de establecer un nuevo Gobierno en Afganistán. Designó a James F. Dobbins, un veterano diplomático de cincuenta y nueve años y antiguo ayudante del secretario de Estado, para que encabezara las negociaciones con los grupos de la oposición de Afganistán destinadas a encontrar un líder.

Dobbins sabía que, por cómico que resultase, las tareas relacionadas con la región estaban repartidas entre tres secciones distintas del Departamento de Estado. El departamento del sur de Asia era el responsable de Afganistán, Pakistán y la India; el Departamento Europeo era el responsable de Uzbekistán y los otros «istanes»; el Departamento de Oriente Próximo era el responsable de Irán.

Mantuvo conversaciones con la CIA, en el curso de las cuales diversos agentes mencionaron a Hamid Karzai, un pastún moderado, como un líder de gran atractivo. Karzai había sido ministro con los talibanes y había dimitido años atrás para unirse a la oposición. Era también el recomendado del general Franks.

Dobbins se sumó a la conferencia celebrada en Bonn, impulsada por Naciones Unidas, donde las diversas facciones de la oposición afgana trataban de llegar a un acuerdo con respecto a la elección de un líder. El nuevo jefe del Servicio de Inteligencia paquistaní abogaba por Karzai, y el representante ruso le comentó a Dobbins:

—Sí, ha estado en Moscú, le conocemos bien, creemos que es una buena persona.

Los representantes del Departamento de Defensa norteamericano desplazados a Bonn se opusieron a la consulta con los iraníes, aunque Powell le dijo a Dobbins que siguiera adelante y lo hiciera.

—Oh, sí—le dijo el viceministro de Exteriores iraní, Mohamed Javad Zarif, a Dobbins en cuanto nombró a Karzai—. Estuvo un tiempo viviendo en Irán y tenemos una buena opinión de él.

En Bonn, las sesiones de negociación de los afganos se prolongaron durante toda la noche, así que Dobbins coincidía con Zarif a la hora del desayuno mientras ellos dormían.

—Ayer leí en la prensa que su ministro de Exteriores hacía unas declaraciones respecto a la oposición de Irán a las fuerzas de pacificación—le dijo Dobbins una mañana—. ¿Por qué anda diciendo eso mientras usted sigue aquí repitiéndonos que está a favor de una fuerza de pacificación?

—Bien—respondió Zarif—, puede considerarlo como un gesto de solidaridad con Don Rumsfeld.

A Dobbins le hizo gracia que incluso Zarif supiera que Rumsfeld era contrario a las fuerzas de pacificación.

—¿Sabe, Jim?—añadió Zarif—. Esto va mucho más allá de lo que nos han mandado tanto a usted como a mí, ¿verdad?

Dobbins estaba a favor de la construcción nacional. Descubrió que Karzai era una persona con buenas dotes para la comunicación, con empatía y capaz de forjar relaciones personales rápidamente. La Alianza y los pastunes eligieron a Karzai como su nuevo líder y juró el cargo en Kabul el 22 de diciembre. El cambio de régimen se había completado ciento veinte días después de los ataques terroristas contra Estados Unidos.

En diciembre se inició la Batalla en las Montañas Blancas de Tora Bora, una cordillera de cuatro mil quinientos metros de altitud hacia la que habían huido Al Qaeda y los talibanes... entre ellos, supuestamente, Bin Laden. Tres hombres de las Operaciones Especiales y dos de la CIA se infiltraron directamente en las entrañas de Tora Bora y estuvieron durante cuatro días solicitando ataques aéreos mediante los localizadores láser. En una ocasión, los cinco dirigieron un ataque con B-52 a unos mil quinientos metros de su posición.

Las fuerzas paquistaníes estaban apostadas en su lado de la frontera para interceptar la huida de los terroristas y capturaron a varios centenares de personas. Se suponía que las tribus afganas debían hacer lo mismo en su lado, pero Hank llegó a la conclusión de que realizaron un trabajo penoso. Además, la coordinación con los paquistaníes había sido muy mala y carecían de un Plan B. A partir de la información de la que disponía, Hank creía que Bin Laden había pasado a Pakistán probablemente por Parachinar, una lengua de territorio paquistaní de unos treinta y dos kilómetros de anchura que se adentra en Afganistán, a pie o montado a lomos de un mulo hacia el 16 de diciembre, acompañado por un grupo integrado por una docena de escoltas.

El marcador personal del presidente en el que anotaba los líderes de Al Qaeda capturados o aniquilados mostraba pobres resultados. Bush había trazado una gran X sobre la fotografía de Mohamed Atef, que había sido el jefe militar de Bin Laden y el planificador principal de los ataques del 11 de septiembre. Estaba confirmado que el bombardeo masivo del mes anterior había acabado con su vida.

Los informes iniciales que indicaban que el socio principal de Bin Laden, el doctor Zawahiri, había muerto también, empujaron a Bush a abrir el cajón de su mesa del Despacho Oval, sacar el marcador y trazar una X sobre su imagen. Pero la CIA dijo posteriormente que el fallecimiento no podía confirmarse, de modo que, a regañadientes, Bush tuvo que borrar la X. En total, dieciséis de los veintidós principales líderes seguían aún con vida, incluido Bin Laden.

Tenet se sentía tremendamente orgulloso de los logros de la Agencia. El dinero distribuido sin los tradicionales controles de gastos había servido para movilizar a los habitantes de las tribus. En algunos casos, se habían establecido medidas de rendimiento: trasládate del punto A al punto B y obtendrás a cambio varios miles de dólares. Un montón de dinero en la mesa seguía siendo un idioma universal. Lo habían hecho posible sus agentes paramilitares y sus oficiales responsables de casos: un retorno gigantesco de la inversión de muchos años en espionaje.

La CIA, o los equipos apoyados por la CIA, irrumpían secretamente en diversos puntos del globo para obtener información detallada sobre el paradero de sospechosos de terrorismo. Servicios de información extranjeros y miembros de la Policía que cooperaban con ellos acorralaban a centenares, a miles incluso, de sospechosos, los tomaban bajo custodia y los interrogaban.

Cofer Black había tenido razón, tendría que morir gente. El 25 de noviembre, Johnny «Mike» Spann, un oficial del equipo paramilitar Alfa de la CIA que ocupó Mazar, murió asesinado cuando seiscientos talibanes y miembros de Al Qaeda se amotinaron en una cárcel de las afueras de la ciudad. Spann fue la primera baja norteamericana en la guerra. Contrariamente a lo que era habitual en la CIA, Tenet hizo pública información sobre Spann. Apareció en portada de prácticamente todos los periódicos.

Spann había servido durante diez años en los Marines antes de unirse a la CIA. La solicitud de que fuera enterrado en el cementerio de Arlington fue denegada. Se estaban quedando sin espacio. John McLaughlin llamó a Andy Card y le dijo:

—Vamos a otorgarle la Intelligence Star, que es el equivalente a la Silver Star y que normalmente es el obstáculo que debe superarse para poder ser enterrado en Arlington.—Card presentó la propuesta al presidente, quien la aprobó.

Posteriormente, se sumó la estrella número setenta y nueve a la pared de mármol de la entrada del cuartel general de la CIA, lugar donde se honra a los agentes que pierden la vida en acto de servicio.

La CIA calculaba un gasto de solo setenta millones de dólares en dinero entregado en metálico en Afganistán, y parte de esa cantidad se había destinado a cubrir gastos de hospitales de campaña. El presidente lo consideraba una de las mayores «gangas» de todos los tiempos. En el cuartel general habían ideado lo que denominaban «mapa mágico», que localizaba electrónicamente las docenas de activos y recursos que tenían pagados en el interior de Afganistán para, de ese modo, poder avisarlos para que se trasladaran en caso de que hubiera algún bombardeo planificado. Y así funcionó en más de cien ocasiones, sin que nadie muriera por ello durante la primera fase de la guerra.

Tenet creía que acabarían encontrando un país que hubiese sido el patrocinador de los ataques del 11 de septiembre. Todo formaba parte de la porosidad del terrorismo. Ninguna autoridad concreta, ni dirección o control, sino elementos: algo de dinero, entrenamiento, equipamiento, comunicaciones, escondites. Se centró de entrada en Irán. Creía que en el 11 de septiembre acabarían encontrando pistas iraníes. La Guardia Revolucionaria poseía una red sofisticada y disponía tanto de motivación como de capacidad. Eran oportunistas. La agenda política a largo plazo de Irán en Oriente Próximo requiere exactamente el tipo de inestabilidad que Bin Laden estaba intentando generar.

Al Qaeda compraba servicios dondequiera que pudiese encontrarlos. Por esa razón, el modelo clásico de ayuda directa y control del terrorismo ya no servía. Tenet tenía todos los elementos, exceptuando las pruebas, de que existía un país patrocinador.

Durante años, la CIA estuvo pensando que Siria era el responsable del atentado con bomba sufrido en 1988 sobre Lockerbie (Escocia) por el vuelo 103 de Pan Am. Fue necesaria casi una década para poder afirmar que fue Libia. Tenet opinaba que cualquiera que no hubiera vivido una de esas complicadas investigaciones terroristas era mejor que se quedara donde estaba. La CIA buscaría pistas e iría a lugares que no parecían posibles de entrada.

Tenet le presentó todo aquello a Bush en el transcurso de las reuniones interactivas sobre actividades de espionaje que tenían lugar a las ocho de la mañana. Sí, en todo esto había música de fondo iraní y era probable que en última instancia, de la misma forma indirecta y retorcida, música de fondo iraquí.

—No debería usted descartar nada—dijo Bush.

Tenet creía haber aprendido una lección personal sobre el precio que se debía pagar por la duda y la falta de acción. Bush había sido el menos preparado de todos ellos para los ataques terroristas. Tenet despachaba casi todas las mañanas con el presidente durante quince o treinta minutos y se daba perfecta cuenta de qué era lo que le impulsaba. Iba a actuar. Siempre hay cientos de motivos por los que no actuar, por los que no moverse. Los cobardes no actuarían. Los no cobardes se abrirían paso entre los diversos problemas que pudieran surgir. Los problemas superaban a mucha gente que daría más de cincuenta motivos para declararlos imposibles de solucionar. Pero Bush no. La CIA adquiría de pronto una nueva actitud: nada de castigos por arriesgarse o por cometer errores. Gracias a Bush.

Antes del 11 de septiembre, incluso Tenet albergaba temores y dudaba, tenía demasiado miedo a presionar en exceso. Llevaba años gritando y quejándose de la amenaza que significaba Bin Laden. En un documento que databa de una fecha tan temprana como 1998, declaraba la «guerra» contra Bin Laden, pero no se había dirigido directamente a Clinton o Bush para proponerles: «Matémoslo». Clinton había respondido a la amenaza con presupuesto adicional y permitiendo a la CIA que reestableciese en secreto su presencia en Afganistán, aunque sin licencia para matar. Bush, a pesar de su rápida respuesta al 11 de septiembre, no había perseguido la amenaza de Bin Laden con suficiente agresividad durante sus primeros ocho meses en el cargo.

El 9 de enero de 2002, acudí en compañía del periodista del *Washington Post* Dan Balz al despacho de Rumsfeld para entrevistarlo para una serie de reportajes que estábamos llevando a cabo para el periódico, sobre los primeros diez días posteriores al 11 de septiembre. Como era de esperar, Rumsfeld deseaba tratar conceptos estratégicos amplios y había anotado doce de ellos en una hoja: desde la necesidad de anticiparse a los terroristas hasta la oportunidad de reorganizar el mundo.

Nosotros queríamos hablar de momentos concretos y Balz le preguntó sobre el día posterior a los ataques, cuando Rumsfeld había sacado a la luz la siguiente pregunta: ¿existe la necesidad de enfrentarse a Irak tanto como a Bin Laden?

—¡Qué diablos han hecho!—explotó Rumsfeld—. Darles a ustedes todos esos malditos documentos clasif... sacarlos del...

Le dije enseguida que no se preocupase.

—No he dicho eso—afirmó Rumsfeld, y entonces trató de hacer ver que era otro quien había gritado. Señaló a Larry DiRita, su ayudante especial civil—. Larry, deja de gritar, ¿quieres, por favor?

Le dije que tal vez podíamos dejar un espacio en blanco en la cinta de dieciocho segundos y medio de duración.

—Ahora hable usted—dijo Rumsfeld.

La trascripción de diecinueve folios de la entrevista que posteriormente publicó el Departamento de Defensa, borró su estallido de rabia así como los «diablos» y los «malditos».

Un par de meses después, el 19 de marzo de 2002, me encontraba en el Pentágono para realizar entrevistas cuando me tropecé con

Rumsfeld justo en el interior de la entrada principal. Caminaba con prisas, con la chaqueta puesta y con el nudo de la corbata algo suelto. Llevaba un aparatoso vendaje en la parte trasera del cuello, donde le habían extirpado un tumor. (Su portavoz, Torie Clarke, había redactado una breve nota de prensa en la que se explicaba que le habían extirpado un «quiste de grasa». Rumsfeld tachó la palabra «grasa».)

Lo detuve para hacerle una pregunta. En sus primeros días como secretario de Defensa, Rumsfeld había anticipado claramente que se produciría un ataque sorpresa contra Estados Unidos, tal vez hacia las fechas cercanas al 11 de septiembre... lo totalmente inesperado. «¿Cómo se lo imaginó?», le pregunté.

Me respondió que cuando estuvo encabezando la Comisión de Misiles Balísticos había examinado lo que las agencias de Estados Unidos tenían sobre tres «acontecimientos» significativos o proyectos armamentísticos en países clave. Lo que había descubierto fue que el espionaje norteamericano se había enterado de los acontecimientos entre cinco y trece años después de que tuvieran lugar.

—Nos quedamos sorprendidos—dijo—, ¡y habíamos estado años sin saber nada sobre la sorpresa!—Puso mucho énfasis en ello, lanzándose a defender con vehemencia su idea de que los «desconocidos desconocidos» eran los verdaderos asesinos, la época en que el espionaje norteamericano ni tan siquiera había sabido lo que no sabía.

Estábamos tan cerca el uno del otro que podía ver incluso los cristales trifocales de sus gafas. Seguíamos junto a la entrada principal cuando hizo su entrada un desfile de hombres y mujeres uniformados y civiles.

—Las amenazas conocidas no son lo que preocupa—dijo. En una ocasión, preguntó sobre el número de alertas recibido antes de que el USS Cole fuera atacado en Yemen en el año 2000. La respuesta fue que miles de ellas.

—¿Puede creerlo?—dijo Rumsfeld. Un mar de alertas que no significaron nada. Nadie les prestó verdadera atención, y si la gente actuara ante todas las amenazas recibidas, dijo, Estados Unidos sería expulsado de lugares como Yemen.

—¿Cómo marcha la guerra?—le pregunté.

—Está la guerra que se ve y la guerra que no se ve—dijo. Todo acompañado por la gesticulación adecuada... la guerra aquí arriba, la que se ve, y la guerra allá abajo, la secreta, la que no se ve.

»Volverán a atacarnos—dijo Rumsfeld, en tono prosaico—. Los tenemos desequilibrados.—Entonces me dio un golpe rápido con tres dedos en el centro del pecho y me eché hacia atrás, perdiendo un poco el equilibrio.

Un buen movimiento de lucha libre, pensé, pero luego me moví hacia delante, azuzado. Dije que no era suficiente porque había recuperado el equilibrio con bastante rapidez.

Rumsfeld me ofreció una de aquellas enormes, saludables, felices y amplias sonrisas que se apoderaban de toda su cara. Había dado su opinión. Hablamos unos cuantos minutos más. Me pidió mi dirección y mi número de fax para poder enviarme algún material relacionado con su trabajo en las comisiones de defensa y se marchó con unos andares llenos de vida y energía. ¿Un hombre en guerra? No lo parecía. Se sentía muy cómodo, desprendía confianza en sí mismo. No sabía yo si era demasiado confiado.

En primavera, después de casi cinco meses en Afganistán, el Ejército norteamericano descubrió cantidades enormes de municiones que los talibanes y Al Qaeda habían escondido en cuevas. En una de ellas encontraron dos millones de balas; en otras, morteros, cohetes, incluso algunos tanques. Era un sistema de ayuda subterráneo completo. Resultaba algo embarazoso encontrar todo aquello en un momento tan adelantado del juego.

—¿Piensa destruir todo esto?—le preguntó Bush a Rumsfeld.

—No—respondió—, nos lo quedaremos para armar con ello al nuevo Ejército afgano.

Rice bromeó diciendo que le llamarían «la Caballería de Rumsfeld».

Rumsfeld se preguntaba por qué no se limitaban a dejar que los señores de la guerra afganos creasen un Ejército. Powell y el Departamento de Estado afirmaban que Karzai era su hombre y que necesitaban un Gobierno central fuerte para que Afganistán no volviera a convertirse en un *gran juego* de poder en el que todas las partes interesadas intentaran llevarse parte del territorio o esferas de influencia.

Gracias a sus informes diarios televisados, Rumsfeld se había convertido en algo parecido a una estrella de los medios de comunicación. El miércoles 1 de mayo de 2002, él y el general Pace, el jefe segundo del Estado Mayor Conjunto, llevaban media hora respondiendo preguntas cuando un periodista le preguntó a Rumsfeld cuáles eran sus logros. Se sintió ofendido.

—Hemos modelado una nueva estrategia de defensa—dijo—. Creemos que se trata de una estrategia más en consonancia con el siglo XXI que la que teníamos antes. Estamos convencidos de ello, estamos unánimemente convencidos... tanto la cúpula civil como la militar.

Detalló nuevas construcciones, dirección de planificación, planes, el nombramiento de tal vez una docena de nuevos generales.

—Hemos estado involucrados en la guerra global contra el terrorismo—dijo. Había tenido que luchar contra procedimientos departamentales que podían prolongarse hasta dos años—. El tren de carga sigue la ruta por su vía y lo van llenando, y hasta que llega al final del trayecto no puede ver lo que lleva dentro. Y cada vez que intentas averiguarlo, es como poner la mano en una caja de cambios, porque esto depende de aquello, y esto depende de eso, y cada pieza depende de otra cosa. Y crees estar tomando una decisión inteligente si la pillas a la mitad, pero, de hecho, si no vuelven a considerarse todas las diferentes capas que conducen a esas cosas, se acaba en una situación que es como si estuviera creada ex profeso para esas circunstancias; es... es una decisión perfectamente responsable, aislada, pero si tomas varias de ellas, acaban siendo aleatorias; acaban siendo incoherentes. Y con todo este apetito de matar esto, o hacer aquello, o empezar lo otro, mi postura es, mira, lo haremos lo mejor que podamos. Y cuando miró hacia atrás, me digo a mí mismo: «No está mal».

Un periodista intentó hacerle otra pregunta.

—Oh, no, no. Me encanta este final. Yo... (risas). ¡Si creen que voy a darme otra paliza, se equivocan! ¡No, señor! ¡Me voy de aquí!

Una de las mayores dificultades de Powell fue que se suponía que tenía más o menos que aparentar en público que no existían diferencias irreconciliables en el seno del gabinete de guerra. El presidente no toleraría el desacuerdo público. Powell se mantenía también a raya gracias a su propio código: el soldado siempre obedece.

Bush podría ordenar: ¡Coged las armas! ¡Coged mis caballos!... en plan macho de Álamo, Tejas, una postura que hacía que Powell se sintiese incómodo. Pero creía y esperaba que el presidente lo supiera, que viera que eso de ir solo no necesitaba ya más análisis. Era de esperar que la guerra afgana le hubiera proporcionado las bases necesarias para que así fuera.

Desde el punto de vista de Powell, los fantasmas de la máquina eran Rumsfeld y Cheney. Iban con demasiada frecuencia a por las armas y los caballos.

En la primavera de 2002, el conflicto entre israelíes y palestinos se hizo tan violento que amenazaba con eclipsar la guerra contra el terrorismo. Los ataques suicidas palestinos aumentaron. El 27 de marzo, un atentado suicida acabó con la vida de veintinueve personas e hirió a otras ciento cuarenta durante la celebración de una cena de Pascua. El primer ministro israelí, Ariel Sharon, inició una pequeña guerra, doblando el escudo operativo de defensa, en las áreas controladas por los palestinos y en las ciudades de la zona oeste.

El coro de voces del extranjero que reclamaba la intervención de Estados Unidos iba en aumento. En una reunión del Consejo de Seguridad Nacional, Bush dijo que quería enviar a Powell para ver si era capaz de apaciguar la situación y de reiniciar un proceso de paz. Powell se mostraba poco dispuesto. Decía que no tenía mucho que ofrecer, que su influencia era escasa en ambos bandos. Estados Unidos no podía estar más deseoso de alcanzar la paz que las propias partes: Israel y la Autoridad Palestina.

Incluso Rumsfeld declaró que no debía utilizarse a Powell únicamente para intentar detener el derramamiento de sangre. No debía enviarse al secretario de Estado, lanzarlo a apagar un fuego diplomático sin una agenda positiva o un guión. El fracaso sería un golpe tremendo, tanto para su propio prestigio como para el de Estados Unidos.

Tenemos un problema, le dijo el presidente a Powell.

—Va a tener usted que gastar algo de capital político. Dispone de mucho. Necesito que lo haga.

—Sí, señor.

Cuando salían de la Sala de Situación, Bush se volvió hacia Powell.

—Sé lo duro que va a ser, pero goza del prestigio suficiente en la región, en ambos bandos, y su propia situación puede permitírselo.

Powell comprendió lo que quería decir con aquello: puedes perder tres capas de piel, te quedan aún más.

El presidente iba a pronunciar un discurso en el que esbozaría una política para reiniciar las negociaciones. Arafat tendría que condenar el terrorismo de modo inequívoco y Sharon tendría que iniciar su retirada.

«¿Comprende lo que está diciéndoles a los israelíes?—le preguntó Powell—. Tendrá usted que mirar a Sharon a los ojos y decirle que salga».

Dijo que le había comprendido.

El 4 de abril, Bush pronunció un discurso en el Jardín de los Rosales en el que llamaba a los palestinos a acabar con el terror.

—Le pido a Israel que detenga sus incursiones en las áreas controladas por los palestinos e inicie su retirada de las ciudades que ha ocupado recientemente.—Powell viajaría a la región a la semana siguiente en busca de ayuda.

Dos días después, en Crawford, en compañía de Tony Blair, Bush dijo:

—Mis palabras para Israel son las mismas hoy que hace dos días: retiraos sin más dilaciones.—Posteriormente se echó atrás. Su corazón parecía estar con los israelíes.

En Oriente Próximo, Powell recibía desde la Casa Blanca órdenes más rudas: a la izquierda, a la derecha, corrija su trayectoria tantos grados.

Al principio, Cheney y Rumsfeld corrieron la voz, a través de Rice, de que Powell no debería reunirse con Arafat.

—Arafat es una fuerza agotada, dejadle solo—dijo Rumsfeld.

Powell sabía que era ridículo intentar negociar sin reunirse con ambas partes. Pero todo el mundo en Washington se mostraba preocupado por Israel e iba en aumento la presión, tanto de los republicanos como de los demócratas, en favor de respaldar a Sharon.

Powell tenía que preocuparse de los cerca de trescientos millones de árabes airados que empezaban a quemar coches en los aparcamientos de las embajadas. Se producían manifestaciones en lugares donde jamás las había habido anteriormente, como Bahrein, un bastión pro norteamericano. Powell pensaba que tanto Arafat como Sharon eran malos tipos, pero era consciente de que no podía ignorar a ninguno de los dos. Siguió adelante. La primera reunión con Arafat fue apenas satisfactoria, pero la segunda fue mucho peor.

Después de diez días y de escasos avances, Powell preparó una declaración de despedida en la que proponía la celebración de una conferencia internacional y entablar negociaciones sobre seguridad.

Rice reclamó la presencia de Armitage en el Departamento de Estado para pedirle que le dijera a Powell que rebajara su declaración, que no se comprometiera tanto a futuras negociaciones. Les preocupaba que Powell estuviera yendo demasiado lejos.

En Washington, Armitage permaneció prácticamente encadenado a su mesa de despacho para conseguir hablar con Powell entre reunión y reunión. Era medianoche, las siete de la mañana en Jerusalén, cuando Armitage le comentó las preocupaciones de Rice.

Powell se volvía loco. «¡Todos querían nadar y guardar la ropa! —dijo—. ¡Nadie quería dar el primer paso, afrontar la realidad!». Querían ser pro israelíes y dejarle a él cargando con el mochuelo de los palestinos. Le habían mandado a una misión casi imposible.

—Aquí estoy yo parando pelotas—le informó Armitage—. Están comiéndose el queso a su costa—una vieja expresión militar que significa fastidiar a alguien y disfrutar con ello. Armitage le dijo que la gente del Departamento de Defensa y del despacho del vicepresidente intentaban cargárselo. Los contactos de confianza que tenía en los medios de comunicación decían que estaban descargando toda la artillería contra Powell. Estaba inclinándose excesivamente ante Arafat, la Casa Blanca orientaría las velas, él fracasaría. Armitage dijo que le resultaba imposible verificar quién estaba filtrando todo eso, pero que disponía de nombres de altos cargos de Defensa y del despacho de Cheney.

—Esto es increíble—dijo Powell—. Acabo de escuchar exactamente lo mismo.—Había asistido a recepciones con algunos periodistas que viajaban con él y que le informaron de que sus fuentes en el despacho de Cheney afirmaban que había ido demasiado lejos, que se había saltado los límites y que estaban a punto de acabar con él.

—La gente está poniéndole verde—dijo Armitage.

Rice llamó a Powell y le dijo que todos los demás opinaban que era mejor que no dijera nada más, que dijera que regresaba a Washington para consultar los temas con el presidente.

Powell, que había estado metido en un lastimoso ir de aquí para allá, estalló. ¿Qué se suponía que tenía que decir? «¿Muchas gracias por su hospitalidad y adiós?».

Rice le dijo que le preocupaba que estuviera comprometiendo al presidente y a la Administración más de lo que todos habían deseado.

¿Sabes qué?, contestó Powell. Ya estaban todos metidos en ello. Era imposible lanzar una iniciativa con un discurso presidencial muy destacado y no esperar proponer luego un plan o seguimiento. Pero estaba de acuerdo en modificar parte de sus declaraciones.

Rice llamó de nuevo a Armitage. Estaba nerviosa. Tenía que salir en un programa de televisión para hablar sobre el tema. ¿Qué estaba haciendo Powell? ¿Qué va a decir?

«Estará bien», le prometió Armitage. «Conocemos el perfil del general. Pero no tengo las palabras exactas porque las escribe él mismo».

Powell estuvo despierto hasta las tres de la mañana redactando sus notas, consciente de que estaba en el extremo de un largo camino.

El 17 de abril realizó su declaración de despedida en Jerusalén. Fueron veinte párrafos de la mejor diplomacia de Powell: suave, optimista, elocuente incluso. Fue capaz de disfrazarlo y apuntar hacia un futuro negociado, evitando hablar de su fracaso en la obtención del alto al fuego.

No causó gran sensación. No había solucionado el problema de Oriente Próximo; no había habido ningún cambio decisivo.

Pero devolvió de momento la situación a la normalidad y el presidente se lo agradeció posteriormente.

El presidente deseaba desesperadamente la firma de un tratado con los rusos para reducir la cantidad de armamento nuclear estratégico. Quería que fuese algo sencillo y tajante. El acuerdo sería una señal de la nueva relación con los rusos y demostraría que ya no eran su principal enemigo. Bush demostraría también que había pactado con Putin.

Rumsfeld inundó a la plana mayor con cerca de una docena de documentos secretos (denominados peyorativamente en muchas ocasiones «Rummygrams», 'Copos de nieve'), en los que declaraba sus objeciones a un acuerdo escrito con los rusos sobre reducción nuclear. Powell observaba ciertamente asombrado que Rumsfeld planteaba una serie de exigencias: que el tratado no fuera de obligatoriedad jurídica, que no especificara el número de armas nucleares, que incluyera una cláusula que permitiera a Estados Unidos retirarse casi sin previo aviso, que ofreciera flexibilidad, que exigiese verificación, y que incluyera las armas nucleares tácticas de menor tamaño.

¿Por qué necesitamos un tratado, declaraba Rumsfeld, si los rusos son ahora nuestros amigos, un nuevo aliado? ¿Qué diferencia establecería el hecho de disponer de un pedazo de papel?

La respuesta fue que el presidente quería ese pedazo de papel. Rumsfeld perdió de todas todas. El 24 de mayo de 2002, Bush y Putin firmaban en Moscú el «Tratado entre Estados Unidos y Rusia sobre reducción de armas estratégicas ofensivas». Era un documento de dos páginas. Ambos países acordaban reducir el número de cabezas nucleares estratégicas hasta una cifra comprendida entre mil setecientas y dos mil doscientas para el año 2012. El tratado prometía amistad, asociación, confianza, franqueza y previsión.

En cuanto a la lucha contra el terrorismo, el presidente quería también que los líderes mundiales equipararan sus intereses nacionales con los intereses norteamericanos. Algunos le acompañarían cuando sus intereses y objetivos coincidieran más o menos con los suyos, pero irían por su propio camino cuando no fuera así. A Bush no le gustaban esas situaciones y a veces se lo tomaba como algo personal.

A principios de año, cuando vio claro que Yemen no coincidía con él hasta el punto que consideraba necesario, Bush se reunió con el presidente Alí Abdalá Salih. Este le esquivaba. Yemen era la parte más vulnerable de la acción de Al Qaeda, ya que los terroristas entraban y salían de Arabia Saudí a través de los mil cien kilómetros de frontera que compartían los dos países. Algunos análisis de la CIA sugerían que Yemen podría convertirse en el lugar ideal para la reconstrucción de Al Qaeda.

Yemen había concedido permiso a la CIA para utilizar el avión Predator con el objetivo de realizar el seguimiento de Al Qaeda en una operación altamente secreta. Pero Salih obstaculizaba la operación, le imponía restricciones. Este era el tipo de intereses divergentes que tanto enojaban a Bush. Le daba a entender que, en realidad, Yemen iba en contra suya.

Y no se trataba solo de Yemen. Bush no conseguía que todo el mundo aceptase al cien por cien su visión antiterrorista. Nadie iba a comprometerse tanto como él. El presidente reunió al Consejo de Seguridad Nacional después del viaje que realizó a Europa y Rusia a finales de mayo de 2002.

—Hemos perdido el filo—dijo—. Quiero que recordemos que tenemos que estar en el filo.—Algo se aflojaba en su propio círculo y no iba a dejarlo escapar. Estaba exigiendo una actitud mental de concentración total y de obsesión.

Pero las circunstancias habían cambiado. La inquieta dualidad de vida de las semanas y meses posteriores a los ataques había amainado. Bush podía presionar y hablar, pero la vida en Estados Unidos recuperaba cada vez más la normalidad.

El conflicto de Irak se agravó sustancialmente. Iba a convertirse en la siguiente prueba real, y quizás en la más importante, del liderazgo de Bush y del papel de Estados Unidos en el mundo.

Irak llevaba mucho equipaje a cuestas. Rice había sacado ya el conflicto a relucir cuando fue nombrada consejera de Política Exterior de Bush antes de que se iniciara la campaña presidencial del año 2000. Bush le dijo que no estaba de acuerdo con los que afirmaban que, en 1991, su padre terminó la guerra contra Sadam con excesiva rapidez. En aquel momento, Bush padre, el secretario de Defensa Cheney y el jefe del Estado Mayor Conjunto Powell acordaron dar por finalizada la guerra después de haber alcanzado el objetivo de la resolución de Naciones Unidas: expulsar al Ejército de Sadam de Kuwait. Estados Unidos no se dirigió a Bagdad para echar a Sadam. Perseguir al Ejército iraquí en retirada podría parecer una matanza. La mitad del Ejército de Sadam estaba destrozada. Había sufrido una de las derrotas militares más humillantes de la historia moderna. Estaba acabado. La CIA y diversos líderes árabes predijeron la próxima destitución de Sadam, que algún coronel o general del Ejército iraquí le metería una bala en el cuerpo o encabezaría un golpe de Estado.

Sadam sobrevivió y Clinton derrotó al padre de Bush en la reelección de 1992. En 1998, cuando Sadam canceló las inspecciones que Naciones Unidas llevaba a cabo en las instalaciones sospechosas de fabricación de armas de destrucción masiva, Clinton ordenó la operación Lobo del Desierto. En un período de tres días, se efectuaron cerca de seiscientos cincuenta bombardeos y lanzamientos de misiles sobre Irak, pero Sadam siguió sin volver a permitir la entrada de los inspectores de Naciones Unidas.

Bush, no obstante, seguía defendiendo a su padre y a sus consejeros.

—Hicieron en su momento lo que debían hacer—le dijo a Rice. Su padre se encontraba limitado por la resolución de Naciones Unidas que autorizaba la utilización de la fuerza solo para expulsar a Sadam de Kuwait. Ella coincidía en esta opinión y destacó que muchas veces los líderes de la historia cometen errores por permitir que un éxito táctico a corto plazo altere sus objetivos estratégicos. Ir a Bagdad para obligar a la fuerza a Sadam habría sido un tema completamente distinto. Que algo pareciera militarmente sencillo no era motivo para hacerlo, dijo ella.

Tras la decisión inicial de Bush de no atacar Irak inmediatamente después de los ataques terroristas del 11 de septiembre, el conflicto había seguido filtrándose en el gabinete de guerra... activamente por parte de Cheney y Rumsfeld, pasivamente por parte de Powell, quien no estaba por otra guerra.

Cuando el 29 de enero de 2002 el presidente pronunció su primer discurso sobre el Estado de la Unión, el gran titular fue su afirmación de que Irak, Irán y Corea del Norte constituían «un eje del mal». Dijo también que el peligro real y la catástrofe potencial eran la creciente disponibilidad de armas de destrucción masiva de la que disfrutaban los terroristas o estos regímenes.

Bush se planteó la posibilidad de sacar a la luz aquel peligro en el discurso al Congreso que ofreció nueve días después de los ataques terroristas, pero lo pospuso, pensando que hablar tan francamente sería excesivo para la opinión pública en aquella época.

—No esperaré los acontecimientos—dijo en el discurso sobre el Estado de la Unión, proporcionando con ello una pista de que realizaría un ataque preventivo... una estrategia que posteriormente articularía de forma más directa.

Uno de los primeros pasos que tomó el presidente contra Sadam fue firmar un nuevo Decreto de Espionaje que aumentaba de forma significativa la actividad secreta de la CIA para expulsar a Sadam. Destinó entre cien y doscientos millones de dólares a la nueva operación... bastante más que los setenta millones que la CIA había gastado en Afganistán. Aumentó la ayuda a la oposición iraquí, reforzó las tareas de recopilación de información en el interior de Irak y llevó a cabo los preparativos para un eventual despliegue de equipos paramilitares de la CIA y de las Fuerzas Especiales estadounidenses similares a los utilizados en Afganistán.

Tenet alertó al presidente de que Irak no era Afganistán. La oposición iraquí era mucho más débil y Sadam gobernaba un estado policial. Era difícil de localizar y utilizaba dobles a modo de señuelo. Sin acción militar u otro tipo de presión, le dijo Tenet al presidente, la CIA tenía solo entre un 10 y un 20 por 100 de probabilidades de éxito.

Bush, con todo, llegó a la conclusión de que una operación secreta de mayor envergadura ayudaría a preparar un golpe militar porque aumentaría significativamente el flujo de información y los contactos que posteriormente se necesitarían.

En abril, el presidente empezó a afirmar públicamente una política de cambio de régimen en Irak. En junio, declaró formalmente que lanzaría ataques preventivos contra los países que considerara una amenaza grave para Estados Unidos.

Powell aún no había arreglado su relación con el presidente. Durante la primera mitad de 2002, Armitage había recibido informes fiables de que Rumsfeld solicitaba audiencias y se reunía en privado periódicamente con Bush. Powell no se sentía particularmente preocupado por ello, ya que a través de Rice solía enterarse de lo que sucedía, aunque ella a veces tuviera también sus problemas para averiguarlo.

—Me parece que debería pedir una reunión con el presidente—le sugirió Armitage a Powell. Era vital afrontar el momento y se trataba de una relación que Powell aún no tenía dominada.

Powell dijo que recordaba su época como consejero de Reagan para Asuntos de Seguridad Nacional en la que todo el mundo trataba de reunirse con el presidente. Él no quería ser un estorbo. Si Bush quería verle, él estaba disponible, por supuesto, en cualquier momento y en cualquier lugar. Veía constantemente a Bush en las reuniones y allí podía comunicarle sus puntos de vista.

—Tiene que empezar a hacerlo—dijo Armitage. Era el jodido secretario de Estado. No sería ningún abuso. Mejorar las relaciones supondría una ayuda en todos los frentes, ayudaría al departamento en todos los sentidos.

A finales de la primavera de 2002, dieciséis meses después de que Bush llegara a la presidencia, Powell empezó a solicitar reuniones privadas con Bush. Lo hizo a través de Rice, quien preparó las reuniones, las cuales tuvieron lugar aproximadamente una vez a la semana y duraban entre veinte y treinta minutos. Sirvió de algo, pero fue un poco como la experiencia de Oriente Próximo, sin ningún avance espectacular.

Un día de verano, Powell paseaba por la Casa Blanca matando el tiempo antes de reunirse con Rice. El presidente le vio y le invitó a pasar al Despacho Oval. Hablaron durante treinta minutos. Charlaron despreocupadamente y se relajaron. La conversación versó sobre todo y nada.

—Creo que estamos haciendo auténticos progresos en nuestra

relación—le comentó después Powell a Armitage. La grieta estaba cerrándose—. Sé que conectamos de verdad.

A principios de agosto, Powell realizó una gira diplomática por Indonesia y Filipinas y, como siempre, se mantuvo contacto con todo lo que sucedía en Estados Unidos. El asunto de Irak seguía en plena efervescencia. Brent Scowcroft, el apacible consejero para Asuntos de Seguridad Nacional de Bush padre durante la Guerra del Golfo, había declarado en el transcurso de un programa de debate emitido el domingo 4 de agosto por la mañana que un ataque contra Irak convertiría a Oriente Próximo en un «polvorín y, en consecuencia, destruiría la guerra contra el terrorismo».

No se mordió la lengua, y Powell estaba básicamente de acuerdo. No le había dejado suficientemente claros al presidente sus propios análisis y conclusiones y se daba cuenta de que debía hacerlo. Durante el largo viaje de regreso, casi media vuelta al mundo, estuvo trabajando con diversas anotaciones. Prácticamente todas las discusiones sobre Irak que habían tenido lugar en el seno del Consejo de Seguridad Nacional habían versado sobre planes de guerra: cómo atacar, cuándo, con qué niveles de fuerza, ese escenario de ataque militar y ese otro escenario de ataque militar. En aquel momento tenía muy claro que habían perdido el contexto, las actitudes y los puntos de vista del resto del mundo que él conocía y con los que vivía. Llenó tres o cuatro páginas con sus notas.

Durante la Guerra del Golfo, en la que fue jefe del Estado Mayor Conjunto, Powell había representado el papel de combatiente poco dispuesto, discutiéndole al primer presidente Bush, tal vez con excesiva suavidad, que contener a Irak podía funcionar, que quizá la guerra no fuera necesaria. Pero como principal asesor militar, no había ejercido mucha presión para imponer sus opiniones porque eran menos militares que políticas. Ahora, como secretario de Estado, su responsabilidad era la política... la política mundial. Decidió que debía tomar partido con dureza, afirmar sus convicciones y conclusiones para que no quedara duda alguna con respecto a cuál era su postura. El presidente conocía muy bien las opiniones de Cheney y Rumsfeld, una especie de equipo A en el seno del gabinete de guerra. Powell quería presentar el equipo B, un punto de vista alternativo que no consideraba lo bastante aireado. Le debía al presidente algo más que presentaciones en PowerPoint.

En Washington, le dijo a Rice que quería ver al presidente. Bush les invitó a ambos a su residencia la noche del lunes 5 de agosto. La reunión se prolongó hasta la cena y luego se trasladó al despacho que el presidente tiene en su residencia.

Powell le dijo a Bush que cuantas más vueltas le daba a la cuestión de Irak, más necesitaba pensar en los conflictos desde un punto de vista más amplio, en todas las consecuencias de la guerra.

Sin separarse de sus notas, una hoja suelta escrita a doble espacio, Powell le dijo al presidente que debía considerar los efectos que una operación militar contra Irak tendría en el mundo árabe. «Polvorín» era la palabra correcta. Como secretario de Estado, había tratado con los líderes y los ministros de Asuntos Exteriores de aquellos países. Toda la región se encontraría en una situación de inestabilidad: los regímenes amistosos de Arabia Saudí, Egipto y Jordania podrían contagiarse o ser derrocados. En Estados Unidos abundaban el pesar y la frustración. La guerra podía cambiar totalmente la situación en Oriente Próximo.

Powell dijo que aquello absorbería el oxígeno de cualquier otra cosa en la que estuviera implicado Estados Unidos, no solo la guerra contra el terrorismo, sino todas las relaciones diplomáticas, de defensa y de espionaje restantes. Las implicaciones económicas serían tremendas y potencialmente podía empujar el precio y el suministro de petróleo hacia direcciones jamás imaginadas. Y todo ello en una época de crisis económica. El coste de ocupación de Irak después de la victoria resultaría muy caro. Era necesario considerar el impacto económico sobre la región, el mundo y Estados Unidos.

Las implicaciones del día siguiente a la victoria eran gigantescas y duraderas, según la opinión de Powell. ¿Qué imagen daría un general norteamericano gobernando un país árabe durante un período más o menos prolongado de tiempo? ¿Un general MacArthur en Bagdad? Aquello sería un gran acontecimiento tanto en Irak como en el resto de la región y en el mundo entero. ¿Cuánto duraría esa situación? Nadie podía saberlo. ¿Cómo definir el éxito?

—Es agradable decir que podemos hacerlo unilateralmente —le dijo Powell con franqueza al presidente—, excepto por el hecho de que no podemos.—Un plan militar de éxito exigiría el acceso a bases e instalaciones de la región, derechos para poder sobrevolar los territorios. Necesitarían aliados. No se trataría de otra Guerra del Golfo, un tranquilo viaje de dos horas desde una Arabia Saudí totalmente colaboradora hasta la ciudad de Kuwait... un objetivo que liberar a sesenta y cinco kilómetros de distancia. En este caso, la geografía tendría un papel muy importante. Bagdad estaba a trescientos veinte kilómetros atravesando Mesopotamia.

La crisis de Oriente Próximo seguía eternamente presente. Ese era el conflicto que el mundo árabe y musulmán quería afrontar. Una guerra contra Irak abriría el camino a Israel para atacar a Sadam, quien lo había atacado con misiles Scud durante la Guerra del Golfo.

Sadam era un loco, una amenaza real, impredecible, aunque contenido y refrenado desde la Guerra del Golfo. Una nueva guerra desencadenaría precisamente lo que querían evitar: un arranque de ira de Sadam, una postura final de desesperación, la posible utilización de sus armas de destrucción masiva.

En cuanto al espionaje, tal y como sabía el presidente, el problema era también inmenso, dijo Powell. No habían sido capaces de encontrar en Afganistán a Bin Laden, ni al *mulá* Omar, ni a otros líderes de Al Qaeda y talibanes. No sabían dónde estaba Sadam. Sadam disponía de todo tipo de trucos y engaños. Tenía a su disposición un país entero donde poder esconderse. No necesitaban una nueva caza del hombre infructuosa.

La presentación de Powell fue una efusión tanto de análisis como de emociones acompañando su enorme experiencia: treinta y cinco años en el Ejército, antiguo consejero para Asuntos de Seguridad Nacional y, en aquellos momentos, jefe de la Diplomacia. El presidente escuchaba y preguntaba y parecía intrigado, pero sin contradecirlo mucho.

Y Powell se daba cuenta de que su discurso exigía la pregunta de: y bien, ¿qué haría usted? Sabía que a Bush le gustaban las soluciones, de hecho insistía en ellas, y quería conocer sus opiniones en todo momento.

—Puede aún lanzar una llamada para crear una coalición o pedir a Naciones Unidas que se movilicen para hacer lo que se tenga que hacer—dijo. Debían hacer acopio de ayuda internacional. Y

Naciones Unidas era el único medio para conseguirlo. Debían buscar alguna manera de reclutar aliados. Una guerra contra Irak podía ser mucho más complicada y sangrienta que la guerra contra Afganistán, que era la Prueba A que demostraba la necesidad de formar una coalición.

El presidente dijo que prefería tener una coalición internacional y que le encantó crear una para la guerra contra Afganistán.

Powell le respondió diciéndole que creía que era todavía posible realizar un llamamiento a la comunidad internacional en busca de apoyo.

El presidente le preguntó cuáles eran en su opinión los incentivos y motivos que animarían a algunos de los jugadores clave, como los rusos o los franceses. ¿Qué harían?

Powell dijo que, considerándolo como una cuestión diplomática, el presidente y la Administración podrían atraer a la mayoría de países.

El secretario notaba que la discusión entraba en momentos de tensión cuando presionaba, pero al final creyó haber dicho todo lo que tenía que decir.

El presidente le dio las gracias. Habían sido dos horas, nada que ver con las charlas hasta las tantas de la noche y en el dormitorio de Clinton, pero sí de dimensión extraordinaria tratándose de este presidente y de Powell. Y Powell tenía la sensación de haber profundizado en su discusión hasta llegar a los puntos más esenciales. La reunión privada solamente con Bush y Rice había significado que no habría mucho más inmovilismo por parte de otros bandos: Cheney y Rumsfeld.

Rice pensaba en el siguiente titular: «Powell postula por la coalición como única forma de garantizar el éxito».

—Ha sido estupendo—le dijo Rice a Powell al día siguiente por teléfono—, y debemos hacer más reuniones de este tipo.

El soplo que dio pistas sobre la importancia potencial de la velada fue la llamada que Card realizó a Powell al día siguiente, en la que le pidió que se acercara a su despacho y le ofreciera la misma presentación, con notas y todo.

Powell tenía la sensación de que aquella cena había sido un *home run.*

Por la tarde del día siguiente, Bush marchó a su residencia de vacaciones en Crawford, mientras Irak seguía siendo la estrella de los medios de comunicación. No había más noticias de interés y las especulaciones en torno a Irak llenaban el vacío. Todo antiguo consejero para Asuntos de Seguridad Nacional o antiguo secretario de Estado que quedara con vida, capaz de coger un bolígrafo y ponerse a escribir, estaba en la calle publicando sus puntos de vista.

La plana mayor se reunió en Washington el miércoles 14 de agosto sin contar con la presencia del presidente.

Powell dijo que necesitaban plantearse reunir una coalición para actuar contra Irak o, como mínimo, algún tipo de cobertura internacional. «Los británicos están con nosotros», destacó, pero su ayuda era muy frágil en ausencia de una coalición o cobertura internacional. Necesitaban algo. La mayor parte de Europa opinaba lo mismo, informó, al igual que toda Arabia, especialmente los países amigos que Estados Unidos tenía en el Golfo y que serían los más esenciales en caso de guerra. Y Turquía, que compartía con Irak ciento sesenta kilómetros de frontera.

Powell señaló que la primera oportunidad de la que dispondría el presidente después de sus vacaciones para afrontar formalmente el tema de Irak sería el discurso ante la Asamblea General de Naciones Unidas programado para el 12 de septiembre. Había habido algunas conversaciones en torno a si el discurso debería versar sobre los valores norteamericanos o sobre Oriente Próximo. Pero Irak era el tema A.

—No me lo imagino allí sin hablar de esto—dijo Powell.

Rice estaba de acuerdo. En un ambiente de discusión continua en los medios de comunicación, no hablar sobre Irak podría sugerir que la Administración no se tomaba en serio la amenaza de Sadam o que operaba con un secretismo total. Y a Bush le gustaba tener al público al corriente como mínimo de las líneas generales sobre hacia dónde se dirigía su política.

Discutieron cómo afrontarían un interminable proceso de debate y compromiso y retrasos en cuanto iniciaran el camino de Naciones Unidas: palabras, no acción.

—Pienso que el discurso en Naciones Unidas debería tratar sobre Irak—confirmó Cheney. Pero Naciones Unidas debería plantear el problema. Desafiarlo y criticarlo—. Decirle que no va solo por nosotros. Que va por ellos. Que no son importantes.—Naciones Unidas seguía sin hacer cumplir más de una década de resoluciones que obligaban a Sadam a destruir sus armas de destrucción masiva y a permitir que los inspectores de armamento entrasen en Irak. Naciones Unidas corría el riesgo de convertirse en irrelevante y de convertirse en perdedora en el caso de no hacer lo que fuera necesario.

Rice estaba de acuerdo en ello. Naciones Unidas se había convertido en algo demasiado parecido a la Sociedad de Naciones posterior a la Primera Guerra Mundial: un club de debate que no enseñaba los dientes.

Todos estaban de acuerdo en que el presidente no debía presentarse ante Naciones Unidas pidiendo una declaración de guerra. Fue un tema que desapareció rápidamente de la mesa. Llegaron al acuerdo de que lo que tenía más sentido era el discurso sobre Irak. La importancia del conflicto hacía necesario hablar de ello. Pero en lo que no se pusieron de acuerdo fue en lo que el presidente debería decir.

El Consejo de Seguridad Nacional se reunió dos días más tarde, el viernes 16 de agosto, y el presidente asistió desde Crawford a través de una vídeoconferencia blindada. El objetivo exclusivo de la reunión era que Powell presentara su propuesta de acudir a Naciones Unidas en busca de respaldo o de algún tipo de coalición. Powell dijo que la guerra unilateral sería dura, prácticamente imposible. Deberían como mínimo intentar que otros países se sumaran.

El presidente pidió la opinión a todos los reunidos y hubo común acuerdo, incluso por parte de Cheney y Rumsfeld, en hacer una tentativa con Naciones Unidas.

De acuerdo, dijo finalmente Bush. Dio su aprobación al enfoque de la situación: un discurso sobre Irak. Y no debía ser estridente en exceso, les alertó, ni subir demasiado por encima de los estándares, porque de hacerlo todo el mundo creería que no iban en serio. Quería dar una oportunidad a Naciones Unidas.

Powell salió de la reunión con la sensación de que lo lograrían y partió de vacaciones a los Hamptons, en Long Island, Nueva York.

El 20 de agosto de 2002, cuatro días después, visité Crawford, Tejas, para llevar a cabo mi entrevista final con el presidente Bush. Varios de sus colaboradores más cercanos me habían sugerido que lo entrevistara en Crawford, el lugar donde más cómodo se sentía. Habían pasado once meses desde los ataques terroristas. Él y Laura Bush habían construido una preciosa casa, pequeña y de una sola planta, en un rincón retirado de su rancho de seiscientas hectáreas de extensión. La casa domina un lago artificial. Estaban de vacaciones y el presidente iba vestido con pantalones tejanos, camisa de manga corta y unas robustas botas vaqueras. Parecía relajado y centrado.

Casi todas mis preguntas tenían que ver con la Guerra de Afganistán y la más amplia guerra contra el terrorismo. Sus respuestas aparecen plenamente reflejadas en este libro. Pero destaco una serie de puntos que merece la pena considerar en este momento.

Le pregunté al presidente si él y el país habían hecho suficiente por la guerra contra el terror. La posibilidad de otro ataque importante seguía siendo una amenaza. Pero la ausencia de ataques reforzaba la sensación de normalidad. Washington y la ciudad de Nueva York del año 2002 no estaban muy lejos del Londres de 1940 o de Estados Unidos tras el 7 de diciembre de 1941. No había puesto el país en pie de guerra, ni había exigido sacrificios a un número importante de ciudadanos, ni tomado lo que para él sería el impensable y draconiano paso de subir los impuestos o revocar el recorte de impuestos que había llevado a cabo en el año 2001. ¿No era posible que no se hubiese movilizado lo bastante dada la amenaza y la devastación que supuso el 11 de septiembre?

—Si volviesen a atacarnos—le pregunté—de forma gigantesca y espectacular, la gente miraría hacia atrás y diría: hemos hecho mucho, pero ¿hicimos suficiente?

—La respuesta a su pregunta es: ¿Hacia dónde se moviliza usted? Estamos movilizándonos en el sentido de que estamos gastando—dijo Bush. Comentó los importantes aumentos de presupuesto para el FBI, la CIA, los bomberos y otros cuerpos, los primeros en responder a los ataques terroristas.

Le dije que alguien me había comentado que solo había once

mil agentes del FBI con respecto a los casi ciento ochenta mil Marines norteamericanos. ¿No sería posible asignar algunos de esos Marines, algunos de los cuales son excelentes oficiales de espionaje y expertos en seguridad, a aeropuertos y otros objetivos potencialmente vulnerables? Él dedicaba la mayor parte de su tiempo a los conflictos relacionados con la guerra y la seguridad nacional. Rice dedicaba a esos temas probablemente el 80 por 100 del suyo. ¿Dónde estaba el resto del Gobierno?

—Una pregunta muy interesante—contestó—. La respuesta es: si nos dieron fuerte, la respuesta es no—que no hizo lo bastante—. Si no nos dieron fuerte, la respuesta es: hicimos lo correcto.

Le dije que había hablado con Karl Rove, quien dijo que al final la guerra acabaría midiéndose por los resultados.

—Todo se medirá por los resultados—había dicho Rove—. La victoria siempre está bien. La historia adjudica a la victoria cualidades que, de hecho, pueden o no haber estado allí. Y lo mismo sucede con los derrotados.

Bush estaba de acuerdo, pero dijo que el problema era que la guerra se había convertido en una especie de caza internacional del hombre. Los terroristas debían perseguirse uno a uno. No se trataba únicamente de satisfacer lo que él denominaba «un deseo público de sangre». Simultáneamente, comprendía la importancia de capturar a Bin Laden, de «decapitar» al líder de Al Qaeda.

Opinaba que no existían pruebas convincentes que demostraran que Bin Laden estuviera vivo o muerto. Se preguntaba sobre la ausencia de comunicación por su parte, ni un solo mensaje grabado.

—Lo único que sé es que es un megalómano—dijo Bush—. ¿Tan disciplinado es que es capaz de permanecer en silencio durante nueve meses?

—¿Por qué no han vuelto a atacar?—pregunté.

—Tal vez porque estamos haciéndolo bastante bien—dijo Bush. Pero tal vez no. Los investigadores han llegado a la conclusión de que los ataques del 11 de septiembre tenían detrás un mínimo de dos años de planificación. Quizá, sugirió, infravaloró al bando contrario y resultaba que era un enemigo que dedicaba más tiempo a las operaciones de largo alcance, que lo que estaba sucediendo en aquel momento había estado en fase de planificación durante mucho más tiempo.

El presidente planteó una posibilidad más horripilante. La mayor preocupación del FBI era que miembros de Al Qaeda, «asesinos fríos y calculadores» les llamó, se hubieran *enterrado* en la sociedad norteamericana, instalado en casas con jardín o en cualquier otro lugar a la espera de que llegara el momento planificado para atacar.

—Tal vez se trate de un ciclo de planificación de cuatro años —dijo.

Quería intentar comprender la opinión general o la filosofía del presidente con respecto a los asuntos de política exterior y de defensa. Los talibanes habían sido derrocados, pero posiblemente Bin Laden había escapado y a buen seguro muchos integrantes de su red de Al Qaeda. Se esperaban otros ataques terroristas. Estados Unidos tenía en esos momentos unos siete mil soldados en Afganistán, un lugar que seguía siendo peligroso e inestable. Karzai estaba continuamente en peligro, incluso con las Fuerzas Especiales norteamericanas actuando a modo de guardaespaldas.

Las declaraciones teóricas que Bush hizo sobre la construcción nacional habían quedado descartadas casi en su totalidad ante la necesidad de mantener Afganistán unido. En ocasiones hacía las veces de director del presupuesto afgano y de cobrador de facturas.

—Si no lo he pedido una vez, lo he pedido veinte, quiero ver las proyecciones de flujo de fondos del Gobierno afgano—dijo Bush—. ¿Quién debe dinero? El otro día escribí una carta en la que apremiaba a esta gente en Europa para que pague.—Se había enterado de que un soldado afgano entrenado costaba solo quinientos dólares anuales—. Dije que no tiene sentido entrenar a gente para el Ejército y luego no pagarles.

Hasta aquel día en Crawford, no había escuchado directamente las arrolladoras aspiraciones que Bush tenía puestas en su presidencia y en Estados Unidos. Casi todos los presidentes tienen grandes esperanzas. Algunos tienen visiones grandiosas de lo que conseguirán, y él se situaba con firmeza en aquel terreno.

—Perseguiré la oportunidad de alcanzar grandes objetivos—me dijo Bush mientras estábamos sentados en una amplia estancia de su casa y con una agradable brisa soplando entre las cortinas—. No hay nada mayor que conseguir la paz mundial.

La acción no tenía solo objetivos estratégicos o defensivos, dijo.

—Mire, es como Irak—dijo—. Condi no quería que hablase de ello.—Tanto él como Rice, que nos acompañaba durante la entrevista, se echaron a reír—. Pero espere un momento—prosiguió—. Solo un aparte, y veremos si esto se confirma. Es evidente que, si seguimos adelante, un cambio de régimen en Irak tendrá una implicación estratégica. Pero por lo que yo sé, hay algo más aparte de eso, y es que existe un sufrimiento inmenso.

Bush miró a Rice de reojo.

—O Corea del Norte—añadió rápidamente—. Hablemos de Corea del Norte.—Pero parecía referirse con ello también a Irak. Irak, Corea del Norte e Irán eran los «ejes del mal» que había identificado en su discurso sobre el Estado de la Unión.

El presidente se echó hacia delante en su asiento. Pensé que acabaría saltando viendo lo apasionadamente que hablaba sobre el líder de Corea del Norte.

—¡Aborrezco a Kim Jong Il!—exclamó Bush, sacudiendo el dedo en el aire—. Si reacciono de forma visceral ante ese tipo es porque está matando de hambre a su pueblo. Y he visto información de esos campos de prisioneros, que son enormes, y que utiliza para desmembrar familias y para torturar a la gente. Me repugna...

Le pregunté si había visto la fotografía por satélite de los campos de prisioneros que habían proporcionado las agencias de información norteamericanas.

—Sí, me repugna.—Se preguntaba cómo el mundo civilizado podía soportar y mimar al presidente norcoreano mientras mataba de hambre a su pueblo—. Es visceral. Tal vez sea mi religión, tal vez mi... pero me apasiono con esto.—Dijo que también se percataba de que los norcoreanos poseían un poderío militar enorme capaz de acabar con Corea del Sur, aliada de Estados Unidos.

—No soy tonto—continuó el presidente—. Me dicen, no necesitamos movernos con excesiva rapidez porque las cargas financieras sobre la gente serían tan inmensas si intentáramos... que ese tipo se viniera abajo. ¿Quién se responsabilizaría de...? No me lo trago. O crees en la libertad y quieres... y te preocupas por cuestiones humanitarias, o no.

Por si acaso no había captado el mensaje, añadió:

—Y por cierto, siento lo mismo por la gente de Irak.—Dijo que Sadam estaba matando de hambre a su pueblo en las zonas remotas shiíes de Shiite—. Nos preocupan las cuestiones humanitarias.

—En cuanto a Irak, podemos atacar o no. Aún no tengo ni idea. Pero si lo hacemos será para conseguir nuestro objetivo de tener un mundo más pacífico.

En cuanto a Afganistán, dijo:

—Quiero que nos consideren como liberadores.

Le pregunté concretamente sobre el momento, en octubre de 2001, en el que dijo a su gabinete de guerra que lo que unía a una coalición no eran tanto las consultas como un liderazgo norteamericano fuerte que obligara al resto del mundo a ajustarse a él.

—Bien—dijo el presidente—, no se puede imponer la forma de solucionar un problema. Pero Estados Unidos se encuentra en estos momentos en una posición única. Somos el líder. Y el líder debe combinar su capacidad de escuchar a los demás con la acción.

—Creo en resultados. Lo dije una vez, dije, sé que el mundo nos observa con atención y que se quedaría impresionado, y se quedará impresionado, con los resultados obtenidos. Es como ganar capital de muchas maneras. Para nosotros es una forma de ganar capital con una coalición que puede ser frágil. Y el motivo por el que será frágil es porque existe resentimiento hacia nosotros.

—Mire, si quiere oír resentimiento, limítese a escuchar la palabra «unilateralismo». Me refiero a que eso es resentimiento. Cuando alguien intenta decir algo desagradable de nosotros: «Bush es un unilateralista, Estados Unidos es unilateral». Y me hace gracia. Pero también... he asistido a reuniones en las que existe una especie de sensación de «no debemos actuar hasta que estemos todos de acuerdo».

Bush dijo que no creía que el problema fuera llegar todos a un acuerdo y me sorprendió lo tajante que fue su siguiente afirmación.

—Jamás conseguiremos que todo el mundo se ponga de acuerdo con respecto a la fuerza y a la utilización de la fuerza—declaró, sugiriendo con ello que una coalición internacional o Naciones Unidas no eran probablemente formas viables de tratar con estados peligrosos y duros de roer—. Pero la acción... la acción segura de desembocar en resultados positivos proporciona una especie de estela que pueden seguir las naciones y los líderes poco dispuestos a hacerlo y que les demuestra que ha habido... que se ha producido algo positivo en pro de la paz.

Bush dijo que el presidente tiene que ocuparse de muchas batallas tácticas del día a día relacionadas con presupuestos y resoluciones del Congreso, pero que considera que su cargo y sus responsabilidades son mucho más amplios. Su padre ridiculizaba frecuentemente la inutilidad del concepto de una «visión» o de «la visión». Por ese motivo me sorprendió también que Bush hijo dijera:

—Este trabajo es... la importancia de la visión. Otra lección que he aprendido.

Su visión incluye claramente una ambiciosa reorganización mundial a través de acciones preventivas y unilaterales en caso de necesidad que disminuyan el sufrimiento y traigan la paz.

A lo largo de la entrevista, el presidente habló una docena de veces sobre sus «instintos» o sus reacciones «instintivas», incluyendo su afirmación de que «no actúo siguiendo las pautas del libro de texto, actúo desde dentro». Se hace así evidente que el papel de Bush como político, presidente y comandante en jefe está regido por una fe secular en sus propios instintos: sus conclusiones y opiniones naturales y espontáneas. Sus instintos son prácticamente su segunda religión.

Cuando le pregunté concretamente acerca de las contribuciones de Powell, el presidente me ofreció una respuesta tibia.

—Powell es un diplomático—respondió Bush—. Y tienes que tener un diplomático. Me considero un diplomático bastante correcto, pero nadie más opina lo mismo. Mira, particularmente, no me calificaría como diplomático. Pero él es una persona diplomática que tiene experiencia en cuestiones de guerra.

—¿Quería Powell mantener reuniones privadas?—le pregunté.

—No es de los que cogen el teléfono para llamar y decir: tengo que venir a verte—dijo Bush. Confirmó que mantenía reuniones privadas con Powell a las que también asistía Rice—. Déjeme pensar en Powell. Sí, ya lo tengo. Fue estupendo con Musharraf. Sin la ayuda de nadie, consiguió que Musharraf se aliara con nosotros. Lo hizo perfectamente. Fue quien tuvo la idea de crear una coalición.

—Daremos una vuelta—propuso el presidente al cabo de dos horas y veinticinco minutos. Salimos fuera. Se encaramó a la rueda de su furgoneta descapotable y me hizo señas para que ocupara el asiento del acompañante. Rice y un agente femenino del Servicio Secreto se apretujaron en el estrecho asiento trasero. Barney, el terrier escocés, se acomodó entre nosotros en la parte delantera y rápidamente se montó en el regazo de su amo.

Serpenteamos ligeramente para descender desde las llanuras hasta un pequeño valle, desde el que se veían a lo lejos unas formaciones rocosas sorprendentes que probablemente tendrían entre ciento ochenta y trescientos metros de altura. El presidente tomaba lentamente las curvas de la carretera de gravilla, saboreando aquella extensión. Comentaba los árboles y el terreno, las profundas áreas boscosas y las planicies. Denotaba la presencia de árboles caídos que tendrían que talarse o de partes de bosque que parecían florecer o donde personalmente había talado los cedros, un árbol no autóctono que usurpa la preciada agua y la luz a los robles vecinos u otros árboles de hoja caduca.

Cuando detuvo el vehículo en un recodo cerrado a la sombra de los árboles, parecía tener en mente un destino concreto. Salimos del coche. Habríamos recorrido unos cuatro kilómetros de su rancho. Rice dijo que no saldría porque no llevaba el calzado adecuado. La agente del Servicio Secreto tampoco nos siguió, de modo que el presidente y yo caminamos solos en dirección a un puente de madera situado a unos veinte metros de distancia.

Lo atravesamos y surgió ante nosotros, a unos cuarenta metros, una gigantesca formación de piedra caliza, de color casi blanco, con forma de media luna y con un saliente escarpado. Parecía una concha marina en forma de mamut emergiendo de un cañón de Tejas. De la parte central del saliente caía una diminuta cascada de agua. La roca parecía antigua, tan vieja como las catacumbas romanas. El ambiente tenía un aroma dulce y penetrante que no podía identificar. Bush empezó a lanzarle piedras al saliente y yo le imité enseguida.

De regreso, Bush sacó de nuevo a relucir el tema de Irak. Su anteproyecto o modelo de toma de decisiones en una guerra contra Irak, me dijo, se encontraba en la historia que yo trataba de relatar: la de los primeros meses de la Guerra de Afganistán y en la gran guerra secreta e invisible de la CIA contra el terrorismo mundial.

—Usted tiene esa historia—dijo. Observe con atención todo lo que tiene, parecía estarme diciendo. Allí estaba todo si unía las piezas debidamente... lo que había aprendido, cómo se había afirmado en la presidencia, su foco en grandes objetivos, cómo tomaba decisiones, por qué había provocado a su gabinete de guerra y presionado a la gente para que entrara en acción.

Yo me esforzaba por comprender el significado de todo ello. Al principio, este comentario y lo que había dicho antes parecía sugerir que se inclinaba hacia un ataque contra Irak. Sin embargo, en los inicios de la entrevista, me había dicho: «Soy del tipo de personas que quiere estar segura de haber valorado todos los riesgos. El presidente debe estar constantemente analizando, tomando decisiones basadas en el riesgo, sobre todo en lo que a la guerra se refiere... el riesgo en relación a lo que puede conseguirse». Y lo que quería conseguir estaba claro: quería echar a Sadam.

Antes de volver a subir a la furgoneta, Bush añadió una pieza más al rompecabezas de Irak. Dijo que aún no había vislumbrado un plan de éxito para la cuestión de Irak. Tenía que ir con cuidado y tener paciencia.

—A cualquier presidente—añadió—le gusta disponer de un plan militar que garantice el éxito.

«Cheney afirma que el riesgo de un Irak nuclear justifica el ataque», leyó Powell estando de vacaciones en el *New York Times* del 27 de agosto. Aparecía en portada. El día anterior, el vicepresidente había pronunciado un discurso siguiendo la línea dura y en el que declaraba que las inspecciones de armas eran básicamente inútiles.

—Un regreso de los inspectores no garantizaría el cumplimiento de las resoluciones de Naciones Unidas—había dicho Cheney—. Todo lo contrario, existe un gran peligro de que sirviera para generar una situación cómoda con la sensación de que Sadam estaba, por decirlo de algún modo, «encerrado y sin molestar».—Expresó su tremenda preocupación por las armas de destrucción masiva que el gabinete de guerra había escuchado tantas veces. En manos de un «dictador asesino» esas armas eran «la amenaza más grave imaginable. Los riesgos que acarrea la falta de acción son mucho mayores que los riesgos de entrar en acción». El discurso de Cheney fue interpretado en general como la política de la Administración. Su tono era duro e implacable. Mencionaba las consultas con aliados pero no invitaba a otros países a unirse a la coalición.

Powell se quedó asombrado. Parecía como un ataque preventivo a lo que creía que habían acordado diez días antes: dar una oportunidad a Naciones Unidas. Además, al golpe que asestaba a las inspecciones armamentísticas era contrario a las declaraciones que Bush había venido haciendo a lo largo de todo el año, en las que afirmaba que el paso siguiente sería permitir de nuevo la entrada en Irak de los inspectores de armas. Aquello era por lo que todo el mundo, Naciones Unidas y Estados Unidos, había estado luchando con Sadam desde 1998, cuando expulsó a los inspectores.

Al día siguiente del discurso de Cheney, Rumsfeld se reunía con tres mil Marines en Camp Pendleton, California.

—No sé cuántos países participarán en el caso de que el presidente decida que los riesgos de la falta de actuación superan a los de actuar—dijo Rumsfeld. Powell decodificó la frase: Cheney había declarado que el riesgo estaba en la falta de actuación y Rumsfeld había dicho que no sabía cuántos países se unirían a ellos en el caso de que el presidente coincidiera con la opinión de Cheney. Rumsfeld dijo también que hacer lo correcto «al comienzo puede parecer solitario»... un nuevo término para definir actuar solo, en otras palabras, unilateralismo.

Para empeorar las cosas, la BBC empezó a emitir extractos de una entrevista que Powell había concedido tiempo atrás y en la que decía que sería «útil» reiniciar las inspecciones armamentísticas.

—El presidente ha dicho claramente que cree que los inspectores de armas deberían regresar—había dicho Powell—. Irak lleva más de once años violando la mayoría de las resoluciones de Naciones Unidas. Veamos así, como primer paso, lo que descubren los inspectores. Enviémosles allí de nuevo.

Aparecían nuevas historias que afirmaban que Powell contradecía a Cheney o parecía hacerlo. De pronto, Powell se dio cuenta de que la impresión pública que causaba la política de la Administración con respecto a la entrada de los inspectores en Irak era contraria a la que él sabía que debía ser. Algunos editorialistas acusaban a Powell de falta de lealtad. Contabilizó siete editoriales que pedían su dimisión o que insinuaban que debería renunciar a su cargo. Desde su punto de vista, todo aquel infierno era cada vez más ilógico. ¿Cómo puedo ser desleal, se preguntaba, cuando lo que declaro es la postura confirmada por el presidente?

Cuando Powell regresó de vacaciones, solicitó una nueva reunión privada con el presidente. El 2 de septiembre, día del Trabajo, Rice se unió a ellos después de comer mientras Powell daba un repaso a toda aquella confusión del mes de agosto. ¿Era o no era la postura del presidente que los inspectores de armas debían regresar a Irak?

Lo era, dijo Bush, aunque era escéptico con respecto a su éxito. Reafirmó su compromiso de ir a Naciones Unidas y pedir ayuda para la cuestión de Irak. En el sentido práctico, aquello significaba solicitar una nueva resolución. Powell partió satisfecho hacia Sudáfrica, donde tenía que asistir a una conferencia.

Powell estaba de regreso el viernes 6 de septiembre por la tarde y se unió a la plana mayor en Camp David, en ausencia del presidente.

Cheney afirmaba que solicitar una nueva resolución les devolvería al largo proceso de Naciones Unidas... sin esperanzas, eterno e indeciso. Todo lo que el presidente diría es que Sadam era un malvado, que en el pasado había violado, ignorado y pisoteado concientemente las resoluciones de Naciones Unidas, y que Estados Unidos se reservaban el derecho de actuar unilateralmente.

Pero eso no era solicitar el apoyo de Naciones Unidas, le contestó Powell. Naciones Unidas no se limitaría a revolverse en su asiento, declarar que Sadam es un malvado y autorizar el ataque militar de Estados Unidos. Naciones Unidas no iban a comprar esa idea. No era una idea vendible, dijo Powell. El presidente ya había decidido dar una oportunidad a Naciones Unidas y la única manera de hacerlo era solicitando una resolución.

Cheney estaba totalmente decidido a emprender una acción contra Sadam. Era como si no existiera nada más.

Powell trató de resumir las consecuencias que tendría una acción unilateral. Si iban solos, se verían obligados a cerrar las embajadas norteamericanas en todo el mundo.

Eso no era ningún problema, dijo Cheney. El problema era Sadam y su amenaza descarada.

Tal vez las cosas no evolucionaran como pensaba el vicepresidente, dijo Powell. La guerra podía desencadenar todo tipo de consecuencias inesperadas y no buscadas.

«Ese no es el problema», dijo Cheney.

La conversación explotó en un duro debate que lindó los límites de la educación, aunque sin alejarse de la corrección formal que Cheney y Powell solían mostrar el uno con el otro.

A la mañana siguiente, la plana mayor tenía una reunión del Consejo de Seguridad Nacional con el presidente, se repitieron las discusiones y Bush pareció sentirse cómodo con la propuesta de solicitar una resolución a Naciones Unidas.

Cheney y Rumsfeld siguieron presionando a lo largo del proceso de redacción del discurso. Solicitar una nueva resolución les encerraría en la mordaza del debate y las dudas de Naciones Unidas, abriendo con ello la puerta a Sadam para que negociase con Naciones Unidas. Se ofrecería a cumplir con todo y luego, como siempre, dejaría a todo el mundo con un palmo de narices.

Así que la solicitud de una resolución quedó fuera del discurso. Las reuniones de redacción siguieron durante varios días. El discurso atacaba a Naciones Unidas por no hacer cumplir las inspecciones de armas en Irak, concretamente en los cuatro años posteriores a que Sadam los expulsara.

—No podemos decir todo esto—afirmó Powell—sin pedirles que hagan algo. En este discurso no hay acción.

—¿Dice, aquí está lo que ha hecho mal, aquí está lo que deben hacer para arreglarlo, y ya está?—preguntó Powell asombrado—. Debemos pedir algo.

Así que la plana mayor inició entonces una discusión sobre

qué era lo que tenían que pedir. ¿Qué aspecto debería tener esa «petición»?

Llegaron finalmente al acuerdo de que Bush debería pedir a Naciones Unidas que actuara.

Powell lo aceptó, aunque la única forma de conseguir que Naciones Unidas actuara era mediante resoluciones. Así que esa era la acción implícita. Solicitar una nueva resolución habría sido más concreto, pero la llamada a la «actuación» era suficiente para Powell.

Tony Blair le dijo a Bush en privado que tenía que ir por el camino de una resolución de Naciones Unidas. David Manning, el consejero británico para Asuntos de Seguridad Nacional, le dijo lo mismo a Rice.

Dos días antes de que el presidente se presentara en Naciones Unidas, Powell revisó el borrador número 21 del texto del discurso que la Casa Blanca le había remitido con el sello de PRIVADO y URGENTE en cada uno de los folios. En la página ocho, Bush prometía trabajar con Naciones Unidas «para conseguir nuestro común desafío». No había ninguna llamada a la actuación de Naciones Unidas.

En la reunión del comité de la plana mayor sin el presidente justo antes de que Bush partiera hacia Nueva York, Cheney manifestó su oposición a que el presidente solicitara concretamente nuevas resoluciones. Era una cuestión de tácticas y de credibilidad presidencial, defendía el vicepresidente. Imaginemos que el presidente lo solicita y el Consejo de Seguridad lo deniega. Sadam era un maestro de los faroles. Engañaría y se retiraría, encontraría una forma de retrasar lo que le pedían. Lo que necesitaban era expulsar a Sadam del poder. Si atacaba a Estados Unidos o a otro país con las armas de destrucción masiva que poseía, particularmente si se trataba de un ataque a gran escala, el mundo no les perdonaría nunca la falta de acción ni el haber cedido al impulso de involucrarse en los debates semánticos de las resoluciones de Naciones Unidas.

Rumsfeld dijo que necesitaban partir de un principio, pero luego formuló una serie de preguntas retóricas y no utilizó un lenguaje duro.

Cheney y Powell se enzarzaron en una discusión feroz. Se trataba del internacionalismo de Powell contra el unilateralismo de Cheney.

—No sé si lo hemos conseguido o no—le dijo después Powell a Armitage.

La noche anterior a su discurso, Bush habló con Powell y Rice. Había decidido que solicitaría nuevas resoluciones. De entrada había pensado autorizar a Powell y Rice para que, después de su discurso, dijeran que Estados Unidos trabajaría en ellas junto con Naciones Unidas. Pero había llegado a la conclusión de que también podía decirlo personalmente a lo largo del discurso. Ordenó la inclusión de una frase al inicio de la página ocho en la que decía que trabajaría con el Consejo de Seguridad de Naciones Unidas para sacar adelante las «resoluciones» necesarias. La frase fue añadida al borrador final número 24.

—Lo dirá—informó Powell a Armitage.

En el estrado de la famosa sala de la Asamblea General, Bush llegó a la parte del discurso donde debía decir que abogaba por las resoluciones. Pero la copia del documento pasada al teleprompter no incluía el cambio de última hora. De modo que Bush leyó la antigua frase: «Mi nación trabajará con el Consejo de Seguridad de Naciones Unidas para "conseguir nuestro desafío común"».

Powell tenía en sus manos el borrador número 24 e iba anotando las improvisaciones del presidente. Casi se le detiene el corazón. ¡La frase de las resoluciones había desaparecido! ¡No la había dicho! ¡Era la frase clave!

Pero mientras Bush leía la antigua frase, se dio cuenta de que faltaba la parte relacionada con las resoluciones. La improvisó con poca dificultad, añadiendo, dos frases después: «Trabajaremos con el Consejo de Seguridad de Naciones Unidas para las resoluciones necesarias».

Powell volvió a respirar.

En términos generales, el discurso del presidente fue un gran éxito. Fue ampliamente alabado por su dureza, por su voluntad de buscar el apoyo internacional para su política respecto a Irak, y por su efectivo desafío a Naciones Unidas para que obligaran al cumplimiento de sus resoluciones. Fue un gran empujón para Powell, que estaba con él en Nueva York para acelerar el apoyo a la política de Estados Unidos, sobre todo en lo referente a Rusia y Francia, que como miembros permanentes del Consejo de Seguridad, podían vetar cualquier resolución.

Al día siguiente, Irak anunció que admitiría nuevos inspectores de armas. Pocos creían en su sinceridad. Lo veis, dijo el vicepresidente, juega con Estados Unidos y Naciones Unidas, un juego para tontos.

Bush creía que la estrategia de adelantarse a los acontecimientos era la única alternativa válida en caso de no esperar a que se produjeran. En los albores del siglo XXI, existían dos realidades: la posibilidad de otro grave ataque terrorista sorpresa similar al del 11 de septiembre y la proliferación de armas de destrucción masiva (biológicas, químicas o nucleares). De converger ambas realidades en manos de terroristas o de un estado de delincuentes, Estados Unidos podría sufrir un ataque y con ello morir cientos de miles de personas.

Además, el presidente y su equipo habían descubierto que proteger y precintar el territorio de Estados Unidos era prácticamente imposible. Incluso con las medidas de seguridad al máximo y con las alertas nacionales de terrorismo, el país estaba solo en parte a salvo. Estados Unidos había asimilado Pearl Harbour y seguido adelante hasta ganar la Segunda Guerra Mundial. De momento, el país había asimilado el 11 de septiembre y seguido hasta ganar la primera fase de la guerra en Afganistán. ¿Qué ocurriría en caso de un ataque nuclear en el que murieran cientos de miles de personas? Un país libre podría llegar a convertirse en un estado policial. ¿Qué ocurriría si los ciudadanos o la historia pensasen que el presidente no había actuado de la forma más agresiva posible? ¿Cuál era el momento en que una defensa exigía una ofensiva activa?

Condi Rice, la *resuelveproblemas* de Bush, opinaba que la Administración tenía poco donde elegir con respecto a Sadam.

—El desastre y la pesadilla abrumadora e implacable es tener a ese tirano agresivo armado en un par de años con armas nucleares, con su historial y deseo y voluntad de utilizar armas de destrucción masiva—dijo en el transcurso de una entrevista—. ¿Está preparada para que esta pesadilla siga adelante?—Algunos expertos en espionaje decían que eran necesarios entre cuatro y seis años antes de que tuviera disponible un arma nuclear—. Llevo mucho tiempo en este trabajo y la gente siempre infravalora el tiempo, rara vez lo sobreestima. Si nos equivocamos y pasaran entre cuatro y seis años antes de que dispusiera de una amenaza nuclear, lo único que sucedería es que habríamos llegado con adelanto. Si cualquiera dispuesto a esperar se equivoca, entonces nos despertaremos de aquí a dos o tres años, y Sadam tendrá un arma nuclear que estará blandiendo en la región más volátil del mundo. ¿Qué alternativa desea elegir?

—La lección del 11 de septiembre: encárguese de las amenazas lo antes posible.

Pero el presidente siguió como si estuviera dispuesto a dar una oportunidad a Naciones Unidas y su retórica pública se suavizó. En lugar de hablar únicamente de un cambio de régimen, dijo que su política era conseguir que Irak entregase sus armas de destrucción masiva.

—La primera alternativa no es la militar—comentó Bush a los periodistas el 1 de octubre—, sino desarmar a este hombre.

En un discurso a la nación ofrecido el lunes 7 de octubre, la fecha del primer aniversario de los ataques militares contra Afganistán, el presidente dijo que Sadam suponía una amenaza inmediata para Estados Unidos. Mientras el Congreso debatía si aprobaba su propia resolución que autorizase el uso de la fuerza contra Sadam, Bush decía que la guerra era evitable y no inminente.

—Espero que esto no requiera una intervención militar —dijo.

Una auténtica victoria para Powell, aunque quizá solo fuera momentánea. La menor intensidad de la retórica significaba que el presidente podía decir no a Cheney y Rumsfeld, pero no significaba una reducción de la feroz determinación de Bush. Como siempre, se trataba de la eterna batalla entre el corazón y la cabeza del presidente, de un intento de equilibrar sus impulsos unilateralistas con diversas realidades internacionales.

Algunos demócratas y republicanos importantes deseaban un debate público sobre qué hacer con respecto a Sadam e Irak. Unos cuantos criticaban con dureza la aparente precipitación hacia una guerra, destacando entre ellos el anterior vicepresidente Al Gore y el senador Ted Kennedy. La preocupación por Sadam era real, afirmaban, pero no había atacado directamente a Estados Unidos ni a ninguna otra nación. Las pruebas que convertían a Sadam en una amenaza inminente no eran convincentes, decían. Decían también que un ataque militar bajo la nueva política todavía no probada de anticiparse a los acontecimientos podía desestabilizar otros países de Oriente Próximo, desencadenar más terrorismo por parte de Sadam o de otros, dejar a Israel más vulnerable a los ataques y alterar la tradición norteamericana de, en términos generales, no ser nunca el primero en atacar.

A principios de octubre, Naciones Unidas no había llegado todavía a un acuerdo sobre nuevas resoluciones. Pero el 10 y el 11 de octubre, la Cámara de Representantes y el Senado votaron abrumadoramente a favor de otorgar al presidente plena autoridad para atacar a Irak unilateralmente. El resultado de la votación en la Cámara de Representantes fue de 296 votos contra 133, y en el Senado de 77 a 23. El Congreso le dio a Bush su pleno consentimiento para utilizar el Ejército «como él considere necesario y adecuado» para defenderse de la amenaza de Irak.

Pero no estaba claro lo que podría pasar al final con Irak, si Bush se encaminaba hacia el triunfo, el desastre o algo entre ambos extremos.

Sea cual sea el camino que elija, tendrá a su disposición una CIA y un Ejército mucho más capaces y con mucha más hambre de acción de lo que se les reconoce generalmente.

El 5 de febrero de 2002, cerca de veinticinco hombres en representación de tres unidades distintas de las Fuerzas Especiales y tres equipos paramilitares de la CIA, se reunieron en las afueras de Gardez, Afganistán, en el este, a unos sesenta y cinco kilómetros de la frontera paquistaní. Hacía mucho frío y estaban envueltos en ropa de acampada o especial para el exterior. Nadie iba uniformado. Muchos se habían dejado crecer la barba. Los hombres permanecían de pie o de rodillas en aquel desolado paraje frente a un helicóptero. De fondo, una bandera de Estados Unidos. Había un montón de piedras dispuestas a modo de lápida sobre un fragmento enterrada del derrumbado World Trade Center. Alguien les hizo una fotografía.

Uno de los hombres leyó una oración. Y luego dijo:

—Consagramos este lugar como un recuerdo eterno a los valientes norteamericanos que murieron el 11 de septiembre, para que todos los que pretendan hacerle algún daño sepan que Estados Unidos no permanecerá impasible contemplando cómo continúa el horror.

—Exportaremos la muerte y la violencia a los cuatro puntos cardinales del planeta en defensa de nuestra gran nación.

AGRADECIMIENTOS

Simon & Schuster y *The Washington Post* apoyaron este proyecto con el mismo entusiasmo, confianza y fidelidad que me han mostrado a lo largo de las tres últimas décadas. Son como una familia para mí.

Alice Mayhew, vicepresidenta y directora editorial de Simon & Schuster, guió este proyecto con su habitual determinación, atención e ingenio. Nadie puede editar y publicar un libro mejor o más rápido. Concebido originalmente como la historia del primer año del presidente George W. Bush en el cargo, centrado en su agenda nacional y la reducción de impuestos, el libro dio un giro de 180°, como muchas otras cosas en este país, tras los ataques terroristas del pasado 11 de septiembre.

Leonard Downie Jr., editor ejecutivo del *Washington Post*, y Steve Coll volvieron a darme la libertad de continuar este relato independiente en el momento en que los archivos todavía eran accesibles y recientes. Son extraordinarios redactores que practican el periodismo a la usanza del gran Benjamin C. Bradlee.

Don Graham, el presidente del consejo de administración del *Post*, y la difunta Katharine Graham, que murió poco antes del 11 de septiembre de 2001, representan a una raza muy especial, los mejores propietarios y jefes.

Dan Balz, el reportero de política nacional del *Post*, colaboró conmigo en la serie de ocho entregas sobre el inicio de la crisis titulada «Ten Days in September», que se publicó en el periódico entre el 27 de enero y el 3 de febrero de 2002. Dan es uno de los mejores periodistas que trabajan en Estados Unidos: astuto, rápido, prudente e imparcial. Me ha enseñado mucho y trabajar con él ha sido una de las mejores experiencias de todo el tiempo que he pasado en el *Post*. Con el permiso de este diario, he utilizado parte del material publicado en esas series. Tengo que dar las gracias especialmente a uno de los redactores con más talento en este negocio, Bill Hamilton, que editó la serie.

Otra de las experiencias profesionales recientes más agradables para mí en el *Post* ha sido trabajar con un grupo de reporteros excepcionales en la cobertura del 11 de septiembre: Thomas E. Ricks, Dan Eggen, Walter Pincus, Susan Schmidt, Amy Goldstein, Barton Gellman y Karen DeYoung. Nuestra cobertura informativa ganó el Premio Pulitzer 2002 en la categoría de Cobertura Nacional.

Debo mucho a un grupo de redactores del *Post* que me supervisaron, me animaron y me ayudaron a estudiar la información y a reescribir el manuscrito. Son los hombres y mujeres de las trincheras, de los que no oímos hablar demasiado. Los reporteros no podrían llegar a la primera base, ni siquiera batear, sin ellos. Estoy pensando especialmente en Jeff Leen, Lenny Bernstein y Matt Vita, héroes olvidados del periodismo. Tengo que dar las gracias especialmente a Liz Spayd y Michael Abramowitz, que dirigen al personal de la sección de nacional, por toda su ayuda y su amabilidad.

Dana Priest, del personal de la sección de nacional del *Post*, ha realizado la cobertura más exhaustiva de las operaciones de las Fuerzas Especiales de Estados Unidos en Afganistán. Me he basado en ella, confirmando independientemente su trabajo original, y solo me queda darle las gracias.

Mike Allen, el corresponsal de la Casa Blanca para el *Post*, es uno de los reporteros de más talento y más diligentes. Seguro de sí mismo y más sensato de lo que corresponde a su edad, Mike me ayudó muchas veces, de muchas maneras, la más reciente en mi visita a Crawford (Tejas). Es un verdadero amigo. También quiero dar las gracias a su colega Dana Milbank, el otro reportero habitual de la Casa Blanca para el *Post*. Otras personas que me ayudaron y a las que también me gustaría incluir en esta lista son Vernon Loeb, Bradley Graham, Alan Sipress y Glenn Kessler.

Desde mi punto de vista, los corresponsales del *Post* hicieron el mejor trabajo de cobertura en Afganistán sobre el terreno; he confiado en las versiones y en el análisis de una docena de ellos, especialmente en Susan Glasser, Peter Baker, Molly Moore y John Ward Anderson.

Olwen Price transcribió muchas entrevistas con mano experta, a menudo bajo una enorme presión provocada por las prisas. Aprecio profundamente sus esfuerzos. El gran Joe Elbert y su magnífico equipo de fotógrafos del *Post* me proporcionaron muchas de las imágenes de este libro. Gracias a Michael Keegan y a Richard Furno.

En Simon & Schuster, Carolyn K. Reydy, la presidenta, y David Rosenthal, el editor, hicieron que este libro pasara de manuscrito a las estanterías de las librerías en un tiempo récord. Cómo lo hicieron es algo que sigue siendo un misterio para mí. También quiero dar las gracias a Roger Labrie, editor adjunto; a Elisa Rivlin, la consejera general; a Victoria Meyer, directora de publicidad; a Aileen Boyle, editor adjunto de publicidad; a Jackie Seow, directora de arte y diseñadora de cubiertas; a Jennifer Love, editora. Gracias especialmente a Jonathan Jao, ayudante de Alice Mayhew, por su colaboración.

Quiero dar las gracias, sobre todo, a Fred Chase, que viajó desde Tejas a Washington para corregir el manuscrito. Nos prestó su ojo clínico, su aguzado oído y su mente despierta.

También me serví de la cobertura y el análisis de la guerra contra el terrorismo que llevó a cabo el *New York Times*, cuyo trabajo es un modelo de globalidad y claridad, y tiene mucho que enseñar a los profesionales del periodismo. *Newsweek*, *Time* y *U.S. News & World Report* me aportaron información nueva y una extraordinaria cobertura, así como *Los Angeles Times*, *The Wall Street Journal*, *The New Yorker* y Associated Press.

Robert B. Barnett, mi agente, abogado y amigo, me ofreció su consejo y su orientación, como siempre. Dado que también es el representante del ex presidente Clinton, Bob no pudo ver el libro hasta que no estuvo impreso.

Jeff Himmelman, un antiguo colaborador investigador, pasó varios días leyendo el manuscrito y mejorándolo con todo tipo de sugerencias. También nos ayudó a Dan Balz y a mí en la serie «Ten Days in September». Josh Kobrin resultó una ayuda muy valiosa para Mark Malseed y para mí.

Gracias de nuevo a Rosa Criollo, a Norma Gianelloni y a Jackie Crowe.

Mis hijas, Tali y Diana, hacen mi vida realmente interesante.

Elsa Walsh, mi esposa y mi mejor amiga, me ha dado de nuevo mucho más de lo que cualquiera podría esperar. Es paciente y prudente, compañera y portadora de casi todas las cosas que hacen más agradable nuestra vida.

ÍNDICE

ESTA EDICIÓN DE
«BUSH EN GUERRA»,
DE BOB WOODWARD,
SE HA COMPUESTO CON TIPOS NEW BASKERVILLE
DE ONCE PUNTOS DE CUERPO SOBRE DOCE Y MEDIO DE INTERLINEADO
EN CASA DEL MAESTRO VÍCTOR IGUAL.
ÉL, CARLES, LUISA Y LUIS MATÍAS
HAN HECHO POSIBLE
QUE SE PUDIERA ESTAMPAR EN LIMPERGRAF
EL DÍA DE SAN SILVESTRE DE DOS MIL DOS.